아비투어

철학 논술

자기주도학습

아비투어

철학 논술 자기주도학습 9

2판 2쇄 발행일 | 2020년 8월 18일

지은이 | 이봉선, 박기호
펴낸이 | 정은영
펴낸곳 | (주)자음과모음

출판등록 | 2001년 11월 28일 제2001−000259호
주　　소 | 04047 서울시 마포구 양화로6길 49
전　　화 | 편집부 (02)324−2347, 경영지원부 (02)325−6047
팩　　스 | 편집부 (02)324−2348, 경영지원부 (02)2648−1311
e−mail | jamoteen@jamobook.com

ISBN | 978−89−544−3771−4(03100)

• 잘못된 책은 교환해 드립니다.

아비투어

철학 논술

자기주도학습

철학자가 들려주는 철학이야기 081~090

9

(주)자음과모음

차례

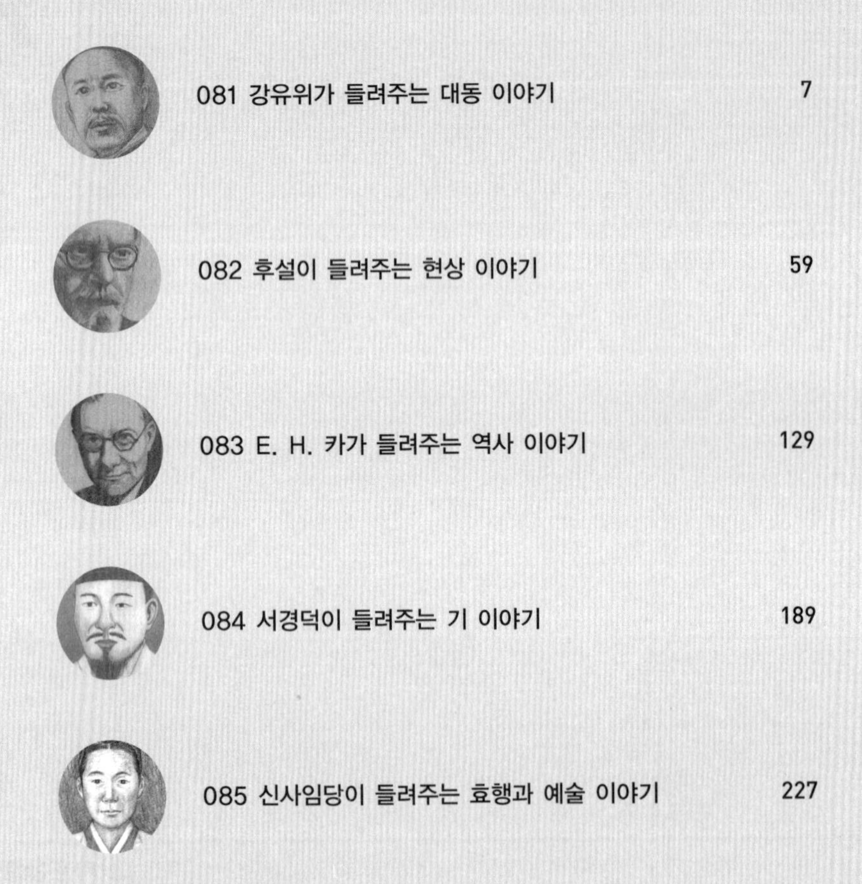

철학자가 들려주는 철학이야기 081

강유위가 들려주는 대동 이야기

저자_**이봉선**

중앙대에서 문예창작을 전공했습니다. 1998년과 2004년에 신춘문예 단편소설로 등단했습니다. 현재 대학에서 소설 창작을 강의하며 소설을 쓰고 있습니다. 효원이 태준이의 아빠로서 좋은 책을 많이 읽어주려 노력하고 있습니다. 학생들에게 국어와 논술을 가르치면서 가장 소중한 삶의 가치가 무엇인지도 늘 고민하고 있습니다.

배경 지식 넓히기

康有爲

강유위와 '대동'

강유위 주요 개념

1. 강유위를 만나다

1) 강유위는 누구인가 — 시대와 생애

강유위(康有爲, 캉유웨이)는 1858년 3월 19일 중국 광동성 남해현의 봉건적인 관료 집안에서 태어났습니다. 강유위는 어릴 때부터 엄격한 유가 교육을 받으면서 성장했으며, 1879년에는 진사에 급제하였습니다. 하지만 청나라 말기, 국가적인 어려움을 겪으면서 그는 점차 현실을 자각하게 되었고, 구학문(舊學問)의 문제점에 대해서도 인식했습니다. 그리하여 같은 해, 강유위는 홍콩을 방문한 후 그곳으로부터 서양의 근대적인 자본주의 사상과 개혁적인 사상을 받아들였습니다. 그리고 1882년부터는 본격적인 서양 학문 연구에 몰두하였습니다. 그리하여 서양의 자본주의 국가를 기반으로 당시의 중국을 개혁해야 한다고 주장하였습니다.

1888년 중국과 프랑스 간의 전쟁 후, 강유위는 당시의 황제였던 광서제에게 '제1의 상서'를 올려 변법의 필요성을 주장하였습니다. 간단히 말해서 변법(變法)이란 '역사와 사회의 변화에 따라 적절하게 법을 바꾸는 것'

이라 말할 수 있겠습니다. 하지만 그런 그의 상서는 받아들여지지 않았습니다.

얼마 후, 1891년 그는 '만목초당'을 설립하여 학생들을 모집해 강의와 저술 활동을 통하여 유신사상을 널리 알렸습니다. 이때 《신학위경고》라는 책을 간행하여 보수적인 사람들의 문제점을 지적함과 동시에 자신의 의견이 옳음을 주장하였습니다. 한편, 강유위는 그의 제자 진천추, 양계초 등의 도움을 받아 1892년부터는 《공자개제고》를 편찬하기 시작했고, 1898년에 간행하게 되었습니다. 이를 통해 그는 공자의 사상을 연구하면서, 개혁의 타당성을 주장했습니다. 현재도 그렇지만 중국에서 공자의 영향력은 매우 큰 것이라서, 그의 사상을 바탕으로 했던 당시 강유위의 주장은 사람들로부터 설득력을 얻을 수 있었습니다.

1895년, 시모노세키조약이 체결된 이후 강유위는 1300여 명의 사람들과 함께 황제에게 올린 '제2의 상서'에서, 청일강화조약의 거부, 서안으로의 천도, 군대 양성, 변법을 통한 부국강병책 등을 요구하였습니다. 나아가 정치, 경제, 문화, 교육 등에 대한 전면적인 개혁을 주장하였습니다. 이 상서도 '제1의 상서'와 마찬가지로 황제에게 받아들여지지는 않았으나, 선비들의 정치 참여를 없애고, 유신개혁의 필요성을 내세운 것으로 인해 사회적으로 많은 영향을 미쳤습니다. 이것으로 강유위는 유신운동에 앞장 서 이끌어 가는 지도자의 반열에 오르게 되었습니다.

같은 해 5월 29일, 그는 황제에게 올리는 '제3의 상서' 에서 또다시 변법의 이유와 절차를 제시하였습니다. 이것은 마침내 광서제에게 전달되어 그 지지를 받아내는 데 성공하였습니다. 광서제는 강유위의 변법을 받아들여, 당시 권력의 실질적인 핵심이던 서태후로부터 정권을 찾아오고자 노력하게 되었습니다.

그리고 강유위는 이후로도 계속된 '제4의 상서' 에서 오늘날 국회의원과 개념이 유사한 '의원' 이라는 것을 만들어 나라에서 먼저 백성들의 생각을 파악해야 한다고 주장하기도 하였습니다.

이후 유신 운동에 대한 사대부와 지식인 계층의 더 많은 지지를 확보하기 위하여 강유위와 양계초 등은 북경, 천진, 상해, 호남, 광동 등지에서 신문을 창간하고 학회를 조직하였습니다. 강유위는 그의 제자 양계초 등과 함께 '강학회' 를 창립하게 됩니다. 이곳에는 개혁적인 사람들뿐만 아니라 관리와 군인들도 참석했는데, 이때 그는 그 유명한 원세개(袁世凱, 위안스카이)를 만나게 됩니다.

1897년 '제5의 상서' 를 올려 변법을 시행하지 않으면 나라가 망할 것이라고 강력하게 주장하였습니다. 그리고 1898년 강유위는 '제6의 상서' 를 올려 광서제에게 변법을 실행할 것을 다시 주장하게 됩니다. 여기에는 구체적인 정책 강령이 담겨 있었는데, 이 해가 무술년이었기 때문에 이것을 '무술변법' 이라고 합니다. 다음 해 2월에 다시 그는 '제7의 상서' 를 올려 러시아나 일본처럼 변법을 시행하자고 주장하였습니다. 그해 6월 11일 마침내 광서제는 '명정국시' 의 조서를 반포하여 변법을 선포하게 되었습니다. 그러나 이것은 불과 100여 일 후인 9월 21일, 서태후에 의해 막을 내리고 맙니다. 이때 강유위는 군대의 실력자였던 원세개의 도움을 받으려고 했으나, 끝내 실패하여 홍콩으로 도피하게 됩니다. 이후 그는 일본으로 건너갔다가 1901~1903년에 이르도록 인도에서 《대동서》, 《중용주》, 《논어주》, 《춘추필삭미언대의고》 등을 편찬하였습니다.

1907년에는 '국민헌정회' 를 설립하여 청나라 정부의 헌정 실시를 추진하는 정치단체를 만들게 됩니다. 그리고 1913년 중국으로 돌아온 강유위는 상해에서 유교회 회장을 맡아 잡지 《불인》을 책임 편집하며, "공화정을 반대하고 국수주의를 보존하자" 는 주장을 발표하였습니다. 또한 1917년에는 장훈 등과 함께 중국의 마지막 황제 부의의 황제 복위를 추진하였으나 결국에는 실패로 끝나고 맙니다.

그 일이 있은 후 그는 직접적인 정치 활동을 마감하였습니다. 상해에서 '천유학원' 을 운영하면서 국학 강의를 하였으며, 학문 연구와 제자 양성에 힘쓰다가 1927년 3월 31일 운명하게 됩니다.

2. 강유위의 사상

1) 변법자강(變法自彊)

— 변화하는 시대에 따른 개혁사상

고대로부터 전해 내려온 '변법' 사상은, 중국 고유의 사상을 새로운 시대에 맞도록 법을 고치자는 것이 그 핵심이라고 할 수 있습니다. 이와 같은 변법사상은 청나라 말기 강유위 등을 중심으로 다시 등장하게 되는데, 특히 이 시기의 의식 개혁과 실천 운동을 변법자강운동(變法自彊運動)이라고 부릅니다. 청일전쟁의 패배로 큰 충격을 받은 중국인들은 전통적인 정치체제와 교육제도를 개혁함으로써 중국이 다시 근대사회에서 발전하도록 하자는 주장을 펼치게 되었으며, 이러한 사상은 산해혁명의 기초가 되어 중국인의 실리 정신에 큰 영향을 미친 것으로 평가 받고 있습니다.

이 시기에 강유위는 변화하는 시대에 국정을 개혁하기 위하여 부국강병, 인재등용, 민의청취, 의회개설 등을 주장하였습니다. 강유위 변법사상의 특징은 황제 권력을 바탕으로 국정을 개혁한다는 것에 있었습니다. 황제의 권위를 인정하고 황제권과 결합한 개혁을 추구하는 것이 옳다고 생각했습니다. 또한 관료 지식인들을 중심으로 정치체제를 갖추려고 하였으며, 정치 지배와 정치책임을 지배자의 입장에서만 가지려는 사대부적인 의식을 가지고 있었습니다. 이러한 사상적 기반은 오늘날의 관점에서 보면 많은 부분이 옳지 않은 것으로 지적을 받고 있습니다. 또한 외국 문화에 대한 입장에 있어서도 서양 문명을 수용하면서, 한편으로 이에 대항해야 한다는 모호하고 양면적인 태도를 취했다는 사실을 알 수 있습니다.

강유위는 중국 개혁을 위한 구체적인 방법을 일본의 '명치유신(明治維新, 메이지유신)'으로부터 찾아야 한다고 생각했습니다. 일본의 명치유신은 막부 중심의 정치를 없애고 근대적인 입헌정치를 시작하여 일본이 근대화를 이루는 데 있어 가장 직접적인 영향을 미친 사건을 말합니다.

강유위는 일본이 이룩한 명치유신과 마찬가지로 중국도 정치, 경제, 사회 전반에 걸친 개혁이 필요하다고 보았습니다. 관리제도의 개선, 자유로운 의견 제시, 유능한 인재의 등용, 기술개발의 장려, 철도와 우편제도와 같은 근대적 문물과 제도를 도입하고자 했습니다. 또한 군대와 과거제도의 개혁, 근대 학교 제도의 확립, 입헌군주제 도입, 의회 개설 등도 주장하였습니다.

그러나 강유위의 사상과 구체적인 실천 방안은 처음부터 실패로 끝나게 됩니다. 그 이유는 강력한 권력의 뒷받침 없이 지나치게 급격한 개혁을 시도하였기 때문입니다. 또한 일반 백성들의 폭넓은 참여 또한 제한하여 민심의 적극적인 지지를 이끌어 내지도 못했습니다. 그리고 당시 서구 열강을 비롯한 국제적인 상황이 중국의 개혁과 자립을 반대하고 있었기 때문에 국제적인 협조를 이끌어 내기도 어려웠습니다.

변법(變法)

변법은 역사와 사회의 변화에 따라 적절하게 법을 바꾸는 것을 의미합니다. 변법사상을 처음으로 주장한 사람은 강유위가 아닙니다. 변법은 고대로부터 전해 내려온 중국철학의 한 분야로 볼 수 있습니다.

변법의 한 예로 법가사상을 들 수 있습니다. 공자를 중심으로 한 중국의 유학사상이 고대의 주나라를 이상으로 여겼다면, 법가사상은 '주나라'와 같은 과거보다는 '현재'를 더욱 중시했습니다. 법가사상가들은 역사란 진화하는 것으로, 중요한 것은 현재이지 결코 과거가 아니라고 생각했습니다. 따라서 그들은 현실 사회에 있어서 늘 개혁을 주장했습니다. 한비자(韓非子)는 옛날 사람들이 나무를 엮어 집을 만들고, 나무를 비벼 불을 만들었다고 해서 후세의 사람들이 이를 따라야 한다는 것은 현실에 맞지 않는다고 하면서, 현실에 맞춰 법을 바꾸어야 한다고 지적했습니다.

변법사상의 또 다른 예로 왕안석(王安石)을 들 수 있습니다. 그가 살던 당시 송나라는 국력이 약해 재물을 바쳐 비위를 맞추는 식으로 외적의 침입을 피해야만 했습니다. 또한 국왕은 관리 조직을 유지하기 위해서 많은 돈을 필요로 했습니다. 때문에 백성들은 항상 무거운 세금에 시달려야 했으며, 나라 사정은 날로 어려워져만 갔습니다. '왕안석의 변법'은 바로 이와 같은 어려움을 이겨내기 위해 나온 것이었습니다. 이 변법의 핵심은 대상인과 지주 세력을 누르고 상공인과 농민을 보호하여 생산력을 증가시킴으로써 국가 재정과 국방력을 강화하는 것에 있습니다.

2) 대동사상

대동사상은 대동세계를 지향합니다. 이 사상의 뿌리는 중국 한나라 때 유가학파들이 주장한 이상사회에 있습니다. 대동세계란 인간의 큰 도리가 실행되어 어진 사람과 능력 있는 사람이 널리 쓰이며, 이기적인 가족주의에 얽매이지 않는 모습을 말합니다. 노인은 다른 걱정 없이 자신의 생애를 편안하게 마무리하고, 젊은이는 자신의 능력에 맞게 일할 수 있으며, 병들고 가난한 자들은 치료받고 배불리 먹을 수 있어야 합니다. 또한 길에 재물이 떨어져도 줍지 않을 정도로 탐욕스럽지 않은 세상이 바로 대동세계입니다. 이것은 중국의《예기(禮記)》'예운편'에 나타나 있습니다. 평등하고 도덕적이며 평화로운 이상사회를 '대동'이라 하고, 그것을 추구하는 정치적 사상을 대동사상이라고 합니다.

노인이 편안한 여생을 보내고 약자가 보호받는 세상은 마치 현대사회가 추구하고 있는 복지사회와 닮은 점이 많이 있습니다. 강유위는 중국인의 의식 속에 전해 내려오는 '대동' 사상과, 서양의 유토피아 사상을 합쳐서 새롭게 정리하고 있습니다. 대동은 큰 세력이 하나로 합쳐져서, 천하가 번영하고 평화롭게 살아갈 수 있는 세상을 의미합니다. 계급의 차별과 착취가 없고, 인간은 누구나 자유롭고 평등한 사회가 되는 것을 의미합니다. 권력을 독점하는 사람 없이 모두가 평등하고, 재물은 함께 나누어 가지며, 각자가 자신의 재능을 발휘하여 행복하게 살아갈 수 있고, 범죄도 없는 세상이니 말 그대로 지상낙원과 같은 세계인 것입니다.

강유위는 이러한 중국의 전통사상을 통해 맹자가 주장한 평등주의와 공동체 사상을 바탕으로, 서양의 사회적 이상주의를 결합하여 대동사상의 체계를 새롭게 정립했습니다. 대동사상의 가장 기본은 사람과 사람 사이의 인간적인 관계를 바탕으로 합니다.

중국 전통의 대동사회

중국에서 전통적으로 내려오는 대동사회의 성격은 다음과 같습니다.

첫째, 천하를 특정 개인이 차지하지 않고 구성원 전체의 공유물로 한다.
둘째, 사람들은 구성원 전체의 이익을 위해 노동하며, 노동의 산물인 재화는 모든 사람이 함께 나누어 누린다.
셋째, 일할 수 있는 사람에게는 일자리를 마련해 주며, 노동 능력이 없는 노약자는 함께 보살핀다.
넷째, 지도자는 어질고 능력이 있는 사람을 선택하여 믿음과 자애로운 사회를 만든다.
다섯째, 자기 부모나 자식에게 뿐만 아니라 모든 사람에게 널리 사랑을 베푼다.
여섯째, 다른 사람을 모함하거나 해를 끼치지 않는다.
일곱째, 사회를 어지럽히는 범죄행위가 일어나지 않도록 한다.
여덟째, 전쟁이 일어나지 않도록 하여 구성원의 삶을 평화롭게 한다.

2. 교과서에서 만난 대동사상

1) 함께 살아가는 사회

나현이네 가족은, 고치기 힘든 병을 앓고 있으나 치료비가 없어 고통 받는 이웃을 '전화 한 통화' 로 돕는 텔레비전 프로그램을 시청하였다. 그리고 나현이 아버지께서도 전화를 걸어 이웃 사랑을 실천하셨다.

어려운 이웃을 본 나현이는 생활 속에서 자신도 모르게 인간으로서의 권리를 많이 누리고 있음을 느낄 수 있었다. 그리고 이러한 권리에는 어떤 것들이 있는지 알아보기로 하였다.

나현이가 누리고 있는 권리 중에는 인간으로서 존엄성을 지키며 살아가는 것이 있다. 이는, 인간으로서 존엄성을 유지하면서 다른 사람과 함께 살아가는 것을 말한다.

오늘날 노예제도는 없어졌으나, 옛날 노예들은 인간으로서 당연히 누려야 하는 존엄성이 침해당하는 생활을 하였다. 주인이 시키는 대로 일을 해야 하고, 주인이 마음대로 사거나 팔았기 때문에 노예는 인간으로서 존엄성을 보장받는 생활을 할 수가 없었다.

— 초등학교 6-2, 《사회》 중에서

대동사상은 우리 교과과정에서도 아주 폭넓게 다뤄지고 있습니다. 우리는 대동사상을 통해 인간은 사회의 한 구성원으로 살아가고 있으며, 사회 구성원이 함께 살아간다는 것은 서로를 배려하고 이해하는 것입니다.

자기 자신이나 가족의 이익만을 위해서 살아간다면 우리 사회는 어떻게 될까요? 당장은 이익이 될지 모르겠지만, 결국에는 사회 구성원 모두가 어려움에 처할 수도 있을 것입니다. 우리 집에는 먹을 것이 풍족해서 음식이 남아도는데, 바로 이웃한 사람들이 굶어 죽어간다면 그 사회가 과연 유지될 수 있을까요? 이웃에 대한 배려는 인간이 지켜야 할 가장 기본적인 도리

중에 하나입니다. 경제가 아주 어려워지면서 어린 자식의 분유값을 마련하기 위해 도둑질을 한 아버지가 있었습니다. 여러 날 동안 일거리를 찾으려고 노력했지만 일을 하지 못한 이 젊은 아버지는 결국 어쩔 수 없이 도둑질을 했던 것입니다. 물론 도둑질 자체는 어떤 이유에서든 해서는 안 될 일입니다. 그러나 당장 굶고 있는 어린아이를 위한 부모의 마음은 충분히 헤아려 볼 수 있습니다.

강유위의 대동사상은 우리 모두가 함께 잘 사는 사회를 만들고자 하는 것이었습니다. 그것은 물질적인 풍요만을 의미하는 것이 아니라, 구성원 모두가 인간의 존엄성을 가지고 서로 존중하며 사람답게 사는 세상이었습니다. 이러한 강유위의 생각은 오늘날에는 다양한 복지제도의 형태로 나타나고 있습니다. 경제적으로 어렵고 치료받을 수 없는 사람들은 우리 사회 전체가 함께 돌보고 있습니다. 평생 우리 사회를 위해 힘써 일해 오신 할머니 할아버지를 위한 여러 가지 복지제도도 있습니다. 일자리를 찾지 못한 사람들을 위해서는 무료로 기술 교육을 시켜 주고 취업을 도와주기도 하고 있습니다.

그렇다고 해서 우리 사회가 강유위가 주장했던 바로 그 대동사회가 되었다고는 말할 수 없습니다. 아직도 사회의 도움을 받지 못해 어려움을 겪는 사람들이 많기 때문입니다. 앞의 교과서 내용에서 보면, '어려운 이웃을 본 나현이는, 생활 속에서 자신도 모르게 인간으로서의 권리를 많이 누리고 있음을 느낄 수 있었다' 라는 말처럼 아직 우리는 우리 자신이 누리는 풍요와 안정을 너무도 당연한 것으로 생각할 때가 많습니다. 하지만 그것은 우리들 부모님의 보살핌과 밤새 이 나라를 지켜주는 경찰과 군인아저씨들이 있기 때문이고, 우리에게 위급한 상황이 닥쳤을 때 도와주는 소방관 아저씨들이 있기 때문입니다. 또 집에서 편안하게 생활할 수 있도록 물을 공급해 주는 사람, 전기나 가스를 공급해 주는 사람 등 우리의 일상적인 삶은 모두 누군가의 도움을 받고 있습니다. 우리 이웃들에게 감사하는 마음을 갖고 나보다 조금 더 어려운 사람들을 배려하며 살아간다면, 강유위가 주장한 완벽한 의미의 대동사회는 아니라 하더라도, 그것에 버금가는 사회를 만들어 갈 수 있을 것입니다.

2) 공동체 의식과 시민윤리

돈이 없어 병을 치료하지 못하고 있는 많은 사람들을 경제적으로 여유 있는 의사들이 염가로 또는 무료로 치료해 주기를 기대할 수도 있을 것이다. 그러나 이 또한 개인 윤리에 호소하여 해결할 수 있는 문제가 아니다. 물론, 몇몇 의사들의 고결한 도덕심에 호소하거나 그들을 설득함으로써 가능할 수도 있겠으나, 이는 부분적 해결에 불과하다. 오히려 이러한 문제들은 불평등한 사회제도를 개선하거나 건강보험이라는 정책을 통해 제도화함으로써 근본적으로 해결되어야 할 문제인 것이다.

따라서, 현대사회의 도덕 문제는 구성원들의 공동체 의식과 연대 의식의 바탕 위에서 해결될 수 있을 것이다. 그러기 위해서는 사회 구성원들이 사회 전체의 이익을 위하여 정해진 규율과 질서에 합의해야 한다. 그리고 시민들은 개인적으로 도덕심을 갖추어야 할 뿐만 아니라 사회적 · 국가적으로 미비한 법과 제도를 보완하고, 부정과 비리를 근절시킬 수 있는 제도적 정치를 마련해야 한다. 그래서 우리는 시민으로서 지켜야 할 여러 가지 규범과 조건을 필요로 하는 것이다.

시민 윤리의 필요성

현대 사회에서 사회라는 공동체 속에서 살아가는 사람을 시민이라고 한다. 여기서 공동체란, 주어진 조건이 같거나 동일한 목적이나 관심을 가지고, 서로가 하나에 속한다는 소속감을 가지고 있는 사람들을 말한다. 다음 이야기를 통해 공동체 속에서의 삶의 자세를 알아보자.

— 중학교 2, 《도덕》 중에서

다른 사람과 더불어 살아가기 위해서는 우리 모두가 타인에 대한 배려와 존중하는 마음이 있어야 합니다. 그러나 이것은 개인의 노력으로만 해결될 수 있는 것이 아니라 법률을 통한 제도의 정비도 함께 필요합니다. '가난한 사람은 나라도 어쩔 수 없다' 는 말이 있지만, 우리 모두가 적극 나서서 함께 살아가는 사회를 만들어야 할 것입니다.

인간은 지극히 이기적인 존재입니다. 좀 더 편안하게 좀 더 풍요롭게 살기 위해 다른 사람의 희생을 강요하기도 하고, 대로는 폭력적인 방법으로 자신의 목적을 달성하려고 합니다. 이러한 인간의 본성에 바탕을 둔 인간 사회는 갈등과 대립의 연속이라 할 수 있습니다. 사회생활에서 갈등을 피할 수 없으며, 우리는 끊임없이 갈등과 대립 속에서 살아가고 있습니다.

물론 갈등과 대립이 반드시 부정적인 것만은 아닙니다. 대립과 갈등이 없는 사회는 안정적인 사회가 아니라 정체되어 있거나 폭압적인 사회일 것입니다. 예를 들어 북한 사회는 우리 사회에 비해 표면적인 갈등과 대립은 심각해 보이지 않습니다. 그렇다고 해서 그러한 사회가 보다 더 이상적인 사회라고 말할 수는 없을 것입니다. 갈등이 없는 사회는 다양성이 없고 새로운 발전의 가능성이 거의 없다고 해도 과장된 말이 아닙니다. 갈등을 해결하는 과정에서 다른 사람들을 이해할 수 있고, 잘못된 점을 고치기 위한 노력들이 나타나면서 우리 사회는 발전할 수 있는 것입니다.

3) 우리의 전통적인 공동체 의식과 이상사회 건설을 위한 노력

사림을 옹호하던 성종이 죽고 연산군이 즉위하자, 훈구 세력은 무오사화 등을 일으켜 사림을 공격하였다.

이로써 사림은 큰 피해를 입게 되었다. 중종반정 후 사림이 다시 등용되어 조광조를 중심으로 유교적 이상 정치를 펴고자 하였으나, 훈구 세력의 반발로 또다시 사화가 일어나 실패하고 말았다. 그 후 왕의 외척들 사이에 사화가 일어나 정치적 혼란이 더욱 심해졌다.

오랜 기간에 걸쳐 일어난 네 차례의 사화로 사림은 큰 피해를 보았지만, 그럼에도 불구하고 이들은 완전히 몰락하지 않았으며, 향촌의 서원과 향약을 바탕으로 꾸준히 성장해 갔다.

현량과

지난번 조광조가 아뢴 바 천거로 인재를 뽑는 것은 여럿이 의논할 일입니다. 각별히 천거하는 것은 한의 현량과의 효렴과를 따르는 것이 가합니다. 이것은 자주 할 수는 없으나, 지금은 이를 시행할 만한 기회입니다. 혹 뒤에 폐단이 있을까 염려되고, 혹 공평하지 못할까 염려되기는 하나, 대체로 좋은 일이니 비록 한두 사람이 천거에 빠진다 하더라도 주저할 것 없이 시행해야 합니다.

……어찌 한두 사람에게 잘못이 있을 것을 염려하여 좋은 일을 폐지하겠습니까?《중종실록》

— 중학교 《국사》 중에서

우리나라의 대동사상은 조선 중기 조광조의 지치주의에서도 찾아 볼 수 있습니다. 조광조의 생각은 인간에 의하여 다스려지는 이 세상이 바로 하늘의 뜻이 펼쳐진 이상세계가 되도록 하여야 한다는 것이었습니다.

이 사상은 하늘과 사람이 하나로 연결되어 있다는 것입니다. 하늘의 뜻이 인간의 일과 분리되지 아니한다는 '천리불리인사'로 발전하여, 사람에 의하여 다스려지는 세상이 하늘의 뜻이 실현된 이상사회가 되어야 하는 것입니다.

지치 실현의 근본은 인간존재를 실천하는 개인적 수양에서 찾고 있습니다. 다시 말하면 사회는 개인이 모여서 이루어진 것이므로, 수양에 의하여 하늘과 하나인 존재를 실천하는 개인들만으로 사회가 구성될 때 지치의 사회는 저절로 이루어진다는 것입니다. 그러므로 조광조는 아주 작은 것에도 마음을 기울이는 개인의 수양을 강조하였습니다.

유가에서 개인 수양의 목표는 결국 성인이 되는 것입니다. 이렇게 볼 때 이상사회를 이룩하는 방법은 사회의 구성원인 개인이 각각 수양을 통하여 성인이 되는 것으로 마무리될 수 있습니다. 그런데 이것이 현실적으로 불가능할 때에는 먼저 성인이 된 사람이 정치적 대표자인 왕이 되어 다른 사람을 깨우침으로써 다른 사람들도 성인이 되는 방법을 택할 수밖에 없을 것입니다.

이러한 생각에서 조광조는 왕도정치를 제시하고 다시 왕도정치의 실천원리로 공자의 도를 들고 있습니다. 또한 조광조는 이상사회의 근본적인 실현방법으로, 임금의 깨끗한 마음으로 정치를 하여 세상을 깨끗하게 만들어야 한다고 주장합니다. 그러나 조광조의 사상은 현실적인 정치체제에서는 실패하게 됩니다. 그 자신의 이상사회 구현을 위한 노력은 의미가 있었지만, 다른 의견을 가진 대상을 포용하지 못하고 배척하려고 했기 때문입니다. 궁극적인 이상사회 건설도 중요하지만, 지나치게 급진적인 방법은 다소 문제점을 안고 있었던 것입니다.

조광조의 이상주의 국가 건설 '지치주의(至治主義)'

지치라는 말은 《서경》 '군진' 편에 '지치형향(至治馨香) 감우신명(感于神明)'에서 나온 말입니다. 이것은 '잘 다스려진 인간세계의 향기는 신명을 감동시킬 수 있다'는 뜻입니다. 우리나라에서는 조광조 등에 의해 하늘의 뜻이 실현된 이상사회의 건설을 목표로 하는 정치적 실천운동으로 구체화되었습니다. 조광조는 이것을 실현하기 위해 왕이 모범이 되는 정치가 중요하다고 강조합니다. 왕이 먼저 훌륭한 사람이 되어 백성들을 잘 다스릴 때, 그 사회는 바로 신도 감동할 수 있는 이상적인 사회가 된다는 의미입니다.

3. 기출 문제에서 만난 강유위

개인 자유와 사회적 규제의 적절성

국민대학교 2007학년도 수시 2학기 학교장 추천자 특별전형 논술고사에서 강유위의 《대동서》가 출제되었습니다. 인간의 자유권에 대한 부분을 제시하여, 강유위가 살았던 중국 청나라 말기의 상황에서 자유결혼과 같은 근대적인 사상을 다루고 있습니다.

이 문제의 출제 의도는, 인간의 자유와 권리도 중요하지만 그에 따른 문제점을 사회적 차원에서 어떻게 해결할 것인가를 분석하라는 것이었습니다. 자유가 중요하지만 인간의 본성에 비추어 보면 개인의 욕심에 빠지기 쉽고, 권리도 중요하지만 자신만의 권리를 주장하게 되면 독단에 빠질 위험성이 있습니다. 공동체 의식을 바탕으로 이웃에 대한 배려가 없다면 그것은 자유와 권리가 아니라 지나친 욕심과 독선이 되는 것입니다.

출제 의도에 따라 문제를 해결하기 위해서는 공통점을 찾아야 하는데, 이때 중요한 것은 다른 제시문과의 관계 속에서 구체적인 내용을 일반화할 수 있어야 한다는 점입니다. 다시 말해서 개별적인 내용을 겉으로 드러난 내용만 보지 말고 그것이 진짜 의미하는 것은 무엇인지 찾아야 한다는 것입니다.

제시문의 출처는, (가) 대한민국 헌법, (나) 강유위의 《대동서》, (다) 조순외 9인의 《하이에크 연구》, (라) 존 밀턴의 《아레오파지티카》입니다. (가)는 자유 · 권리의 보장과 공적 · 법적 제한, (나)는 천부의 인권과 자유, (다)는 사상과 표현의 자유, (라)는 규제 측면에서 자본주의 경제와 정부 개입의 필요를 강조하고 있습니다.

제시문 간의 관계를 묻는 문제는 대체적으로 공통점, 차이점, 상하 포함 관계, 상반된 대립관계 등으로 구분해서 살펴보면 비교적 쉽게 파악할 수 있습니다. 이러한 기준에 따라 관계를 파악해 보면, (나)와 (라)는 '자유', (다)는 '규제'로 대비되고 있고, (가)는 이러한 상반된 내용 전체를 포함하고 있다는 사실을 알 수 있습니다. 강유위의 대동사상은 주제의 보편성으로 인해 다양하게 제시될 수 있는 내용을 담고 있습니다. 이것은 단순히 대학입시의 논술 문제뿐만 아니라, 특목고나 자사고의 입시문제, 수학능력시험의 언어영역, 사회탐구영역 등에서 다양하게 다뤄질 수 있습니다. 또한 이러한 입시 문제를 떠나서 동서양의 사상을 다양하게 접근해 보는 것은 우리 생각의 폭을 한층 더 넓혀 주는 계기가 됩니다.

실전 논술

논술 문제

case 1 다음 글을 읽고 주어진 조건에 따라 논술하시오.

가 "모든 사람들이 꿈꾸는 이상사회, 어떤 괴로움이나 고통도 없는 사회, 기쁨과 행복만이 가득한 사회를 바라는 사람들이지. 혹시 '유토피아' 라고 들어 봤니?"

"유토피아?"

나는 고개를 갸웃거렸어요. 언젠가 들어본 말 같기도 한데 그 내용에 대해서는 어슴푸레했어요.

"'유토피아' 란 '어디에도 존재하지 않는 곳' 이라는 뜻을 갖고 있는 말이란다. 말이 좀 어렵지? 쉽게 말하면 유토피아는 현실에는 존재하지 않는 '상상의 세계' 를 상징하는 거야. 그리고 그 상상의 세계에서 펼쳐지는 모습들은 사람들이 오래전부터 꿈꾸고 있었던 것들이지."

"유토피아…… 상상의 세계……."

나는 형이 한 이야기를 가만히 되뇌어 보았어요.

"토머스 모어라는 서양 철학자가 제일 처음으로 이런 생각들을 담은 책을 썼는데 그게 바로 《유토피아》란 책이야. 이 책이 나오고 나서, 예전에는 분명하지 않게 생각되었던 그런 꿈같은 세상에 대한 생각들을 묶어서 '유토피아 사상' 이라고 부르지."

"그런데 그건 서양 사람들이 생각한 거잖아. 정말 터무니없는 것 같은데?"

"아니야, 이런 생각이 서양에만 있었던 것은 아니야. 우리나라와 중국, 일본에도 이런 생각들을 가진 사람들이 있었어. 이것들을 동양에서는 '대동사상' 이라고 부르지."

정말 놀라운 일이었어요. 그렇게 터무니없는 생각들을 한 나라도 아니고 여러 나라에서 했다니 말이에요.

형이 계속 이야기를 했어요.

"아까 내가 말한 '전쟁이 일어나지 않기 위해서는 나라가 없어져야 한다'는 주장도 바로 이 대동사상에서 나온 말이야. 좀 더 구체적으로 말하자면 강유위란 중국의 철학자가 《대동서》란 책에서 얘기한 거란다."

"강유위? 대동서?"

유토피아란 말도 어려운데, '대동서'란 말은 더 어려운 말이었어요. 강유위는 또 누구일까요? 어쨌든 나라를 없애자는 얘기를 한 걸 보면, 뭔가 황당한 생각을 한 사람 같았어요.

그런데 다시 곰곰이 생각해 보니 완전히 틀린 말이라고 할 수도 없었어요. 전쟁이란 게 나라와 나라 사이에 갈등이나 이익 때문에 생기는 것이니, 나라를 없애버리면 전쟁은 당연히 없어질 것 같기도 했거든요.

그렇지만 아무리 생각해도 나라를 없앤다는 게 영 꺼림칙했어요. 그럼 월드컵이나 올림픽도 없어질 테고, '대~한민국'을 외치면서 신나게 응원하는 일도 없어질 테니까 말이에요.

—《강유위가 들려주는 대동 이야기》 중에서

나 단군왕검은 우리 겨레가 처음으로 세운 나라인 '고조선'의 임금을 일컫는 말이다. 단군왕검의 '고조선' 건국에 대한 이야기는 '삼국유사'에 전해지고 있다.

'삼국유사'에 의하면, 하느님의 아들인 환웅이 인간을 널리 이롭게 하기 위해 우리나라의 태백산에 내려와 농사, 기후, 질병 등 인간 세상의 여러 가지 일을 다스렸다고 한다. 환웅은 동굴에서 100일 동안 쑥과 마늘만 먹고 사람이 된 웅녀와 결혼하여 아들을 낳았는데, 그가 고조선을 세운 단군왕검이다.

— 초등학교 5-2, 《사회》 중에서

1. (가)와 (나)에서 제시한 내용의 공통점은 무엇인지 요약하시오.(200자 내외)

2. (가)에서 제기하는 문제 상황을 바탕으로 이에 대한 해결방안을 (나)를 참고하여 논술하시오.(500~600자)

생각 쓰기

case 2 제시문 (가)에 나타난 강유위의 '대동사상'과 (나)에 나타난 '조선 향약'의 공통점과 차이점이 무엇인지 서술하시오. (400자 내외)

가 "'클 대(大)'에 '같을 동(同)'이지."

나는 얼른 한자를 머릿속에 그려보았어요. 그렇다면 '大同'이네요. 한자로는 참 쉽다는 생각이 들었어요.

"그러면 대동이라는 게 무슨 뜻이에요? '크게 같음'이라니요?"

"사람들이 서로를 배려해 주고 자기 욕심만 채우지 말자는 게 '대동'의 뜻이지. 그러니까 우리 모두 커다란 공동체에서 하나가 되자는 게 대동의 정신이야."

"아, 그렇군요."

나는 고개를 끄덕였어요. 나날이 각박해지는 현대사회에서 정말 필요한 사상이라는 생각이 들었기 때문이에요.

아빠가 다시 말을 이었어요.

"그런데 원래 '대동사상'이라는 게 어느 날 갑자기 강유위에게서 불쑥 나온 새로운 사상이 아니란다. 아주 오래전, 그러니까 수천 년 전부터 동양에서 추구되었던 이상적인 사상이었지."

"예? 수천 년이나 되었다고요?"

나는 깜짝 놀랐어요. 나로서는 처음 듣는 말이었는데, 자그마치 수천 년의 역사를 지닌 사상이라는 게 참으로 놀라웠던 거예요.

"음, 대동사상은 동양의 옛 경전인 《예기(禮記)》에 처음 나오는 말이었어. 자기 자신만을 위하는 것이 아니라 모든 사람이 서로 따뜻하게 보살피는 사회를 만들자는 사상이었지. 그러니까 강유위가 주장했던 대동사상과 맥락을 같이하는 거야."

"아빠, 그러면 강유위는 어느 시대 사람이었어요?"

나는 문득 종호가 하던 말이 떠올라서 물었어요. 종호는 강유위가 나라도 없는 시대에 태어나서 '나라' 자체가 뭔지를 모르는 사람 아니었냐고 비아냥거렸거든요.

"강유위는 그리 멀지 않은 시대에 살았던 철학자야. 우리보다 불과 100년 정도 앞선 시대에 살았던 사상가거든. 더 구체적으로 말해서 중국 청나라 때의 사람이란다."

나는 마음이 든든해졌어요. 전혀 기대하지 않았던 아빠를 통해 '대동'에 대해 어느 정도 줄거리를 잡았기 때문이에요. 덕분에 이제 영민이나 종호가 대동에 대해 묻더라도 어느 정도는 대답해 줄 자신이 생겼어요.

—《강유위가 들려주는 대동 이야기》 중에서

나 조선의 건국에 참여하지 않았던 일부 신진 사대부들은 향촌에 살면서 중소 지주로서 학문과 교육에 힘쓰고 있었다. 이들은 유향소를 구성하여 지방의 백성들을 교화하고 수령의 자문에 응하는 등 향촌의 행정을 도왔다.

사림은 향약을 보급하는 데에 힘썼다. 이에 따라 중국의 '여씨 향약'을 번역하여 전국에 보급하고, 점차 우리나라의 실정에 맞는 향약을 만들어 군 · 현이나 마을 단위로 시행하였다. 아울러 동네에서 자발적으로 만들어 시행해 오던 계의 운영

방식을 향약 속에 흡수하여 가난한 농민들의 생활 안정에도 힘썼다.

향약의 4대 덕목

· 착한 일을 서로 권한다.

· 잘못된 것을 서로 규제한다.

· 서로 예절을 지킨다.

· 어려운 일을 서로 돕는다.

— 중학교 3, 《국사》 중에서

생각 쓰기

생각 쓰기

case 3 다음 제시문을 읽고 문제에 답하시오.

가 "허허, 또 이런 일이 일어났구나!"

신문을 보던 아빠가 안타까운 듯 말했어요.

"아빠, 무슨 일인데요?"

"혼자 살던 노인이 죽은 지 며칠이 지나서야 발견되었다는구나. 그것도 자식들이 발견한 게 아니라 월세가 밀리니까 집주인이 방에 들어갔다가 발견했다니, 쯧쯧……."

아빠는 한숨을 쉬었어요.

"사회가 발달하면서 살기는 좋아졌지만 인정은 점점 메말라가니 걱정이다. 이웃에 대해 무관심하고 모두들 내 가족밖에 모르니 이런 일이 생길 수밖에. 앞으로 이런 일은 점점 늘어날 거다. 독거노인이 자꾸만 늘어나는 추세니……."

"독거노인이 뭐예요?"

"혼자서 사는 노인이지. 예전에는 대가족제도라서 자식들이 결혼해도 부모들과 같이 살았기 때문에 이런 일이 없었는데 이제는 핵가족 시대니 노인들은 점점 설 곳이 없어지는 거야."

"그러면 죽은 그 할아버지에게는 자식이 없었어요?"

"없는 사람도 있겠지만 자식이 있는 경우에도 이런 일이 생긴단다. 왕래나 안부 전화가 별로 없다면 부모가 죽더라도 모르는 채 지나가다가 나중에야 발견되겠지. 참 슬픈 일이다. 언제부터 우리나라가 이렇게 각박해졌는지……."

그렇지만 나는 아빠의 말이 이해가 가지 않았어요. 자식들이 있는데 왜 할머니, 할아버지들이 혼자 살다가 쓸쓸하게 죽어가는 걸까요?

"모두들 자기 가족밖에 모르고 남에 대해서는 전혀 신경을 쓰지 않아. 남이야 어떻게 되든 말든 우리 가족만 잘 살면 된다, 남의 아이야 어찌 되든 말든 우리 아이만 공부 잘하고 출세하면 된다는 생각들로 가득 차 있거든. 그래, 그러고 보니 며칠 전의 일도 그렇지 않니?"

아빠가 생각난 듯 며칠 전에 있었던 음식점에서의 일을 끄집어냈어요.

"남들이야 방해를 받든 말든 우리 아이만 기죽지 않고 잘 뛰어놀면 된다는 생각 때문에 그 아저씨가 그렇게 행동했던 거야. 그런 아이들이 남에 대한 배려를 할 수 있겠니? 공중도덕이고 뭐고 나만 편하고 나만 재미있으면 된다는 마음으로 성장하게 될 거 아니냐."

그러더니 아빠는 강유위에 대한 이야기를 꺼냈어요.

"그래, 강유위가 가족을 없애자고 한 것도 이런 가족 이기주의를 경계하기 위해서였는지도 몰라."

나는 그 말에 깜짝 놀라서 반문했어요.

"어? 강유위가 그런 주장도 했어요? 가족 자체를 없애자고요?"

"그랬지."

"아빠, 나라를 없앤다는 것도 쉬운 일이 아니지만 가족을 없앤다는 것은 더 어려운 일 아니에요? 아니, 전혀 터무니없는 주장 같아요. 예를 들어 우리가 미국으로 이민을 가면 '미국 사람'이 될 수는 있겠지만, 부모님은 바꿀 수 있는 게 아니잖아요? 부모와 자식 사이를 천륜이라고 하던데요."

"야아, 우리 세정이가 '천륜'이라는 어려운 말도 알고 있구나. 그러나 강유위가 대동 사회를 만드는 데 가족관계가 큰 장애가 된다고 본 것은 사실이야."

"정말 이상하네요. '대동'이라는 이야기가 유학에서 나왔다고 알고 있는데, 유학에서 가장 중요한 사상이 충효라고 배웠거든요. 그런데 가족을 없애자고 했다니, 무슨 뜻인지 모르겠어요."

나는 고개를 갸웃거렸어요. 아무리 생각해도 앞뒤가 맞지 않아요.

— 《강유위가 들려주는 대동 이야기》 중에서

나 회장 : 우리는 다른 사람의 권리와 이익을 존중해야 합니다. 그러나 만일 권리와 이익을 침해받았다면, 어떻게 해야 합리적으로 해결할 수 있을까요? 각자 평소에 생각했던 것을 이야기해 봅시다.

남규 : 친구를 괴롭히거나 무시하지 않는 사람이 다른 사람의 권익을 존중해 주는 사람입니다. 자신의 힘만 믿고 다른 사람을 괴롭히거나 무시하지 말아야 합니다.

수빈 : 버스나 지하철을 탔을 때에 노약자에게 자리를 양보해야 합니다. 자신만을 생각해서는 안 됩니다.

예영 : 공공장소에는 장애인용 시설을 따로 만들어 장애인들이 편리하게 이용할

수 있도록 배려해야 합니다.

현기 : 남의 물건을 함부로 빼앗지 않아야 합니다. 그러지 않으면 힘이 지배하는 동물 사회와 다를 것이 없습니다.

윤경 : 권리가 침해되었을 경우에 자신의 권리가 침해되었음을 당당하게 알리고, 이를 고치도록 요구해야 합니다.

지태 : 그것보다, 서로 이익을 침해받았을 때에 합리적으로 해결하기 위해서는 많은 사람의 충분한 대화와 토론을 거쳐야 합니다.

은서 : 지태는 다수결의 원칙을 이야기한 것인데, 소수의 의견을 존중하는 자세도 중요합니다.

희석 : 자신의 의견만을 내세울 것이 아니라, 서로 조금씩 양보하고 다른 사람의 처지가 되어 보는 것도 중요합니다.

회장 : 여러분의 의견을 잘 들었습니다. 우리는 자신의 권익과 마찬가지로 다른 사람의 권익도 중요하다는 것을 알게 되었습니다. 우리 모두 항상 대화하고 서로 존중하는 태도를 생활화하여, 서로를 아끼고 배려하는 사회를 만들도록 합시다. 감사합니다.

— 초등학교 5, 《도덕》 중에서

1. (가)에서 나오는 독거노인 문제에 대한 해결방법으로 아빠는 강유위의 대동사상을 인용하며 가족의 해체를 통한 이기주의 극복 가능성을 주장하고 있습니다. 이런 강유위의 해결방법에 대해서 찬성하거나 반대하는 입장에서 하나를 골라 자신의 견해를 논술하시오.(400자 내외)

2. (나)에서는 우리가 다른 사람들의 권리와 이익을 존중하기 위해서 필요한 태도들에 관해서 친구들이 토의하고 있습니다. (가)에 나타난 독거노인 문제도 노인들의 권리와 이익이 존중받지 못하는 경우라고 할 수 있습니다. 우리 주변에서 다른 사람들의 권리와 이익을 존중하지 않아서 문제가 되고 있는 사례를 찾고 이에 대한 해결책을 논술하시오.(400자 내외)

생각 쓰기

생각 쓰기

case 4 다음 제시문을 읽고 문제에 답하시오.

가 강유위는 《대동서》의 서문에서 다음과 같이 말합니다.

"우리가 살고 있는 이 세상은 슬픔과 고통의 세계이다. 그 위에 살고 있는 생명들은 모두 슬프고 고통스러운 존재들이다. 지구 위에 살아있는 모든 것들은 모두 도살당할 운명에 처해 있다. 우리가 보는 푸른 하늘과 둥근 땅은 사실은 큰 도살장이나 감옥인 것이다."

강유위는 왜 이렇게 인생을 슬프게 바라보았을까요? 그건 바로 어렸을 적에 겪었던 기억 때문입니다. 강유위는 예닐곱 살 무렵에 보았던 환등기(지금 우리들이 보는 영화의 옛 모습)에서 전쟁의 비참함을 생생히 느꼈습니다. 당시 그 환등기는 독일에 패한 뒤 폐허가 된 프랑스 도시를 그리고 있었습니다. 그곳에 있는 나무와 풀숲 사이에 온통 사람의 시체들이 널려 있었습니다. 집들은 모두 잿더미가 되어 있었고요. 이때부터 강유위는 전쟁의 무서움과 비참함을 느끼게 되었습니다.

강유위는 인간이 세상에 태어나 겪게 되는 슬픔을 크게 여섯 가지로 나누었습니다. 신체적 허약함, 자연재해, 사회 지위의 변화, 제도적인 제약, 인간적인 슬픔, 감당하기 힘든 의무들. 그리고 이러한 고통들이 사실은 우리 인간들 스스로 만들어 놓은 벽에서 온 것이라는 사실을 깨달았습니다. 우리가 이런 벽들, 국가나 가족, 남녀를 구별하는 생각들에서 벗어날 때 인류는 비로소 크게 하나가 되는 대동사회를 이룩할 수 있는 것입니다.

—《강유위가 들려주는 대동 이야기》 중에서

나 허름한 차림의 열한 살 소년 가브리엘은 밤마다 악몽에 시달리고 있습니다. 남부 수단의 작은 마을에 살고 있던 가브리엘은 내전이 격렬해지자, 어떻게든 살아남기 위하여 가족과 헤어져 에티오피아의 난민촌을 향해 떠났습니다. 많은 어린이가 난민촌으로 가는 도중에 굶주림, 질병, 폭격, 총격, 맹수의 공격 등으로 생명을 잃었습니다. 가까스로 난민촌에 도착한 아이들도 식량과 의약품 부족으로 고통을 받기는 마찬가지였습니다.

난민촌을 이리저리 옮겨 다니며 2년 동안을 방황한 끝에, 가브리엘은 국제 구호 단체의 도움으로 무사히 고향에 돌아왔습니다.

그러나 가브리엘은 피란 생활 중에 겪은 끔찍한 일들로 인해 지금도 정신적으로 고통을 겪고 있습니다.

내전 중에 행방불명된 부모님은 아직 돌아오지 않고, 가브리엘의 형은 거리를 헤매고 다니며 식량을 구걸하고 있습니다. 가브리엘과 그의 어린 동생은 형이 구해 온 식량으로 끼니를 이어 가지만, 식량을 구하지 못하면 굶어야 합니다.

— 초등학교 6, 《도덕》 중에서

다 "미국? 그래 아빠도 미국을 비유로 들려고 했는데 잘 말했구나. 미국에서 노예 제도가 철폐된 지 백 년도 더 되었단다. 겉으로 보기에는 백인과 흑인 그리고 아시아계가 아무런 차별이 없는 것 같지?"

"예, 그렇게 알고 있었어요. 이제 미국에서 인종차별은 없어졌잖아요."

"아니, 그렇지 않아. 아직도 미국의 여러 주에서는 흑인과 백인이 사는 지역이 다르단다. 같은 식당에서 식사하지도 않고, 학교도 다른 곳에 다니지. 서로 결혼하지 않는 건 말할 것도 없고. 그러한 인종 간의 갈등이 쌓이고 쌓여서 흑인들의 폭동이 일어날 때도 있지."

"그래요? 전혀 몰랐어요. 전 노예제도가 없어지면서 인종차별도 완전히 사라진 줄 알았어요."

"인종차별 문제가 흑인과 백인 간의 문제만은 아니지. 요즘 들어 아시아 사람들이 이민을 많이 가면서 다른 인종들과의 갈등도 점차 늘어나고 있어."

듣고 보니 아빠의 말이 맞는 것 같아요. 멀리 미국에서 찾아볼 필요도 없답니다. 우리나라에서도 요즘 외국인들을 쉽게 볼 수 있거든요.

가까운 예로 우리 반은 아니지만, 4학년 때 같은 반 친구였던 세민이네 반에는 아버지가 파키스탄 출신인 어린이가 있어요. 아, 그런데 그 친구는 외국인이 아니에요. 요리사인 그 친구 아버지가 이미 한국으로 귀화했으니까요. 귀화가 뭐냐고요? 외국인이 한국인이 되는 시험이 있다고 하네요. 한국인이 되고 싶은 외국 사람이 한국의 역사, 문화 등에 관한 시험을 보고 이것을 통과하면 한국인이 되는 거라고 하네요.

"맞아요. 우리 학교에도 피부색이 다른 친구가 있어요. 저도 처음에는 외국인인 줄 알았는데, 그 친구나 부모님 모두 한국 사람이래요. 지금도 못된 아이들이 가끔 그 친구를 괴롭히곤 해요."

"그래. 친구의 피부색이 다르다고 해서 친구를 괴롭히는 것은 정말 나쁜 행동이란다. 사람은 다 똑같이 축복을 받고 태어났어. 그게 남자가 되었든, 여자가 되었든, 또 그 사람 피부색이 하얗든 까맣든 노랗든 말이야. 피부색 때문에 사람을 차별하는 것만큼 어리석은 일이 없지."

"그래도 세상에는 그런 사람들이 많잖아요? 신문이나 텔레비전에서 보면 우리 아이들만 그런 게 아니던데요? 어른들도 우리 일을 도와주러 온 외국 노동자들을 구박하고 못살게 구는 일이 많대요."

―《강유위가 들려주는 대동 이야기》 중에서

1. 제시문 (가), (나), (다)의 의미를 각각 요약정리하고, 제시 자료로부터 이끌어낼 수 있는 공통점이 무엇인지 설명하시오.(각 300자 내외)

2. (가)에서 강유위가 주장하는 내용을, (나), (다)의 내용을 참고하여 긍정적인 측면과 부정적인 측면에서 언급하고 이에 대한 자신의 생각을 논술하시오.(500자 내외)

생각 쓰기

생각 쓰기

실전 논술

예시 답안

case 1

1. 현실적인 인간의 삶은 고통스럽고 어려울 때가 많다. 강유위의 '대동사상' 이나, 고조선의 건국이념은 모두 이러한 인간의 문제를 해결하기 위한 노력이다. 우리가 갈등과 대립 없이 행복하게 살기 위해서는, 서로간의 경계를 허물고 모두 끌어안는 자세가 필요하다. 인간을 널리 이롭게 한다는 생각과 기쁨과 행복이 가득한 세상을 만들자는 대동사상은, 바로 이러한 포용의 정신이라고 할 수 있다.

2. 제시문 (가)에서는 국가를 없애야 한다는 강유위의 대동사상을 설명하고 있다. 오늘날 우리 인류가 처한 가장 심각한 문제는 환경오염, 종교 갈등, 이념 갈등 등의 문제가 있지만, 이중에서 가장 심각한 문제는 바로 국가 간의 갈등이다. 각기 자기 나라의 국민들만을 위한 정치를 펴다 보면 다른 나라와 대립하게 되고 그것은 테러나 전쟁 등 심각한 문제를 낳게 된다.

그러나 국가의 본질은 사람들의 필요성에 의해 구성되어, 기본적으로는 사람들에게 이익을 실현시켜 주기 위한 것이었다. 이러한 국가의 의미는 플라톤에게서도 찾아볼 수 있다. 플라톤이 《국가(國家)》라는 책에서 언급한 핵심 내용은, 인간의 구성 요소를 확장한 것이 바로 국가 체제라는 것이다. 예를 들어 인간에게 이성, 감정, 기개가 있듯이, 이에 맞게 국가는 정치계급, 평민계급, 용사계급으로 구성되어 있다고 한다. 그런데 플라톤은 《국가》에서 이러한 개별적 요소가 함께 조화를 이루어야 한다는 것을 강조하고 있다. 사람의 이성과 감성, 기개가 조화를 이루어야 건강한 사람이듯이, 국가의 각 계급들도 조화를 이루어야 한다.

그리고 국가의 조화는 '철인왕(哲人王)'이 실현시킬 수 있다고 보았다. 이처럼 플라톤이 본 국가라는 개념은, 다른 나라와 구분 짓는 경계로서의 의미보다는 인간의 조화로운 집단체에 가까웠다.

강유위는 갈등의 근본 원인이 되는 국가를 없애자고 주장했으나, 현실적으로 국가를 없앤다는 것은 지극히 어려운 일이다. 앞서 플라톤의 생각에서 보듯이 국가는 인간의 필요에 의해 형성되었기 때문이다. 그러면 국가 체제를 유지하면서도 인류가 당면한 문제를 해결할 수 있는 방안은 무엇일까? 그것은 우리의《단군신화》에서 찾아볼 수 있다. 고조선의 건국이념처럼 인간을 널리 이롭게 하기 위한 '홍익인간(弘益人間)' 정신은, 거기에 소속되는 집단만을 위한 것이 아니라, 인간에 대한 배려이며 인류 전체를 아우를 수 있는 인간애의 시작이기 때문이다. 홍익인간 정신을 현실에 맞게 수용하여 실천할 수 있다면, 강유위가 지적한 국가의 폐단도 해결책을 찾을 수 있을 것이다.

case 2 강유위의 '대동사상'과 '조선 향약'의 공통점은 집단 구성원들이 서로를 배려하며 함께 살아야 한다는 점을 강조하고 있다는 것이다. 강유위는 '대동사상'을 통해서 집단의 개인들이 자신들만을 생각하며 살 것이 아니라, 서로 배려하며 보살피는 사회를 건설해야 한다고 주장하고 있다. 그리고 '조선 향약' 은 마을 공동체 구성원들이 서로 도움을 주며 자율적으로 살아갈 것을 강조하고 있다.

그러나 강유위의 '대동사상' 과 '조선 향약' 은 이론적 측면과 실천적 측면 가운데 어떤 점을 더욱 강조했는가에서 가름난다. 강유위의 '대동사상' 은 유교 사회 구성원들이 추구해야 하는 이상사회의 모습을 제시한 점에서 이론적 측면에 더욱 중점을 두었다. 반대로 '조선 향약' 은 사림들이 추구하던 이상사회를 실현하기 위해서 교육과 덕목을 강조함으로써 실천적 측면에 더욱 중점을 두었다고 볼 수 있다.

case 3

1. (찬성할 경우) 독거노인 문제 해결 방법으로 가족 해체를 통한 이기주의의 극복을 주장한 강유위의 주장은 설득력이 있다. 현대사회는 경쟁과 능력 중심의 사회이다. 그러다 보니 사람들은 자신의 능력 실현을 통해서 다른 사람에게서 인정받으려 하고, 경쟁에서 이겨야 하는 경우가 많다. 그리고 산업화를 통한 핵가족화와 서구화를 통한 개인주의의 유행은 사람들로 하여금 '나' 와 '우리 가족' 만 중요하게 생각하는 '개인 이기주의' 와 '가족 이기주의' 를 만들었다. 그러다보니 다른 사회 구성원들이 겪는 고통과 어려움에 대해서는 무관심할 수밖에 없고, 독거노인과 같이 돌볼 가족이 없는 사람들은 쓸쓸하게 죽어갈 수밖에 없다. 따라서 '가족 이기주의' 의 핵심이 되는 가족의 해체를 통해서 사람들이

주변의 많은 사람들에게 관심을 갖도록 해야 한다.

(반대할 경우) 독거노인 문제 해결 방법으로 가족 해체를 통한 이기주의의 극복을 주장한 강유위의 주장은 설득력이 없다. 물론 현대사회는 개인 이기주의와 가족 이기주의가 팽배해 있다. 그러나 개인과 가족들로 하여금 자기 자신과 자기 가족에게만 관심을 갖도록 만든 근본적 원인은 사회에 있다. 사람들로 하여금 경쟁에서 승리하는 것만 강조하고 패배자들을 위한 재도전의 기회를 주지 않았기 때문에 사람들은 자기만 생각하게 된 것이다. 그 결과 사람들은 자기 가족의 행복만 우선 생각할 수밖에 없게 된 것이다. 따라서 단순히 가족해체와 같은 방법만으로 이기주의를 극복하려는 생각보다는 근본적으로 경쟁 중심의 사회 분위기를 바꾸고, 복지 제도를 강화해서 함께 살아가려는 분위기를 만들어야 한다.

2. 우리 사회에서 권리와 이익이 존중받지 못하여 나타나는 문제로는 학교에서 발생하는 집단 따돌림 왕따 문제가 있다. 왕따는 많은 친구들과 잘 어울리지 못하고, 많은 친구들과 다른 행동을 하는 학생에 대해서 같은 반 친구들이나 학교 친구들이 때리거나 놀리며 괴롭히는 것이다. 그러나 사람은 모두가 똑같은 생각과 행동을 하며 살 수 없다. 사람은 각자 자기만의 독특한 생각과 행동을 가지고 있다. 그것은 마치 박지성은 축구를 잘하지만 야구는 못하고, 박찬호는 야구는 잘하지만 축구를 못하는 것과 같다. 그런데 그 독특한 생각과 행동이 많은 사람들의 생각과 행동에 비해 다르다는 이유로 괴롭히는 것은 옳지 못한 태도이다. 그러므

로 우리는 우리 자신과 서로 다른 생각과 행동을 가진 사람들도 자신들만의 방식으로 살아가며 행복과 이익을 추구할 권리가 있다는 점을 인정해야 한다.

case 4

1. (가)는 인간의 고통스런 삶을 제시하고 이를 해결하기 위한 강유위의 대동사상을 설명하고 있다. (나)는 전쟁으로 인해 상처받고 있는 어린이들의 비참한 삶을 보여 주고 있다. (다)는 오늘날에도 계속되고 있는 인종차별과 민족차별 등의 문제점을 제시하고 있다.

인류는 자신들의 이익을 위해 다른 인간을 고통스럽게 만들고 있다. 이를 해결하기 위해 강유위는 서로를 나누어 구별하는 제도나 생각들을 없앨 것을 주장한다. 내전으로 인한 같은 집단 간의 갈등이나 인종차별과 같이 다른 집단과의 갈등 문제 등은 우리 모두가 하나의 인류라는 생각을 가질 때 해결될 수 있을 것이다.

2. 강유위는 인류가 처한 문제를 해결하기 위해, 국가, 가족, 남녀 간의 구분을 없앨 것을 강조하고 있다. 우리가 처한 모든 갈등과 대립은 자신이나 자신이 속한 집단만을 위하려는 이기적인 마음에서 출발한다. 이런 측면에서 생각하면 강유위의 주장은 매우 바람직한 것이다. 각각을 구분하는 경계를 없앨 수 있다면 우리가 처한 여러 가지 문제를 가장 근본적으로 해결할 수 있기 때문이다.

하지만 현실적으로 미국과 우리나라가 국가라는 경계를 없애고 살아갈 수는 없다. 특히 강유위의 주장 중에서 가족제도마저도 없애자는 주장은 지나치게 극단적인 생각이다. 국가는 다른 나라와 대립만 하는 집단이 아니라, 그 안에 속한 국민들을 보호하고 안전하게 살아갈 수 있도록 지켜 주는 것이기 때문이다. 마찬가지로 가족은 다른 가족과 우리 가족을 구분하여 우리 가족만을 위하기 위한 이기적인 집단이 아니라 사랑으로 구성된 집단이다. 현실적으로 이러한 경계를 허물어뜨린다고 해서 인류가 처한 갈등과 대립의 문제를 해결할 수는 없는 것이다.

오늘날 우리 인류가 처한 문제는 여러 가지 이유 때문에 발생하였다. 이를 해결하기 위한 획기적인 방법은 찾기 어려울 것이다. 어떤 경우에도 지나치게 급진적인 생각은 위험할 수 있다. 국가나 가족이라는 기본적인 제도는 유지하되, 자신의 집단만을 위한 이기적인 태도를 버리고 인류애로 감싸 안을 수 있어야 한다.

어려운 사람들을 위해 봉사하는 사람들이 공통적으로 하는 말은, '남을 위해 일하는 것이 진정으로 자신을 위한 길' 이라고 한다. 우리도 우리보다 힘이 약한 동생을 보살펴 주거나, 할머니 할아버지를 위해 버스에서 자리를 양보했을 때 더 큰 행복을 느낄 때가 있다. 여기에서 알 수 있듯이 우리가 필요에 의해 만든 제도를 없애지 않더라도, 우리 인류가 처한 문제를 해결할 수 있는 방안이 있다. 그것은 바로 남을 위한 진정한 마음이 자신을 위한 길이며, 자신이 속한 집단을 진심으로 사랑하는 길이 또 다른 집단을 사랑할 수 있는 힘이 될 수 있다는 것이다.

Abitur

철학자가 들려주는 철학이야기 082

후설이 들려주는 현상 이야기

저자_**박기호**

고려대에서 교육학 석사를 받았다. 윤리학과 철학에 대해 고민하며 살아오다가 대입논술을 지도하게 되었다. 그 결과 부엉이 눈으로 논제 분석하기, 매트릭스법으로 제시문 읽기, 마인드맵으로 개요 짜기, 토피카로 차별화하기 등의 독특한 논술방법론으로 대입논술과 로스쿨 LEET 논술에서 마감강사가 되었다. 경향신문 대입논술 출제 집필진으로 활동한 바 있으며, 현재 유명 대입학원과 로스쿨 전문학원에서 논술을 지도하고 있다. 저서로는《아비투어 철학논술 맥루한이 들려주는 미디어 이야기(초급)》,《快(쾌) 논술 LEET 시리즈》 전4권,《대학별논술 예상문제집》 전25권,《4개년간 논술기출문제해설》,《논술자세잡기》 등이 있다.

배경 지식 넓히기

Edmund Husserl

후설과 '현상'

후설 주요 개념

1. 후설을 만나다

1) 후설은 누구인가

후설(Edmund Husserl, 1859~1938)은 1859년 4월 8일, 지금은 체코가 된 오스트리아 프로스니츠 지방의 유태인 가문에서 태어났습니다. 후설은 겉보기에는 큰 굴곡이 없는 평범하고 전형적인 학자의 삶을 살았습니다. 학창 시절에도 이목을 끄는 일 없이 평범한 학생으로 지냈고, 전 과목을 고루 잘하는 뛰어난 우등생도 아니었습니다. 다만 후설은 유독 수학에 관심이 많았던 학생이었습니다. 그래서 대학에 가서도 처음에는 수학을 공부하다가 나중에 가서야 전공을 바꾸어 철학을 공부하게 되었지요.

후설은 매우 신중하고 자기 자신에게 엄격한 성격이었다고 합니다. 그래서인지 생전에 출판한 책도 많지 않습니다. 그는 〈논리 연구〉(1990~1901)라는 논문으로 유명해졌지만, 이후로 〈순수 현상학과 철학의 이념들〉(1913), 〈유럽학문의 위기와 선험적 현상학〉(1936), 단 두 권의 책만을 발표했을 뿐입니다. 그러나 이는 후설이 게을렀기 때문이 아닙니다. 반대로 그는 매우 부지런한 학자였습니다. 그가 약 40년 동안에 걸쳐서 쓴 4만 5천 장이나 되는 유고가 죽고 난 뒤 발견된 것이 그 증거입니다. 더구나 이 유고들은 평범한 글씨가 아니라 속기법으로 작성되어 있었습니다. 펜으로 글씨를 쓰는 속도가 생각의 속도를 따라잡지 못했기 때문에 답답했던 후설은 글씨를 좀 더 빨리 쓰기 위해 궁여지책을 사용했던 것입니다. 이 엄청난 양의 유고를 쓰면서 후설은 자신의 생각을 좀 더 가다듬고 완전하게 만드는 데 몰두했을 것입니다.

그렇지만 후설은 자신이 아닌 다른 사람들에게는 엄격한 사람이 아니었습니다. 오히려 후설은 교수가 되고 나서도 권위를 내세우는 일없이 젊은 학생들과 격의 없는 진지한 토론을 벌이기를 즐겼고, 다른 사람의 비판도 늘 겸허히 받아들이는 열린 성격을 가지고 있었습니다. 그리하여 후설의 주변에 유능한 젊은 학자들이 모여들기에 이르렀고, 결국 후설은 이 젊은 이들을 이끌고 철학의 중요한 한 분야인 현상학을 창시하게 되었습니다.

후설 주위에 모였던 젊은 학자들 중에는 지금 후설만큼이나 유명해진 하이데거(Martin Heidegger, 1889~1976)가 있습니다. 후설은 하이데거를 몹시 아껴서 자신의 후계자라고 생각했기 때문에, 나이가 들어 프라이부르크 대학의 교수 직위에서 은퇴하게 되었을 때 하이데거를 자신의 후임자로 지명하였습니다. 후설 덕분에 교수가 된 하이데거는 나중에 프라이부르크 대학 총장 자리에까지 오르게 됩니다.

그러나 제2차 세계대전이 시작되고 나치가 유태인을 탄압하면서 후설에게도 비극이 닥쳤습니다. 후설 역시 유태인이라는 이유로 정치적인 탄압을 당하고 프라이부르크 대학에서도 강제로 추방당해야 했던 것입니다. 당시 총장이었던 하이데거는 자신의 스승이었던 후설이 추방당하는 것을 막으려 하기는커녕 침묵과 함께 방관하고 말았습니다.

하지만 후설은 나치의 탄압에 굴하지 않고 학자의 길에 더욱 매진하였습니다. 70세가 넘어서도 그는 활발한 강연 활동을 펼쳤고, 나치가 강연을 금지한 이후에는 매일 열 시간이 넘도록 책상 앞에 앉아 집필에 몰두하였습니다. 1938년 79세의 나이로 세상을 뜨기 직전 후설은 "철학자로서 살아왔고 철학자로서 죽고 싶다"라는 말을 남겼다고 합니다.

2) 후설의 사상

딩동댕. 오늘 수업이 전부 끝났습니다. 자, 이제 한 사람도 빠짐없이 책가방을 챙겨 집으로 돌아가야겠지요. 그런데 모든 학생이 돌아가고 없는 텅 빈 교실에서는 과연 무슨 일이 일어날까요? 우리가 낮 동안 사용하던 책상, 의자, 칠판, 유리창 등이 우리가 낮에 보던 대로 그렇게 조용히 자리를 지키고 있을까요? 정말 그럴까요? 아무도 안 보는 한밤중이 되면 갑자기 책상들이 벌떡 일어나 수다도 떨고 춤도 추며 놀기 시작하는 건 아닐까요? 아니, 아예 우리가 교실을 비운 동안 교실 자체가 사라져 버리는 건 아닐까요? 우리가 보고 있을 때만 나타났다가 우리가 다른 곳으로 가자마자 순식간에 사라져 버리는 건 아닐까요? 아무도 보지 않고 있는데 교실에서 무슨 일이 벌어지는지 우리가 도대체 어떻게 알 수 있을까요?

교실에 CCTV를 설치해서 밤새 관찰하면 된다고요? 그럼, 이건 어떨까요? 우리는 사실 어느 실험실 유리통 속에 갇혀 있는 뇌입니다. 우리에겐 눈도 귀도 코도 없고, 팔다리도 없어요. 못된 과학자가 우리 뇌를 가둬 놓고 여러 가지 장치를 연결해서, 마치 우리가 이 세계에 살고 있는 것처럼 속이고 있습니다. 그러니까 우리집도, 우리가 보고 있는 하늘도, 나무도, 구름도, 심지어 우리 부모님도, 친구들도 실은 모두 가짜입니다. 아니라고요? 그럴 리가 없다고요? 그걸 우리가 어떻게 확신할 수 있을까요?

① "사태 자체로 돌아가라!"

후설이 평생에 걸쳐 씨름했던 문제가 바로 이것입니다. 우리가 살고 있는 세계가 과연 진짜 세계인지, 우리가 진실이라고 알고 있는 것이 과연 정말로 진실인 것인지, 후설은 철저하게 밝혀내고 싶었던 것입니다. 만일 이 문제가 제대로 밝혀지지 못한다면 우리가 이 세계에 대해 말하는 것, 우리가 알고 있다는 말하는 것이 전부 쓸모없는 일이 되고 말 테니까요. 만일 이 세계가 가짜라면, 이 세계에 대한 과학적 지식도, 이 세계에 대해 이야기하는 훌륭한 문학작품들도, 이 세계가 어떻게 흘러왔는지를 기록하는 역사도 모두 가짜가 되어 버리고 말 것입니다.

아까 이야기했던 교실 안으로 돌아가 봅시다. 여기 책상이 있군요. 그런데 책상이 책상이라는 걸 우리가 어떻게 알 수 있지요? 눈으로 보고 책상이라는 걸 확인할 수 있기 때문입니다. 다리가 네 개 달리고, 다리 위에는 나무 색깔이 나는 넓은 판자가 올라 있는 이 물체를 보고 우리는 책상이라고 생각하게 됩니다. 또 우리는 책상을 만져 볼 수도 있어요. 딱딱하지 않고 말랑말랑하다면 책상이 아니겠지요? 원한다면 우리는 책상의 냄새를 맡아 볼 수도 있고 혀로 핥아 맛을 볼 수도 있습니다. 책상을 손으로 살짝 두드려 보세요. 딱딱, 울리는 소리도 들을 수 있습니다. 이렇게 눈으로 보고, 코로 냄새 맡고, 입으로 맛을 보고, 귀로 소리를 듣고, 피부로 만져봄으로써 무엇인가에 대해 알게 되는 활동을 '경험' 이라고 부릅니다. 그러니까 우리는, 책상이 다른 무엇이 아니라 바로 책상이라는 것을 경험을 통해 알 수 있게 됩니다. 책상뿐 아니라 이 세계의 다른 모든 것에 대해서도 경험을 통하지 않고는 알 수가 없습니다.

이렇게 우리가 책상을 경험하기 위해 반드시 필요한 것은 무엇일까요? 첫째, 경험하는 '나' 자신이 필요합니다. 만약 경험하는 '나' 가 없다면 책상이 노래하든 춤을 추든 아예 사라지든, 아무런 상관도 없을 테니까요. 둘째, 나에게 경험되는 어떤 물체 즉, 책상이 필요합니다. 이 책상처럼 우리에게 경험되는 것, 우리가 보고 듣고 만질 수 있는 세상의 모든 것을 우리는

'대상' 이라고 부릅니다. 셋째, 나의 '경험하는 능력' 이 필요합니다. '나' 가 있고 '대상' 이 있어도, 만일 나에게 경험하는 능력이 없다면 나는 아무런 경험도 할 수가 없겠죠.

그런데 여기서 문제가 발생합니다. 나는 경험을 통해서만 책상이 책상이라는 것을 알 수 있다고 했지요. 그런데 만약 내가 잘못된 경험을 한다면 어떻게 될까요? 예를 들어, 우리가 서 있는 여기 이 교실에 불이 모두 꺼져 있어서 아무것도 보이지 않을 만큼 깜깜하다고 가정해 봅시다. 내 앞에 물체가 하나 있습니다. 어두워서 보이지는 않지만, 만져보니 딱딱하고 다리가 네 개 달려 있습니다. 그래서 나는 이것이 책상이라고 생각합니다. 그런데 잠시 후 불을 켜 보니 이 물체는 실제로는 책상이 아니라 의자였습니다. 내가 '경험' 을 통해서 안 것이 실제 '대상' 과는 맞지 않게 되어 버린 셈이지요. 내 경험 능력 중에서도 눈으로 보는 능력을 사용할 수 없었기 때문에 나는 잘못된 경험을 할 수밖에 없었고, 그래서 실제 대상을 다른 것으로 착각하고 말았던 것입니다.

이처럼 우리의 '경험' 이 실제 '대상' 과 일치하지 않는 예는 얼마든지 있습니다. 지구 위에 살고 있는 우리의 눈으로 보면, 태양이나 달, 별은 매우 작아 보입니다. 그래서 아주 먼 옛날 고대 사람들은 지구는 멈춰 있고 아주 작은 태양이 지구의 주위를 돈다고 생각했습니다. 고대 그리스 최고의 과학자였던 프톨레마이오스조차도 그렇게 생각할 정도였어요. 당시에는 태양이 얼마나 큰지 경험할 수 있도록 도와주는 기구가 아무것도 없었으니까요. 그러나 과학이 발달하여 망원경이나 우주선이 발명되고 우리가 눈으로 볼 수 있는 범위가 훨씬 넓어진 현대에 와서는, 누구나 고대 사람들의 생각이 틀렸다는 것을 알고 있습니다. 태양이 지구보다 훨씬 클 뿐더러 지구가 태양의 주위를 돌고 있다는 것은 여러분도 잘 알고 있는 사실입니다. 즉, 우리의 경험 능력이 발전하면서 우리가 태양을 훨씬 더 잘 경험하게 되었기 때문에 태양이라는 실제 대상에 대해서도 훨씬 더 잘 알 수 있게 된 거죠. 바꾸어 말하자면 결국, 경험을 통해 우리가 대상을 안다는 것은, 우리가 실제 대상 그 자체를 알 수는 없으며 단지 우리에게 '경험된 대상' 만을 알 수 있다는 것과 같은 뜻이 됩니다.

그렇다면 우리는 '대상' 을 다음과 같이 두 측면으로 나누어 생각할 수 있을 것입니다.

대상의 두 가지 측면

① 실제 대상 그 자체

② 우리에게 경험된 대상

후설은 이러한 대상의 두 측면 중 특히 두 번째, 우리에게 경험되는 대상을 '현상' 이라고 부릅니다. '현상' 이라는 낱말은 나타날 '현(現)' 자와 상 '상(象)' 자라는 두 한자어가 합쳐져 만들어진 낱말입니다. '나타난 상' 이라는 뜻이죠. 여기서 '상' 이란 다름 아닌 '이미지' 이며, 이미지란 우리가 경험을 통해 알게 되는 모든 것입니다. 우리가 눈으로 본 것, 코로 맡은 냄새, 귀로 들은 소리, 입으로 느낀 맛, 피부에 닿는 느낌, 이러한 모든 것들이 바로 이미지입니다. 따라서 현상이란 결국 경험을 통해 나의 마음에 나타나는 모든 이미지란 뜻이 됩니다.

예를 들어, 태양은 원래 지구보다 훨씬 큽니다. 그러나 우리가 지구상에서 눈으로 경험할 때 이 태양은 엄지손톱만큼이나 작은 이미지로 우리 마음속에 나타납니다. 바로 이렇게 마음속에 나타난, 아주 작은 이 이미지가 바로 '현상' 인 것입니다. 이 현상은 지구보다 작게 드러난다는 점에서 실제 대상인 태양과는 다릅니다. 그런데 우리가 우주선을 타고 나가 지구에서 멀리 떨어져 보면, 아까와는 달리 태양이 지구보다 훨씬 크다는 것을 눈으로 확인할 수 있겠죠. 이번에는 지구보다 커다란 태양의 이미지가 바로 '현상' 이 된 것입니다. 또, 실제의 태양도 나에게 '현상' 이 된 태양도 모두 지구보다 커다랗다는 점에서 일치합니다. 이처럼 실제 대상과 현상은 서로 다를 수도 있고 서로 같을 수도 있습니다.

그리고 우리가 실제 대상에 대해서 '안다' 라고 말할 수 있으려면, 실제 대상과 현상이 반드시 일치해야만 합니다. 내가 어두운 교실에서 의자를 만져 보았을 때 이 실제 대상이 내게 의자가 아니라 책상으로 현상되었다면, 나는 의자를 가리키면서도 책상이라고 말할 수밖에 없을 것입니다. 그렇다면 '나는 그 의자를 안다' 고 할 수 없겠지요. 내가 책상이라는 실제 대상을 보았을 때 나에게 책상이 현상되어야만 '나는 이것이 책상이라는 것을 안다' 고 자신 있게 말할 수 있는 것입니다.

후설은 바로 이 부분에 주의를 돌립니다. 우리가 정말로 실제 세계에 대해 알고 싶다면, 우리에게 나타나는 '현상' 으로서의 대상이 아니라 '실제 대상' 이 무엇인지에 대하여 생각해야만 합니다. 물론 우리는 '실제 대상' 이 과연 무엇인지 경험을 거치지 않고 직접 알 수는 없습니다. 그러나 우리가 실제 대상이 '현상' 으로 변하여 우리에게 드러나는 과정을 꼼꼼히 따져본다면, 현상으로 변하기 이전의 실제 대상은 원래 어떤 모습이었을지를 추측해 볼 수 있을 것입니다. 그리하여 후설은 "사태 자체로 돌아가라!" 고 요구합니다. 여기서 "사태" 란 바로 실제 대상을 뜻하는 낱말입니다. 간단히 말하면, 현상을 보지 말고 실제 대상을 보라는 말이 되겠지요.

그런데 왜 우리에게 나타나는 현상은 실제 대상과 달라지는 걸까요? 후설에 따르면, 그것은 우리가 선입견이나 편견을 가지고 실제 대상을 바라보기 때문입니다. 16세기의 과학자 코페르니쿠스가 '지구가 태양의 주위를 돈다' 고 지동설을 주장할 때까지는, 누구나 태양이 지구의 주위를 돈다고 생각하고 있었습니다. 그러나 당시의 사람들은 천동설이라는 선입견 때문에 코페르니쿠스의 주장을 받아들이지 않았지요. 결국 태양이라는 실제 대상에 대해 옳은 의견을 주장했던 코페르니쿠스는, 선입견을 가진 사람들에 의해 화형을 당하고 말았습니다. 당시 사람들은 현상만을 바라본 채 실제 대상을 바라보지 않았던 셈이지요. 옳은 주장을 하고도 죽어야만 했던 코페르니쿠스를 위해 모두들 "사태 자체로 돌아가라!"고 외쳐보고 싶어지지 않나요?

② 우선, 판단을 중지하라 — 자연적 태도와 판단중지

후설은 선입견이나 편견을 가지고 현상만을 바라보는 태도를 '자연적 태도'라고 불렀습니다. 선입견을 가진 태도라면 나쁜 태도인 것 같은데, 이러한 태도를 두고 '자연스러운' 태도라고 부른다니 뭔가 이상하지요? 후설의 생각에 따르면 우선 첫째, 우리가 일상생활에서 대상을 대할 때는 현상과 실제 대상을 구별하지 않으며, 우리에게 드러나는 현상이 실제 대상과 당연히 일치할 것이라고 자연스럽게 믿기 때문입니다. 우리가 평소 어떻게 대상을 알게 되는지 곰곰이 따져 보면 이 사실은 분명합니다. 우리는 책상을 보면 단숨에 그저, '아, 이것은 책상이야!'라고 생각하지, '내가 본 것이 과연 책상이 맞는 걸까? 혹시 의자는 아닐까? 어쩌면 나는 아예 아무것도 못 봤는데도 나 혼자 책상을 봤다고 착각하는 것은 아닐까?'라고 생각하지는 않습니다. 만약 우리가 항상 그런 생각을 하며 살아가야 한다면, 아무것도 할 수 없을 것입니다. 그래서 후설은 이러한 우리의 일상적인 태도 즉, 실제 대상을 염두에 두지 않고 현상만을 바라보는 태도가 오히려 자연스러운 태도라고 보았기 때문에 '자연적 태도' 라고 부르는 것입니다.

둘째로, 후설에 따르면 대상에 대한 우리의 모든 판단에는 언제나 선입견이 포함되어 있습니다. 우리가 책상에 바싹 다가앉아 있을 때 우리에게 보이는 책상의 모습은 그것의 윗면뿐입니다. 책상에서 일어나 조금 멀리 떨어져서 보면 어떨까요? 책상의 다리도 보이고 서랍도 보이겠지만, 이때에도 우리가 볼 수 있는 것은 단지 책상의 앞면뿐입니다. 책상의 뒤로 돌아간다고 해도 그때 우리가 볼 수 있는 것은 책상의 뒷면뿐, 뒷면과 앞면을 동시에 볼 수는 없습니다. 그런데, 그럼에도 불구하고 우리는 평소 우리에게 보이는 이러한 책상의 부분적인 모습만을 가지고 마치 우리가 책상의 전체 모습을 다 보고 있기라도 한 것처럼 '이것은 책상이다' 라고 판단하곤 하지요. 이처럼 우리는 언제나 실제 대상이 드러내는 아주 적은 현상만을 가지고 실제 대상 전체를 판단하곤 합니다. 그리고 후설은 바로 여기서 선입견이 발생한다고 생각했습니다. 우리는 예전에 보았던 책상의 뒷모습과 옆모습을 기억하고 있기 때문에, 지금 이 순간 책상의 앞모습만 보고도 예전의 기억을 떠올리면서 책상 전체의 모습을 상상하고는 '이것은 책상이다' 라고 판단한다는 것입니다. 우리에게 드러난 현상은 책상의 앞모습뿐인데, 우리가 이 현상에 책상의 옆모습과 뒷모습이라는 기억을 우리 마음대로 덧붙여 책상이라는 실제 대상의 전체 모습은 이럴 것이라고 판단해 버린다는 것이지요. 이렇게 우리가 마음대로 덧붙인 기억, 바로 이것이 책상에 대한 우리의 선입견이 되는 것입니다.

그렇다면 이런 선입견은 나쁜 것이 아니라 반드시 필요한 것이 아닐까요? 예, 그렇습니다. 만일 우리가 이런 선입견을 가지고 있지 않다면 우리는 일상생활에서 많은 어려움을 겪을 수밖에 없게 됩니다. 책상이 책상이라는 것을 알기 위해 매번 책상 주위를 빙글빙글 돌면서 책상의 전체 모습을 확인할 수 없는 노릇이니까요. 바로 이러한 이유들 때문에 후설은, 선입견을 가지고 현상을 대하는 태도를 가리켜 우리의 일상적인 '자연적 태도'라고 말했던 것입니다.

그런데 이러한 선입견은 왜 생길까요? 후설에 따르면 그 이유는, 우리가 대상을 바라볼 때 항상 '관심'을 가지고 대하기 때문입니다. 내가 싫어하는 가수를 친구는 좋아하는 경우가 종종 있습니다. 실제 대상인 가수는 한 사람일 뿐인데, 왜 나에게 그 가수는 '싫은 현상'이 되고 친구에게는 '좋은 현상'이 되는 걸까요? 나는 그 가수에게 싫은 관심을 가지고 있고, 친구는 좋은 관심을 가지고 있기 때문입니다. 심지어 내가 좋아하는 가수와 싫어하는 가수가 똑같은 행동을 해도, 내가 좋아하는 가수는 좋게 보이고 싫어하는 가수는 더욱 싫어 보이는 경우도 있겠지요? 실제 대상은 똑같은 행동을 한 것인데도 나에게는 마치 그 둘이 다른 행동인 것처럼 현상되는 것입니다. 이는 모두 내가 그 대상에 어떤 관심을 갖고 있는가의 차이 때문에 생겨나는 일입니다. 내가 어떤 가수한테 아무런 관심도 가지고 있지 않은 경우는 어떨까요? 아마도 그 가수가 있는지 없는지, 무슨 노래를 불렀는지도 잘 몰랐겠지요?

이처럼 우리는 사실상 평소 모든 대상을 관심을 가지고 바라봅니다. 반대로 말하면, 우리는 우리가 관심을 갖고 있지 않은 대상은 잘 알아보지 못합니다. 우리는 공기 없이 살아갈 수 없지요? 하지만 공기는 언제나 주변에 있는 까닭에, 누구도 평소에 그것에 관심을 두지 않습니다. 숨을 들이마시고 내뱉으며 공기가 일으키는 현상을 늘 겪고 있음에도 불구하고, 평소에는 공기가 있다는 사실조차 거의 의식하지 않고 삽니다. 실제 대상은 이처럼 각자의 관심에 따라 사람들에게 다르게 현상됩니다.

그런데 종종 선입견은 우리가 실제 대상을 제대로 아는 것을 방해하기도 합니다. '나' 에게 나타난 현상이 실제 대상과 일치하지 않는데도 나의 선입견 때문에 일치한다고 믿어 버리게 되는 경우가 바로 그렇죠. 때때로 이러한 선입견은 엄청난 결과를 불러일으키기도 합니다. 앞서 설명했던 코페르니쿠스의 경우가 바로 그렇습니다. 코페르니쿠스는 옳은 주장을 했음에도 불구하고 천동설이라는 선입견에 사로잡힌 사람들 때문에 화형을 당해야만 했지요. 이처럼 선입견은 우리의 지식과 학문의 발전을 가로막기도 하는 것입니다.

따라서 후설은 우리가 실제 대상을 제대로 알기 위하여, 다시 말해 "사태 자체로 돌아가" 기 위하여, 이러한 선입견을 모조리 없애야 한다고 생각하게 되었습니다. 그리고 이를 위해 우선 자연적 태도를 버리고 "판단을 중지하라" 고 요구합니다. 우리가 이미 앞서 살펴보았듯이, 자연적 태도를 취할 때 우리는 언제나 선입견을 갖고 있습니다. 그리고 이 선입견은 특히 우리가 '판단' 을 할 때 발생합니다. 후설의 판단중지는, 애초에 이러한 판단을 하지 않음으로써 선입견이 생겨날 가능성을 아예 없애 버리자는 것입니다. 책상의 앞모습만 보고 섣불리 '이것은 책상이다' 라고 판단할 것이 아니라, '이것이 책상인지 아닌지는 모르지만 어쨌든 나에게 드러나는 현상은 책상의 앞모습이다' 라고 그저 현상의 있는 그대로만을 보자는 것입니다.

판단중지를 통해 선입견을 버린다는 것은 또한 우리가 더 이상 우리의 관심에 따라 대상을 바라보아서는 안 된다는 것을 의미합니다. 선입견은 우리의 관심 때문에 생겨나는 것이니까요. 우리가 매일 학교에서 마주치는 친구들, 우리가 집에서 함께 밥을 먹는 가족들이 정말로 실제로 존재하는 대상들일까요? 우리는 실험실에 갇혀 있는 통 속의 뇌이기 때문에, 이 사람들은 사실 환상일 뿐 실제로 존재하는 대상은 아니지 않을까요? 우리는 이들에게 관심을 가지고 있고 또 이 사람들이 실제로 존재했으면 좋겠다고 간절히 바라고 있기 때문에, 이 현상이 아무런 근거도 없이 실제 대상과 일치한다고 그냥 믿어 버리고 있을 뿐일지도 모릅니다. 우리가 실제 대상에 대해서 진심으로 정확히 알고 싶다면, 이 대상들이 실제로 존재했으면 좋겠다는 우리의 관심과 믿음을, 아쉽지만 버리지 않으면 안 됩니다. 우리가 관심을 버린 상태에서도 이 대상들이 실제로 존재한다고 생각할 수 있다면, 그제야 우리는 우리가 실험실의 뇌가 아니라 실제 세계에 살고 있다고 생각할 만한 근거를 얻게 되는 것입니다.

우리가 실제 대상을 단지 현상을 통해서만 알 수 있다면, 우리는 실제 대상을 제대로 알기 위해 현상에서부터 시작할 수밖에 없습니다. 결국 판단을 중지하라는 요구는, 선입견이 생겨날 수 있는 판단 자체를 아예 하지 말고 순수하게 실제 대상이 어떻게 우리에게 현상되는지만을 일단 지켜보자는 것입니다.

③ 안다는 것은 대체 무엇인가? — 현상학적 인식

실제 대상을 제대로 알기 위해 이제 우리는 모든 판단을 중지하였습니다. 자, 그럼 이제 무엇을 해야 할까요? 어떻게 해야 우리는 실제 대상에 대해 제대로 알 수 있게 되는 걸까요? 이에 대한 후설의 대답은, 무엇보다도 먼저 우리가 '안다'는 것이 과연 무엇인지를 알아야 한다는 것입니다. 즉, 우리가 어떤 대상을 알기 위해 우리의 마음이 어떤 과정을 거치는지를 알아내야 한다는 것입니다.

먼저 '안다'라는 말에 관해 생각해 봅시다. "나는 알아." 이 말을 들으면 무슨 생각이 떠오르나요? 대뜸 "뭘? 뭘 아는데?"라는 질문이 나오지 않나요? 그렇습니다. '안다'는 항상 '무엇을'과 함께 쓰여야 하는 낱말입니다. "나는 사과를 알아." "나는 이 노래를 알아." "나는 우리나라 역사에 대해서 잘 알아." 이처럼 안다는 것은 언제나 무엇에 대한 앎입니다. 여기서 바로 이 '무엇'이 지금까지 우리가 이야기했던 '대상'입니다. 다시 말하면 우리의 앎은 언제나 대상을 가지고 있습니다.

그런데 이렇게 항상 대상과 붙어 다녀야만 하는 건 앎뿐만이 아닙니다. 우리의 경험, 생각, 상상 등 우리의 모든 마음은 언제나 이렇게 대상을 가져야만 합니다. 후설은 바로 이러한 우리 마음의 성질을 가리켜 '지향성'이라고 부릅니다. '지향하다'는 어떤 목표나 방향을 향한다는 뜻을 가진 낱말입니다. 그러므로 우리의 마음이 지향적이라는 의미는 즉, 우리의 마음이 언제나 대상을 향하고 있다는 뜻입니다.

그런데, 우리가 대상을 알기 위해서는 실제 대상이 우리의 경험을 통해 우리에게 현상으로 드러나야 한다고 했지요. 이것이 어떻게 가능한 걸까요? 우리는 가만히 있는데도 불구하고 실제 대상이 우리의 마음속으로 현상이라는 모습을 하고 저절로 쏙 들어오는 걸까요? 아니면 우리가 적극적으로 대상에 다가가야만 비로소 실제 대상의 현상이 우리의 마음속으로 들어오게 되는 걸까요?

후설의 대답은 당연히 후자입니다. 앞서 설명했던 공기의 예와 같이, 우리는 관심을 지니지 않는 대상에 대해서는 분명히 주위에 있는데도 불구하고 알지 못하고 지나치는 경우가 많습니다. 우리가 적극적으로 관심을 가지고 대상을 바라보아야만 실제 대상은 우리가 알 수 있는 현상의 모습을 하고 우리에게 드러나는 것입니다. 후설이 말하는 우리 마음의 '지향성' 이란, 대상을 향한 마음의 적극적인 활동을 뜻하기도 합니다. 우리의 마음이 적극적으로 지향하는 대상만이 우리에게 알 수 있고 의미 있는 현상으로 된다는 뜻입니다. 대상을 알기 위해 노력하는 '나' 없이는 대상도 있을 수 없습니다. 그러므로 나의 앎에서 가장 중요한 것은 바로 나 자신입니다.

대상을 안다는 것이 마음의 적극적인 활동을 통해서만 일어날 수 있는 일이라면, 우리는 이제 '무엇을 안다' 는 것을 다음과 같이 나누어 생각해 볼 수 있을 것입니다.

a. 대상을 지향하는 우리 마음의 활동 — 노에시스
b. 우리 마음의 활동을 통해 드러나는 대상 — 노에마

b는 이미 우리가 잘 알고 있다시피, 바로 '현상' 이 되겠지요. 다시 말해 현상이란 우리 마음의 활동이 만들어낸 결과물인 셈입니다. 후설은 이 현상을 가리켜 '노에마' 라고 부릅니다. 다른 한편, a는 우리가 노에마를 만들어내는 모든 능력과 활동을 가리킵니다. 경험하는 능력, 생각하는 능력, 판단하는 능력, 대상에 대해 관심을 갖는 능력 등, 우리가 대상을 알기 위해

사용하는 모든 능력과 활동이 바로 a입니다. 후설은 이 능력과 활동을 가리켜 '노에시스'라고 부릅니다. 그리고 이 노에시스와 노에마가 합쳐져야만 비로소 우리가 '무엇을 안다'라는 활동이 가능하게 됩니다. 다시 말해 우리가 무엇을 안다는 것이란, 노에시스가 노에마를 만들어내는 활동인 것입니다.

자, 이렇게 나누어 놓고 보니 문제가 분명해집니다. 후설의 목표는 "사태로 돌아가는 것" 즉, 실제 대상에 대하여 제대로 아는 것이었지요? 만약 우리가 실제 대상을 잘못 알게 되었다면 어디에서 문제가 발생하는 것일까요? 그것은 바로 노에시스 때문입니다. 실제 대상도, 현상에 불과한 노에마도, 아무 잘못이 없습니다. 우리가 무언가를 잘못 알았다면 그것은 어디까지나 우리 마음의 활동 즉, 노에시스의 탓입니다.

그러므로 대상에 대해 잘못 알지 않으려면, 우리는 노에마뿐만 아니라 노에시스까지 함께 관찰해야 합니다. 즉, 나에게 드러난 현상뿐 아니라 이 현상을 만들어내는 내 마음의 활동도 함께 관찰해야 합니다. 그러나 자연적 태도를 취할 때 우리는 노에마만을 볼 뿐, 노에시스까지 염두에 두지는 않습니다. 책상을 볼 때마다 '내 마음의 활동이 이 물체를 책상이라고 생각하게 만들고 있어'라고 늘 생각하는 사람은 없을 테니까요. 노에시스를 관찰한다는 것은 결국, 나의 자연적 태도가 항상 선입견에 사로잡혀 있다는 사실을 깨닫는 일입니다. 현상 뿐 아니라 나 자신을 함께 관찰함으로써 우리는, 선입견과 관심으로부터 벗어나 좀 더 중립적인 상태에서 대상을 관찰하게 되는 것입니다.

후설은 대상에 대해 제대로 알기 위해서는 먼저 현상을 알아야 한다고 이야기했습니다. 그래서 우리는 후설의 이론을 '현상학' 이라고 부릅니다. 그리고 후설이 주장하는 제대로 된 앎 즉, 판단중지 상태에서 노에마와 노에시스를 함께 관찰하는 앎을 우리는 '현상학적 인식' 이라고 부릅니다. 결국 후설의 주장은, 우리가 대상을 제대로 알고 싶다면 현상학적 인식을 해야 한다는 것입니다.

④ 우리는 어디에 살고 있는가? — 생활 세계

우리의 마음은 지향적이기 때문에, 우리는 알고 싶어 하고 알려고 노력하는 대상만을 알 수 있게 됩니다. 뿐만 아니라, 똑같은 대상에 대해서도 사람들마다 서로 다른 생각을 갖게 되기도 하지요. 이와 같이 사람들이 가지고 있는 서로 다른 시각을 후설은 그 사람의 '지평' 이라고 부릅니다.

지평이란 지평선에서 나온 말입니다. 아주 넓고 평평한 들판에 서 있다고 상상해 봅시다. 주위에 나무, 풀밭, 풀을 뜯어 먹는 소들이 보입니다. 저 멀리 하늘과 땅의 경계인 지평선도 보이네요. 하지만 지평선 너머로는 무엇이 있는지 볼 수가 없습니다. 지평선이란 우리의 시야를 가로막는 한계입니다.

그런데 몇 발자국 앞으로 걸어 나가 보세요. 지평선이 바뀌지요? 몇 발자국 걸어 나간 만큼 지평선이 뒤로 물러나고, 지평선 뒤에 숨어 있던 것들이 보이기 시작합니다. 내가 스스로 움직인 만큼 나는 지평선이라는 한계를 바꿀 수 있게 되는 것입니다. 우리가 각자 지닌 '지평' 도 마찬가지입니다. 대상은 우리가 아는 만큼, 우리가 알고 싶어 하는 만큼만 보입니다. 우리가 대상을 보는 시야에도 일종의 지평선이 있는 셈이지요. 하지만 우리가 노력해서 대상에 대해 보다 더 많이 알게 된다면 그만큼 대상에 대한 우리의 지평선은 뒤로 물러나게 됩니다. 즉, 우리 각자가 마음속에 지니고 있는 이 지평은 각자가 아는 만큼, 생각하는 만큼, 노력하는 만큼 얼마든지 바뀔 수 있습니다.

예를 들어, 친구 승준이는 초콜릿을 무척 좋아합니다. 매일 초콜릿을 먹을 뿐 아니라 초콜릿이라면 종류별로 어떤 맛인지도 굉장히 잘 알고 있어서 초콜릿 박사라고 불러도 좋을 정도입니다. 승준이는 초콜릿이라는 대상에 대한 온갖 맛의 정보를 '지평' 으로 가지고 있는 셈입니다. 그런데 어느 날 승준이는 신문 기사를 읽고 초콜릿이 어떻게 만들어지는지를 알게 됩니다. 코트디부아르라는 아프리카의 어느 나라에서 승준이와 나이가 비슷한 어린이들이 학교도 다니지 못하고 친구를 사귈 틈도 없이 코코아 농장에서 하루 종일 죽도록 일을 해야 한다는 사실을 알게 된 것입니다. 결국 승준이는 초콜릿을 먹을 때마다 이 가엾은 어린이들의 모습이 떠올라 더 이상 초콜릿을 먹지 못하게 되었습니다. 신문 기사를 읽음으로써 승준이는 초콜릿에 대해 좀 더 많이 알게 되었고, 더 많은 생각을 하게 되었으며, 그리하여 승준이가 가진 초콜릿에 대한 지평도 그만큼 더 넓어진 것입니다.

그런데 승준이만큼 초콜릿을 좋아하는 친구 만수는 같은 기사를 읽고도 조금 달랐습니다. 농장의 어린이들이 힘이 들든 말든, 그것은 그 어린이들의 문제이고 자기와는 상관이 없다고 생각한 것입니다. 그래서 만수는 오늘도 맛있게 초콜릿을 먹었습니다. 만수는 초콜릿에 대해 더 많이 알게 되었음에도 불구하고 자기의 이기심 때문에 생각의 폭을 더 넓히지 못했습니다. 즉, 지평이 넓어지지 못한 것이지요. 이처럼 승준이와 만수는 초콜릿에 대해 같은 것을 알고 있지만 서로 생각이 다릅니다. 똑같은 대상에 대해 똑같은 것을 알고 있음에도 불구하고, 그 대상에 대해 서로 다른 지평을 갖고 있는 것입니다.

이처럼 우리 모두는 각자의 마음속에 자기만의 지평을 가지고 있습니다. 또, 이 지평의 수는 무수히 많습니다. 책상에 대한 지평, 교실에 대한 지평, 학교에 대한 지평, 우리나라에 대한 지평…… 이 수많은 지평들을 전부 다 모아 놓은 것이 바로, 우리가 '세계'라고 부르는 것입니다. 그래서 후설은 세계를 '지평들의 지평'이라고 부릅니다. 모든 지평들이 다 모여서 만들어지는 가장 커다란 하나의 지평이란 뜻이지요.

그런데, 사람들마다 서로 다른 지평을 가지고 있다면, 이 지평들이 모여서 이루어지는 세계도 사람들마다 서로 다 달라지지 않을까요? 물론입니다. 우리들 모두는 각자 마음속에 서로 다른 세계를 가지고 있습니다. 내가 생각하는 세계와 승준이가 생각하는 세계, 만수가 생각하는 세계는 다 다른 세계입니다. 결국 우리 각자는, 자신이 스스로 만들어내는 지평에 따라, 자기가 가지고 있는 여러 가지 관점에 따라 세계를 서로 다르게 보게 됩니다.

하지만 이렇게 우리 모두가 서로 다르게 세계를 보고 있다면, 도대체 우리는 어떻게 함께 살 수 있는 것일까요? 우리가 보는 세계가 서로 다르다면, 우리는 매일 자기의 지평만이 옳고 자기가 보는 세계만이 맞다고 우기면서 서로 싸우게 되지는 않을까요? 사실 그렇기 때문에, 우리는 항상 논쟁을 벌이고 토론을 하면서 살 수밖에 없습니다. 정치가들이 항상 논쟁을 벌이고, 과학자들이 늘 서로 다른 의견을 내놓는 것도 다 그런 이유 때문입니다. 그러나, 그럼에도 불구하고 중요한 것은 우리 모두가 다 함께 옳다고 인정할 수 있는 많은 것들이 있다는 사실입니다. 승준이와 만수는 서로 생각은 다르지만, 초콜릿을 보면 '이것은 초콜릿이다' 라고 말한다는 점에서는 같습니다. 과학자들은 환경오염을 어떻게 줄여야 하는지에 대해 늘 논쟁을 벌이지만, '환경이 오염돼 있다' 라는 점에는 모두 동의합니다. 정치가들은 언제나 토론을 벌이지만 '모든 국민이 행복해져야 한다' 고 생각한다는 점은 같습니다.

우리 각자가 보는 세계는 이처럼 같기도 하고 서로 다르기도 합니다. 그리고 후설은 이렇게 서로 같기도 하고 다르기도 한 우리 모두가 함께 모여 생활하는 바로 이 사회를 '생활 세계'라고 부릅니다. 즉, 생활 세계란 우리 각자 하나하나의 생각들이 모여 이루어지는 세계입니다. 따라서 우리 자신 하나하나는 이 생활 세계를 이루는 소중한 구성원입니다. 또, 우리의 생각 하나하나도 모두 소중합니다. 각자 자신이 평소에 어떤 생각을 하는지에 따라 생활 세계 전체가 달라질 것이기 때문입니다. 그러므로 생활 세계란 우리 모두가 함께 만들어 가는 세계입니다.

그렇다면, 생활 세계를 좀 더 좋은 곳으로 만들기 위해서는 우리 모두의 노력이 필요할 것입니다. 서로 다른 우리가 다 함께 행복하게 생활할 수 있으려면, 우리 모두가 서로의 세계를 좀 더 잘 알려고 노력해야 할 것입니다. 각자 자신의 지평을 넓힘으로써 다른 사람의 지평까지도 이해할 수 있도록 노력해야 할 것입니다. 바로 이렇게 하기 위해, 우리는 각자의 선입견과 이기심을 최대한 줄이고 중립적인 시각에서 세계를 바라보아야 합니다. 즉, 현상학적 인식을 해야 합니다.

우리가 실험실 유리통 속의 뇌가 아니라는 사실 또한 바로 이 생활 세계 속에서 증명될 수 있습니다. 내가 보고 있는 이 세계가 환상이 아니라는 것을, 나와 함께 이 세계에 살고 있는 사람들이 확인해 주기 때문입니다. 내가 본 것을 다른 사람도 보았다고 확인해 주고, 내가 아는 것을 다른 사람도 안다고 확인해 주기 때문입니다. 그러므로 인류 전체가 환상에 빠진 것이 아닌 한, 우리는 어쨌든 환상이 아닌 진짜 세계 즉, 생활 세계에 산다고 생각할 수 있습니다.

⑤ 우리는 어떻게 살아야 하는가? — 과학적 세계와 그 문제점

후설이 이야기하는 현상학적 인식이란 결국 실제 대상을 보다 더 잘 알기 위한 노력입니다. 그런데, 실제 대상을 가장 잘 아는 사람은 누구일까요? 혹시 과학자들이 아닐까요? 과학이 우리에게 놀라울 정도로 많은 사실을 알려 준다는 사실은 누구도 부인할 수 없습니다. 또, '과학적으로 증명된' 이야기는 누구나 사실이라고 믿습니다. 우리의 전통 의학인 한의학도 처음에는 미신이라고 생각하여 아무도 거들떠보지 않던 때가 있었습니다. 하지만 한의학의 효과가 '과학적으로 입증' 되기 시작하면서부터 서양 의학 못지않은 대접을 받게 되었지요.

지금까지 과학자들이 해낸 엄청난 발견과 발명들을 떠올려 보면, 마치 과학의 힘으로는 못할 일이 없을 것만 같아 보일 정도입니다. 그리고 드디어 이제 과학자들은 인간을 복제할 계획을 세우고 있습니다. 실제로 인간 복제가 성공하게 된다면 어떤 일이 벌어질까요? 우선, 우리가 아무리 심하게 아파도 걱정할 필요가 없어질 것입니다. 우리와 똑같이 복제해낸 복제 인간한테서 아픈 부분을 떼어내 우리에게 이식하면 그만이니까요. 또, 우리

가 하기 싫은 일은 복제 인간한테 맡겨 버릴 수도 있을 것입니다. 학교도 복제 인간이 대신 가 주고, 시험도 복제 인간이 대신 치러 주면 참 좋겠지요?

하지만, 복제 인간이 만들어지면 정말 좋은 일만 생길까요? 여러분이 길을 가다가 여러분의 모습과 똑같은 복제 인간을 만났다고 생각해 보세요. 물론 복제 인간은 여러분과 완전히 똑같이 생겼기 때문에 다른 사람들은 여러분과 복제 인간을 전혀 구분할 수가 없습니다. 만약에 복제 인간이 자기가 진짜고 여러분이 복제된 가짜라고 우긴다면 어떻게 될까요? 사람들이 복제 인간의 말을 믿고 여러분을 복제 인간의 노예로 만들어 버릴 수도 있지 않겠어요?

이를 막기 위해 복제 인간을 실험실에만 가둬 놓고 우리가 아플 때만 불러내면 된다고요? 복제 인간은 우리와 털끝 하나 틀린 부분없이 모든 면에서 똑같기 때문에, 우리와 마찬가지로 기쁘고 슬픈 감정을 느낄 수도 있고, 아픔도 느낄 수 있으며, 생각도 할 줄 압니다. 이렇게 진짜 인간과 전혀 다를 바 없는 복제 인간이 평생 실험실에서만 갇혀 살아야 한다면 얼마나 답답하고 지루할까요? 게다가 어느 날 갑자기 불려 나가 자기 몸을 다른 인간에게 마구 잘라 줘야 한다면 얼마나 무섭고 아플까요? 만약 이런 상황이 현실이 된다면, 우리는 복제 인간한테 끔찍한 죄를 저지르게 되는 건 아닐까요?

여기까지 생각이 미치고 나면, 우리는 인간을 복제할 수 있는 세계가 과연 행복한 세계일지 의심할 수밖에 없게 됩니다. 내가 건강하게 살기 위해서 다른 사람의 건강을 해치고, 내가 행복해지기 위해서 다른 사람의 행복을 짓밟는 세계라면 결코 행복한 세계라고 할 수 없겠지요. 앞서도 이야기했듯이, 생활 세계는 모두가 만드는 세계입니다. 복제 인간이 만약 우리와 똑같이 세계에 대해 알고, 세계에 대한 지평을 가질 수 있다면, 복제 인간 역시 우리와 마찬가지로 생활 세계를 이루는 소중한 한 사람입니다. 우리 세계의 일부를 이루는 누구든 단 한 사람이라도 불행해진다면, 우리 세계는 그만큼 불행하게 될 것입니다. 모두가 다 함께 행복할 수 없다면 우리는 결코 그 세계를 행복하다고 말할 수 없습니다. 그래서 과학자들 중에서도 많은 사람들은, 우리는 아예 처음부터 인간을 복제하는 기술을 개발해서는 안 된다고까지 주장하기도 합니다.

그런데도 왜 어떤 과학자들은 계속해서 인간을 복제하려고 노력하는 것일까요? 그것은 이들이 복제 인간의 아픔이나 슬픔은 전혀 관심에 두지 않고 진짜 인간이 건강해지는 모습만을 생각하기 때문입니다. 복제 인간은 어느 곳 하나 빠짐없이 인간과 똑같기 때문에 사실상 인간임에도 불구하고, 그들은 복제 인간을 마치 물건처럼 마구 잘라내도 된다고 생각합니다. 후설은 이처럼 인간을 마치 물건처럼 대하는 태도야말로 현대 과학이 지닌 가장 큰 문제점이라고 생각했습니다. 그리고 이 문제는 과학의 특징 그 자체 때문에 생겨난 것이라고 보았습니다.

과학에서 가장 중요한 특징은 대상에 대한 '객관적인' 사실을 알아낸다는 것입니다. 객관적인 사실이란 그 누가 보아도 옳다고 인정할 수 있는 사실이지요. 그런데 이렇게 객관적인 사실만을 말하기 위해서 과학이 주로 사용하는 방법은, 대상을 관찰하고 실험해서 그 대상의 양을 수치로 나타내는 것입니다. 예를 들어, 우리는 기쁨의 양을 수치로 나타낼 수가 없습니다. 그래서 '기쁨' 같은 우리의 감정은 객관적 사실이 되기가 어렵습니다. 하지만 '나는 몸무게가 45Kg이다' 라는 사실은 누구나 쉽고 정확하게 알 수 있기 때문에 객관적 사실이 될 수 있습니다. 이처럼 과학적 태도는 우리가 누구나 옳다고 인정할 수 있는 사실들을 발견해낸다는 점에서 우리에게 반드시 필요하고 중요한 태도입니다.

그런데 과학적 태도가 너무 지나치게 되면, 객관적 사실이 되기 힘든 우리의 감정이나 욕망, 행복 등을 무시해 버리는 경향이 나타나게 됩니다. 우리 인간에게서 감정과 같은 것을 모두 제거해 버리고 키나 몸무게, 우리의 몸속을 흐르는 피의 양, 우리의 근육이 움직이는 속도와 같이 수치로 측정할 수 있는 부분만 남기게 된다면, 우리가 다른 물건들과 다른 점이 도대체 무엇일까요? 우리 자신에 대해 이야기할 때 숫자로 나타내기 힘든 우리의 생각 같은 것은 모조리 빼 버리고 우리의 코가 몇 cm나 높은지, 우리의 다리가 몇 cm인지만을 이야기해야 한다면, 우리는 생각할 줄 모르는 세탁기나 청소기와 대체 무엇이 다른 걸까요? 후설은 바로 이렇게 과학적 태도가 너무 지나쳐서 우리 인간마저도 물건과 똑같이 취급하게 되어 버린 상태를 비판하는 것입니다.

후설이 보기에 우리에게 중요한 것은 숫자로 나타낼 수 있는 객관적 사실만이 아닙니다. 우리가 대상을 알고자 할 때, 물론 객관적 사실도 중요하지만 수치로 나타낼 수 없는 다른 현상들도 마찬가지로 모두 중요합니다. 우리가 이미 알고 있다시피, 우리는 세계에 대해 무수히 많은 지평을 가질 수 있습니다. 그리고 수치로 나타낼 수 있는 객관적 사실 또한 단지 이 수많은 지평들 중 하나의 지평일 따름입니다. 그러나 현대의 사람들은 과학을 지나치게 맹신한 나머지 다른 수많은 지평들은 외면한 채 오직 객관적 사실의 지평만을 바라보게 되었습니다. 즉, 과학적 지평이 최고의 지평이라고 생각하게 된 것입니다. 후설은 이처럼 과학적 지평이 다른 모든 지평을 압도하는 세계를 '과학적 세계' 라고 부릅니다.

과학적 세계에서는 인간이 인간 취급을 받지 못하고 물건처럼 다루어집니다. 우리 인간 하나하나가 전적으로 소중한 존재인 생활 세계와는 완전히 반대되는 세계인 것입니다. 따라서 후설은 우리가 과학적 세계에서 벗어나 생활 세계로 되돌아가야 한다고 강력하게 주장합니다. 과학적 세계로부터 벗어날 수 있으려면 우선, 과학적으로 객관적인 사실만이 유일하게 옳다는 선입견으로부터 벗어나야 합니다. 과학적 지평만이 옳고 다른 지평은 옳지 않다는 생각은 잘못된 사고입니다. 이렇게 선입견에서 벗어나 대상을 있는 그대로 바라보는 앎, 그것이 바로 후설이 이야기하는 현상학적 인식입니다.

3. 기출문제에서 만난 후설

2005년 서울대 수시2학기 특기자 논술은 후설의 《유럽학문의 위기와 선험적 현상상》, 미국의 문화비평가인 에드워드 사이드의 《오리엔탈리즘》을 제시하여 학생의 관점에서 지식인이 가져야 할 바람직한 탐구 자세에 대하여 논술할 것을 요구했습니다. 후설의 책에서 인용한 부분은 대단히 어려워 이해에 어려움이 있지만, 앞에서 배운 내용을 참고하여 제시된 내용의 핵심이 무엇인지 이해해 보도록 합시다.

> 19세기 말부터 학문에 대한 일반적인 평가의 전환이 나타나기 시작했다. 이로부터 논의를 시작하자. 이 평가의 전환은 학문의 학문적 성격에 관한 것이 아니라, 오히려 '학문 일반이 인간의 현존재에 무엇을 의미하였고 무엇을 의미할 수 있는가'에 관한 것이다. 19세기 후반에는 근대인의 세계관 전체가 오로지 실증과학(實證科學)에 의해 규정되고 실증과학에 의해 이룩된 '번영'에 전적으로 현혹되어, 진정한 인간성에 결정적 의미를 지닌 문제들

에 대하여 무관심하게 되었다. 단순한 사실학(事實學)은 다만 사실인을 만들 뿐이다.

특히 제1차 세계대전 이후 학문에 대한 이와 같은 평가 전환은 불가피하였고, 그 결과 젊은 세대 사이에서는 과거 학문의 실증주의적 경향에 대한 적대적 태도가 형성되었다. 우리가 익히 들어서 알고 있듯이, 이러한 사실학은 우리 삶의 절박함에 대하여 아무것도 말해주지 않는다. 우리가 불우한 시대의 대격변에 내몰려 있음에도 불구하고, 사실학 자체에는 인간에게 화급한 질문 — 이러한 인간의 현존재 전체가 의미 있는가 혹은 의미 없는가 —이 원리상 배제되어 있다. 이 질문이야말로 모든 인간에 관련된 보편적이고 필연적인 것으로, 보편적 성찰과 이성적 통찰에 기초한 답변을 요구하는 것은 아닌가?

결국 그 문제는 인간 세계나 인간 이외의 주변 세계에 대해 자유롭게 자기 태도를 취하는 자로서의 인간 즉, 자기 자신과 자신을 둘러싼 세계를 이성적으로 형성하는 가능성을 지닌 자유로운 인간에 관한 것이다. 이성이나 비이성에 대해 그리고 자유의 주체인 우리 인간에 대해 학문은 도대체 무엇을 말해야 하는가? 단순한 물질과학은 분명히 이 점에 대해 아무것도 말하지 않으며, 더구나 주관적인 것 모두를 배제한다.

다른 한편 특수한 학문 분야와 일반적 학문 분야 모두에서 인간을 정신적 현존재로 다루는 즉, 역사성의 지평에서 인간을 고찰하는 정신과학에 대해서 다음과 같이 말하는 사람도 있다. 정신과학이 엄밀한 학문이 되기 위해서 탐구자는 모든 평가적 태도 즉, 주제가 되고 있는 인간성이나 인류의 문화적 자산들이 이성적인가 비이성적인가 하는 문제-를 철저히 배제해야 한다, 학문적이고 객관적인 진리는 물리적 세계든 정신적 세계든 세계를 사실 그대로 파악하고 확정해야 한다고…….

그러나 만일 학문들이 이 같은 방식으로 객관적으로 확정 가능한 것만을 참이라고 간주한다면, 만일 정신적 세계의 모든 형태들 즉, 그때그때 인간의 삶을 지탱하는 모든 이상과 규범이 일시적 파도와 같이 형성되고 다시 소멸하는 것이고, 이것들은 과거에도 항상 그랬으며 앞으로도 그럴 것이고, 따라서 이성은 부조리가 되고 선행은 재앙이 될 수밖에 없다는 사실을 역사가 가르칠 뿐이라면, 세계와 그 속에 사는 인간의 현존재는 진실로 의미가 있을까? 우리는 그러한 사실에 위안을 느낄 수 있을까? 역사적 사건이 환상적 비약과 쓰라린 환멸의 끊임없는 연쇄 외에 아무것도 아닌 세계에서 과연 우리는 살 수 있을까?

– 후설, 《유럽학문의 위기와 선험적 현상학》 중에서

우선 이 문제가 무엇을 물어보고 있는지부터 살펴봅시다. 여러분도 가끔은 '내가 왜 공부를 해야 하는가', '공부를 통해 나는 무엇을 얻을 수 있는가'에 대한 궁금증을 품어 본 적이 있을 겁니다. 사실 대부분의 학생들은 당장 눈앞에 닥친 과제에 밀려 이런 의문들을 진지하게 생각해 보지 않는 경우가 많습니다. 학문은 그저 시험에서 더 좋은 점수를 받기 위한 과제 정도로 이해하는 사람들도 있습니다. 그만큼 학문이라는 것이 자기에게 큰 의미가 없는 것으로 여겨지기 때문입니다.

그런데 후설은 '학문에서 가장 중요한 것은 그것이 우리 인생에서 어떤 의미와 가치를 가질 수 있는가' 라고 강조합니다. 이 문제야말로 가장 '화급' 한 문제라고까지 말합니다. 왜 후설은 이것을 가장 급하고 중요한 문제라고 표현한 것일까요?

그 답은 첫 문단과 두 번째 문단의 19세기 말과 20세기 초반의 상황으로부터 시작됩니다. 내용이 많이 어렵지만 잘 살펴보면 '제1차 세계대전', '삶의 절박함', '불우한', '대격변' 이런 말들이 눈에 띕니다. 제 1차 세계대전은 그 규모가 엄청났을 뿐만 아니라 인류가 겪은 최초의 기계화된 전쟁이었습니다. 기계를 동반한 강력한 살상무기의 등장은 사상 유례가 없는 대량학살을 초래하였고 몇 번의 폭격으로 도시가 초토화되고 맙니다. 이런 기계화된 전쟁을 목격한 유럽인들은 큰 충격에 휩싸이게 됩니다. 인간을 편리하게 해 줄 것이라 믿었던 기술의 발전이 오히려 인류에 엄청난 재앙으로 되돌아올 수 있다는 사실을 알게 된 것이죠. 이러한 경험 속에서 유럽의 지식인들은 기술 발전, 학문의 '가치' 문제를 되묻지 않을 수 없었던 것입니다. 제1차 세계대전을 통해 기술 발전이 왜 필요하고 어떻게 쓰여야 하는가에 대한 고찰이 없이는, 이것은 혜택이 아니라 재앙일 수 있음이 현실에서 확인된 것입니다.

후설은 기술 문명에 대해 지나치게 맹신하면 목적이 되어야 할 인간을 물건처럼 취급할 수 있다고 경고한 바 있습니다. 그리고 그런 문제가 발생하게 된 원인을 찾아 나서게 된 것이죠. 제시된 글의 세 번째 문단에서 후설은 기술 문명에 대한 맹신적 태도가 사실학 즉, 실증주의로부터 나왔다고 보고 있습니다. 실증주의란 대상을 다루는 데 있어 연구자의 주관적 평가를 배제하고 철저하게 대상 자체만을 객관적으로 연구해야 한다는 학문 연구 태도를 말합니다.

물론 이런 연구 태도는 자연법칙을 다루는 '물질과학'의 분야에서 실증주의는 큰 의미를 가질 수 있고 또 실제로 실증주의의 도입 이후 인류의 기술 문명이 비약적인 발전을 거듭한 것이 사실입니다. 하지만 후설은 실증주의의 문제점이 만만치 않다고 설명합니다. 실증주의가 확산되면서 정신적인 학문의 영역, 그러니까 철학, 역사, 인문학 등의 영역까지 마치 자연과학을 다루듯 객관적인 것에 치중하게 된 것이죠. 그런 풍조가 만연하다 보니 사람들은 과학과 기술이라는 이름만 나오면 모두 옳은 것으로만 간주해 버립니다. 과학 기술이 인간의 삶에 부정적인 영향을 끼치고 있지는 않은지, 그것이 인류의 미래를 위협하지는 않는지 생각조차 할 수 없게 된 것입니다. 인류의 편리를 위해 만들어진 과학이 오히려 목적이 되고 인간이 수

단처럼 취급되는 건 아닐까요?

결국 앞의 글에서 후설은 과학이 절대적으로 옳다고 믿는 태도가 결코 학문하는 사람의 태도가 되어서는 안 된다고 본 것입니다. "사실을 있는 그대로 파악하는 것과 함께 그것이 인간의 삶에 어떤 영향을 끼치는지, 그것을 인간이 적절하게 통제할 수 있는지 항상 고민하고 살피는 것이 학문하는 사람의 태도가 되어야 한다"는 것이 후설이 말하고자 했던 핵심이 될 것입니다.

실증주의(實證主義, Positivism)

실증주의는 19세기 후반 서유럽에서 나타난 철학적 경향입니다. 일반적으로 초월적이고 현실에서 증명되지 않는 주관적 사고를 배격하고 관찰이나 실험 등으로 검증 가능한 지식만을 인정하는 연구 태도를 의미합니다. 이렇다보니 실증주의는 근대 자연과학의 방법과 성과에 기초해 물리적 세계만이 아니라 사회적 정신적 현상들까지 통일적으로 설명하려는 지적 태도로 나타났습니다.

'실증주의'라는 말을 맨 처음 사용한 사람은 프랑스의 공상적 사회주의 사상가였던 생시몽(Comte de Saint-Simon, 1760~1825)으로 알려져 있습니다. 하지만 실증주의를 철학의 한 경향으로 자리 잡게 한 것은 콩트(Auguste Comte, 1798~1857)입니다. 콩트는 《실증철학강의》 등의 저작을 통해 실증주의의 핵심 내용을 제시했습니다.

콩트 사상의 가장 커다란 특징은 과학에 대한 무한한 신뢰입니다. 그는 자연과학에서 사용되는 실증적 연구 방법이 인간과 사회 현상에 대한 탐구에도 적용될 수 있으며, 그래야 한다고 여겼다.

19세기 후반 자연과학의 비약적인 성장과 함께 실증주의는 학문 영역의 전반에 커다란 영향을 행사하기 시작합니다. '실증주의'는 형이상학적 학설에 반대하여 사실에 대한 연구와 관찰에 의해 획득된 것만을 참된 지식으로 보고 과학적 방법을 신뢰하는 태도들을 폭넓게 가리키는 용어로 자리 잡았습니다.

실전 논술

논술 문제

case 1 (가)의 내용을 참고하여 (나) 문제가 무엇인지 구체적으로 설명하고 이를 극복하기 위한 방안을 논술하시오. (400자 내외)

가 우리는 평소 자신이 가진 선입견에 따라 세상을 보곤 합니다. 하지만 그래서는 세상을 있는 그대로 진실되게 볼 수 없습니다. 선입견에 의해 왜곡된 세상만이 나타날 뿐이지요. 우리는 그처럼 왜곡되어 나타나는 세상의 모습을 참된 것으로 착각할 수도 있습니다.

그렇다면 세상을 있는 그대로 보기 위해서는 어떤 태도가 필요할까요?

후설의 현상학은 그와 같은 선입견을 버리고 세상의 진실을 볼 수 있는 한 가지 방법을 제시하고 있어요. 현상학은 먼저 우리의 때 묻은 정신을 깨끗하고 순수하게 닦아낼 것을 강조합니다. 맑고 순수한 정신의 눈으로 세상을 보면 세상의 참모습을 볼 수 있다는 것이죠.

후설은 그러한 순수한 정신을 가지고 "사태 자체에로 돌아갈" 것을 요구하고 있습니다. "사태 자체"란 세상의 진실을 말합니다. 모든 선입견이나 편견을 닦아낸 백지 상태에서 세상을 바라본다면, 우리에게 드러나 있는 세상이 있는 그대로의 진실된 모습으로 다가올 것입니다. 그것이 바로 현상학적으로 세상을 바라보는 태도입니다.

— 《후설이 들려주는 현상 이야기》 중에서

나 저는 목발을 사용해야 걸을 수 있는 지체 장애인입니다. 그런데 장애인을 대하는 사람들의 태도에는 저를 당황하게 하는 경우가 많습니다.

가장 견디기 힘든 것은 차별입니다. 저는 대학을 졸업하고, 취직을 하기 위해 컴퓨터와 관련된 여러 가지 자격증을 땄습니다. 하지만, 제가 취직을 하려고 했을 때 사람들이 관심을 가진 것은 저의 능력이 아니라, 제가 달리거나 빨리 걸을 수 없다는 것이었습니다. 다행히, 지금 제가 다니는 직장에서는 저의 능력을 알아주어 취직을 할 수 있었습니다. 직장 동료들은 모두 저에게 잘 대해 주려고 애쓰지만, 제 마음을 무겁게 할 때가 많습니다. 제가 처음 회사에 나왔을 때에는 저를 흘끔거리며 쳐다보거나 좀 떨어진 곳에서 수군거리는 사람들이 있었습니다. 그러나 더 견디기 힘든 것은 저를 동정하는 사람들입니다.

저는 어릴 때부터 목발을 사용했고, 힘들어도 제가 할 수 있는 일은 스스로 하려고 노력해 왔습니다. 부모님께서는 되도록 제 스스로 일을 처리하라고 하셨습니다. 물론 제가 할 수 없는 일은 도움을 청하면 해 주셨지요. 그런데 저를 동정하는 사람들은, 제가 아주 작은 일도 스스로 할 수 없다고 생각하는 것 같습니다. 그런 사람들은, 제가 사무실을 나갈 때는 자기 일을 하다가도 얼른 일어나 문을 열어 주고, 제가 해야 할 회사 일을 대신 해 주려고 합니다. 장애인이라도 충분히 할 수 있는 일인데 장애인이라서 할 수 없다고 생각하고 무조건 도우려고 나서는 것은 친절이 아니라 쓸데없는 참견이 될 수도 있습니다. 장애인들이 원하는 것은 장애를 가졌다는 이유만으로 다르게 대접받지 않는 것입니다.

— 초등학교 6-2, 《사회과 탐구》 중에서

생각 쓰기

생각 쓰기

case 2 (나)의 내용을 참고하여 (가)와 같은 문제가 발생하는 원인을 설명하시오. (400자 내외)

가 숨이 턱턱 막힐 정도로 더운 여름에는 옆에 사람이 있는 것조차 싫어집니다. 해마다 여름은 왜 이리 더워지는 건지, 지구에 일이 나도 단단히 난 것 같습니다. 무분별한 소비와 개발이 인간에게 경고음을 보내고 있는 것은 아닐까요?

안심하고 마실 수 있는 물이 사라져 가고, 공기도 더러워지고 있습니다. 점점 더 많은 식물과 동물이 지구에서 자취를 감추고 있습니다. 열대 우림의 55퍼센트가 이미 사라졌고, 매년 2만 7천여 종의 동식물이 지구에서 자취를 감추고 있답니다. 하루에 74개 종이, 1시간마다 3개 종이 멸종되고 있다는 말이 됩니다. 그 결과, 전 세계는 환경문제와 기상이변으로 고통받고 있습니다.

지구상에서 살아가는 생명체는 인간만이 아닙니다. 인간은 수많은 동식물과 더불어 살아가는 존재입니다. 따라서 인간의 권리만을 생각하고 지구상에 같이 존재하는 자연을 존중하지 않는다면, 인간의 권리도 제대로 보장받을 수 없을 것입니다. 자연과의 조화와 공존을 추구하는 일은 전 인류의 과제일 수밖에 없습니다.

— 초등학교 6-2, 《국어 읽기》 중에서

나 과학은 우리 인간의 삶에 편리함을 가져다 주었지만, 인간소외, 기계화, 환경오염과 같은 심각한 문제를 낳았습니다. 지구온난화 때문에 북극의 빙하가 1년 안에 모두 녹아내릴 수 있다는 경고도 첨단 과학 문명의 폐해이지요.

현대 문명의 위기는 과학을 맹신하고 과학적 사실만을 참된 것으로 여기는 태도에서 발생했다고 볼 수 있습니다. 그렇다면 과연 이러한 위기를 극복할 방법은 없을까요?

이 문제에 대한 하나의 해결책으로 후설은 "판단중지"를 제시하고 있어요. 판단이란 옳다, 그르다, 좋다, 나쁘다와 같이 대상을 인식하는 방법을 말합니다. 예를 들어 보배 아빠가 과학이 최고이고 철학은 쓸모없다고 말하는 것을 들 수 있습니다. 왜 그렇게 생각하는지는 명확하게 답하지 못하지요. 그건 보배 아빠가 선입견을 가지고 판단했기 때문입니다.

그래서 후설은 판단중지가 필요하다고 주장한 것입니다. 판단중지를 한 이후에 비로소 세상을 드러나는 그대로 순수하게 볼 수 있기 때문이지요.

—《후설이 들려주는 현상 이야기》 중에서

생각 쓰기

생각 쓰기

생각 쓰기

case 3 (가)의 내용을 요약하고 이를 바탕으로 (나)의 글쓴이가 가진 생각의 긍정성에 대해 서술하시오. (400자 내외)

가 후설은 자연을 바라보는 정신 또는 의식에 주목하고 있습니다. 의식은 항상 어떤 것에 관한 의식입니다. 이 말은 의식하는 대상은 의식과 관계가 없는 것이 아니라 언제나 의식과 관계를 맺고 있는 대상이라는 말입니다.

후설은 이것을 의식의 "지향성"이라는 말로 표현하고 있어요. '지향하다' 라는 말은 '어떤 것을 향하다' 라는 뜻입니다. '지향하다' 라고 할 때 두 가지 요소를 생각해 볼 수 있습니다. 지향하는 것과 지향되는 것이지요. 후설은 지향하는 것을 판단 작용, 지향되는 것을 판단 내용이라고 구분하여 칭합니다.

현상학적 인식은 이러한 두 판단이 만나서 생깁니다. 보배 아빠처럼 자연과학적 태도를 가지고 파뿌리를 보면, 파뿌리는 보잘 것 없는 자연물에 지나지 않을 것입니다. 그렇지만 순수한 의식을 가진 할아버지의 관점에서 보면, 파뿌리는 약으로 쓸 수 있는 의미 있는 존재가 됩니다.

이렇듯 현상학적 인식이란 세상의 모든 존재가 나와 관계를 맺고 있는 의미 있는 존재임을 깨닫는 것을 뜻합니다.

—《후설이 들려주는 현상 이야기》 중에서

나 워싱턴 대 추장에게

우리가 살고 있는 땅을 사고 싶다는 당신의 편지는 잘 받아 보았습니다. 우리는 당신이 한 제안을 진지하게 생각해 볼 것입니다. 우리가 땅을 팔지 않으면 당신들이 총을 들고 와서 땅을 빼앗을 것이라는 사실을 잘 알고 있습니다.

그런데 당신은 어떻게 저 하늘이나 땅을 사고팔 수 있다고 생각합니까? 우리로서는 이해하기 어려운 생각입니다. 신선한 공기와 반짝이는 물은 우리가 소유하는 것이 아닙니다. 그런데 어떻게 그것들을 팔 수 있겠습니까?

우리에게는 이 땅의 모든 것이 신성합니다. 빛나는 솔잎, 모래벌판, 어두운 숲 속 안개, 맑고 나지막한 소리로 노래하는 온갖 벌레들, 이 모두가 우리의 기억과 추억 속에 신성한 것들로 남아 있습니다. 나무 사이로 나 있는 길은 우리 인디언의 추억을 담고 있습니다. 백인은 죽어서 별들로 돌아갈 때에 그들이 태어난 고향을 잊어버립니다. 그러나 우리는 결코 이 아름다운 땅을 잊지 않습니다. 왜냐하면, 땅은 바로 우리 인디언의 어머니이기 때문입니다. 우리는 땅의 한 부분이고, 땅은 우리의 한 부분입니다. 또 향기로운 꽃은 우리의 자매요, 사슴, 말, 위대한 독수리는 우리의 형제입니다. 산마루, 신선한 즙, 이리저리 뛰어다니는 망아지, 그리고 인간……. 그들은 모두 한 가족입니다.

— 초등학교 5-1, 《국어 읽기》 중에서

생각 쓰기

생각 쓰기

case 4 (나)의 '인간의 얼굴을 한 과학'의 관점을 활용하여, 유전공학에 대해 (가)와 반대되는 입장을 서술하시오. (400자 내외)

가 유전공학은 우리의 건강과 행복한 생활을 위해 활용되어야 한다고 생각합니다. 실제로 우리 주위에는 유전자가 잘못되어 불치병을 앓고 있는 사람들이 있습니다. 만일, 유전공학을 적절하게 활용할 수 있다면, 그런 사람들이 정상적으로 생활하는 데 큰 도움이 될 것입니다.

더욱이, 동물 실험만으로는 부족하였으나 인간의 유전자 정보를 정확하게 알게 됨으로써 보다 나은 치료제를 개발할 수도 있고, 유전공학을 이용하여 식량문제를 해결함으로써 기아에 허덕이는 사람들을 구할 수도 있습니다. 또, 세포의 복제가 능해지면 상처를 깨끗이 치료할 수도 있을 것입니다.

유전공학이 발달하지 않으면, 병에 걸리거나 다친 수많은 사람들이 고통스러운 생활을 계속하게 될 것입니다.

— 초등학교 6-2, 《사회》 중에서

나 할아버지는 느린 속도로 사는 삶을 강조하고 있습니다. 빠른 속도로 생활하다보면 자기 자신을 잃어버릴 수 있기 때문이죠. 생활이 먼저이고 자신의 진정한 삶은 뒷전에 있을 테니까요.

우리도 할아버지의 느림의 지혜를 배워야 할 것입니다. (……)

후설은 과학에 대한 맹목적인 믿음에서 벗어나, 인간의 얼굴을 한 과학의 필요성을 주장합니다. 온도계 없이 도자기 조각으로 가마 온도를 측정하고 조절하는 할아버지의 방법이 그 예일 것입니다.

물질만능주의 시대를 살아가는 오늘날 이야기 속 할아버지처럼, 아무런 이기심과 편견 없이 자연 세계를 바라보는 슬기로운 정신을 본받아야 할 것입니다.

—《후설이 들려주는 현상 이야기》 중에서

생각 쓰기

생각 쓰기

생각 쓰기

case 5 (나)와 (다)를 활용하여 (가)에서 장발장을 대하는 여관 주인의 문제점을 지적해 봅시다. (400자 내외)

가 여관 주인의 목소리는 싸늘했다. 그래도 사나이가 계속 사정하자, 여관 주인은 큰소리로 거절하는 까닭을 이야기했다.

"당신은 사흘 전에 교도소에서 나온 장발장이잖소? 내가 모를 줄 알았소? 우리 여관은 전과자에게 방을 빌려 줄 수 없소."

사나이는 여관 주인에게 무슨 말을 하려다가 고개를 떨어뜨리고는 여관 밖으로 나갔다.

그새 날은 어두워졌고, 하늘에는 별들이 총총히 떠 있었다. 사나이는 지친 몸을 이끌고 다른 여관을 찾아갔다. 그러나 어느새 장발장에 대한 소문이 퍼져서 어느 집에서도 그를 재워 주려 하지 않았다.

'사람들이 내가 전과자라는 것을 알아 버렸으니 오늘 밤은 어디서 쉬어야 하지?'

사나이는 발길 닿는 대로 쉴 만한 곳을 찾아 헤맸다. 어느 짚자리 속에서라도 몸을 의지하려 했으나, 그럴 만한 곳도 눈에 띄지 않았다.

사나이는 마을 성당 돌계단에 배낭을 베개 삼아 누웠다. 지칠 대로 지친 그는 이제 아무런 희망도 없었다. 지금 누워 있는 돌계단에서나마 쫓겨나지 않기를 바랄 뿐이었다.

— 초등학교 6-2, 《국어 읽기》 중에서

나 굶주려 쓰러져 가는 사람들이 있습니다. 홍수로 인해 살던 집과 그 밖의 모든 것을 잃은 사람들이 있습니다. 사고로 쓰러진 사람이 있습니다. 이럴 때 당연히 도움의 손길을 뻗치는 것이 인간의 도리이자 책임입니다. 그러나 이처럼 눈에 확 띄는 문제에 대해서 관심을 가지는 것만으로 사회적 책임을 다하는 것은 아닙니다. 주변에 흔하기 때문에 오히려 눈에 잘 안 띄는 문제들, 가령 빈곤이나 실업, 차별과 편견 등에 대해 관심을 가지고 행동하는 것도 중요합니다.

인권이 추구하는 사회적 책임은 고통 받는 사람들이나 피해자의 편에 서서 그들을 지지하고, 그들을 위해 주장하고, 그들을 돕는 연대로 표현됩니다. 이것은 권리를 침해당한 사람들의 고립을 막고 문제 해결을 추구하기 위해서 필요한 행동입니다. 사회적 책임을 이행하려는 사람이 없다면 인권을 제대로 보장할 수 있는 방법은 없을 것입니다. 그래서 사회적 연대의 실천은 인권의 존재 근거가 됩니다.

— 초등학교 6-2, 《국어 읽기》 중에서

다 후설의 현상학은 궁극적으로 인간다운 삶을 위한 철학입니다. 그래서 그는 우리가 현재 살아가고 있는 생활적인 세계에 주목합니다. 자신을 되돌아보며 가족과 친구 등 주변 사람들에게 관심을 갖고, 또 멀리 있는 소외된 이웃들에게도 사랑의 눈길을 보낼 줄 아는 그런 생활의 자세가 필요한 것이지요.

후설이 추구하는 생활 세계도 나와 너, 이웃과 이웃이 서로 관심을 기울이고 이해하고 포용하는 세계입니다. 또한 선입견과 이기심을 버리고 순수한 자아를 찾아가는 생활입니다. 후설은 이러한 생활을 '상호주관성' 이라고 표현합니다.

—《후설이 들려주는 현상 이야기》 중에서

생각 쓰기

생각 쓰기

실전 논술

예시 답안

case 1

(나)의 장애인은 실제로 자신의 몸이 불편하다는 사실보다는 주위 사람들의 시선 때문에 더 큰 고통을 느끼고 있다. 이는 사람들이 장애인을 편견과 선입견의 시각으로 바라보기 때문이다. 사람들은 장애인을 함께 살아가는 사람으로 바라보지 않고 자신과 다른 비정상인, 또는 몸이 불편해 누군가 도와주어야만 살아갈 수 있는 사람으로 오해하고 있다. 이러한 주위의 인식은 장애인을 더 주눅 들게 만들고 그들이 사회의 동등한 일원으로 살아가는 것을 방해하기도 한다.

이런 점에서 (가)의 관점은 (나)의 문제를 해결할 수 있는 올바른 방향을 제시하고 있다. (가)에 따르면 사람들은 자신이 처한 위치에서 다른 사람이나 사물을 바라보는 경향이 있다. 하지만 그런 인식으로는 세상을 진실되게 바라볼 수 없다. 자신이 정상과 비정상으로 나뉘어져 있다는 편견을 버리고 오직 백지상태에서 장애인을 바라보았을 때 장애인과 더불어 살아가는 세상을 만들 수 있을 것이다.

(생각 다지기)

후설은 '현상학' 을 통해 인간의 '자연 상태' 에 대해 설명하고 있습니다. 앞에서 살펴본 바와 같이 자연 상태란 '선입견과 편견을 가지고 사물을 바라보는 태도' 를 말합니다. 선입견과 편견을 가지고 사물을 바라보면 어떻게 될까요? 아마도 사물의 진정한 의미를 제대로 파악하지 못하고, 잘못 이해하는 문제가 발생하게 되는 것이겠죠.

대표적인 예로 옛날 사람들은 하늘의 별자리가 움직이는 것을 보고 지구는 가만히 있고 하늘이 돌고 있다는 천동설을 믿었던 것을 들 수 있습니다. 눈에 보이는 현상에 집착하면 선입견이 생기고 그로부터 잘못된 인식을 얻게 되는 문제가 발생할 수 있습니다. 사람에 대한 태도도 마찬가지입니다. 내가 다리가 두 개가 있다고 하여 다리가 하나밖에 없는 장애인을 비정상이나 무조건 도움이 필요한 사람으로 보는 것도 자연 상태에 입각한 인식 태도입니다. 이런 자연 상태에서 불편함이란 장애인의 입장에서의 느낌이 아니라 나의 느낌으로 사태를 재단한 것에 불과합니다. 후설은 이런 자연 상태를 극복하고 인간이 참된 인식에 이르기 위해서 '사태 자체'로 돌아갈 것을 요구했습니다. 여기서 사태 자체란 편견과 선입견이 끼어들지 않은 사물의 진실된 상태를 의미합니다. 후설은 선입견과 편견을 버리고 백지상태와 같은 맑은 정신으로 세상을 바라볼 것을 요구하고 있습니다.

case 2 (가)는 인류의 무분별한 소비와 개발로 인해 환경이 파괴되고 인간을 제외한 다른 동식물들이 급속히 멸종해 가는 현실을 보여주고 있다. 인간이 살아남기 위해서는 자연과의 조화로운 관계가 중요한데 인간이 자신만의 편리만을 생각하여 자연의 균형이 깨지고 있는 것이다.

(나)를 보면 인류의 무분별한 소비와 개발이 왜 발생하는지 알 수 있다. 그것은 우리가 과학의 객관성과 그로부터 발생하는 편리함을 지나치게 맹신하고 있기 때

문이다. 사람들은 과학과 기술은 항상 옳고 인간에게 좋은 결과만을 가져온다는 굳게 믿고 있다. 그리고 삶의 근본인 자연의 중요성은 서서히 망각하고 있다. 자연은 그 자체로는 불편한 것이고 과학과 기술을 통해 인간이 정복해야 할 대상으로만 여긴다면 머지않아 인류는 생태계가 파괴되는 대재앙에 직면하게 될지도 모른다.

(생각 다지기)

현재 우리 사회는 과학의 발전을 최고의 가치로 여기고 있다고 해도 과언이 아닙니다. 사람들은 어떤 경우에도 '과학적' 이라는 수식어가 붙으면 대부분 높은 신뢰를 보내곤 합니다. 과학을 절대적으로 맹신하는 경향이 만연해 있는 것이죠. 하지만 정말로 과학만이 세상의 진실인 것일까요?

우리가 현재와 같이 편리한 생활을 할 수 있는 것은 모두 과학기술이 발달한 덕택입니다. 하지만 과학이 우리에게 편리함만을 준 것은 아닙니다. 대표적으로 과학과 기술의 발달로 인해 인류는 자신들의 삶이 위협받을 정도의 환경오염에 직면해 있습니다. 과학과 기술만 중시하여 인간 삶에 근원이 되는 자연을 함부로 훼손한 결과입니다. 또 생명공학의 발달로 인한 복제인간 논란에서도 알 수 있듯이 과학이 잘못 발달되면 인간이 조작 가능한 사물처럼 취급될 수 있습니다. 이처럼 현대 과학의 발달은 인간의 삶을 풍요롭게 한 반면 인류 문명의 위기를 초래할 수 있는 위험을 가지고 있습니다.

과학발전의 양면성은 우리 모두가 심각하게 생각해봐야 할 문제입니다. 과학의 가치를 아무 생각 없이 맹신하고 편리만을 추구한다면 우리가 살고 있는 세상은 커다란 재앙에 휩싸일지도 모릅니다. 후설의 말처럼 과학을 무조건 맹신하는 태도를 버리고 과학 발전에 부정성은 없는지 차근차근 생각해보는 반성해 보는 것이 필요한 시점입니다.

case 3

(가)는 후설의 지향성에 대해 설명하고 있다. 지향성을 통해 인간은 세계의 모든 존재와 관계를 맺고 그것이 의미 있는 존재임을 깨닫는다. 그리고 후설은 인간이 세계와 의미 있는 관계를 맺기 위해서는 세계에 대한 편견과 선입견으로부터 벗어나야 한다고 주장하고 있다.

이런 점에서 볼 때, (나)의 인디언은 인간과 자연이 어떻게 관계를 맺어야 하는지 잘 보여주고 있다. 자연을 정복의 대상, 소유의 대상으로 보는 백인과는 다르게 인디언은 자연의 모든 존재를 가치 있는 것으로 여긴다. 또한 인디언은 우리가 보잘 것 없는 것으로 여겨 왔던 자연의 작은 요소까지 의미 있는 것으로 여기며 그것들과 공존해야 한다는 생각을 가지고 있다. 이러한 인디언의 태도는 현대사회에서 문제되고 있는 환경 파괴를 막고 자연의 지속 가능성을 높여 줄 수 있는 긍정성을 가지고 있다. 이는 자연의 지속가능성이 높아질수록 인간의 삶 또한 더욱 풍요로워진다고 했을 때 현대사회에 반드시 필요한 자연관이라고 할 수 있다.

(생각 다지기)

살면서 흔히 상식의 측면에서 쓸모없거나 보잘 것 없는 것으로 여겨졌던 것들이 실제로 의미 있는 역할을 하는 것을 알 수 있습니다. 예를 들면 공기는 눈에 보이지도 않고 이 세상에 널려 있는 것이기 때문에 그 가치를 누구도 인정해 주지 않습니다. 우리는 매순간 공기를 마시고 살지만 그것이 존재하는지 조차 알지 못하는 경우가 대부분입니다. 공기처럼 흙, 돌, 풀, 꽃, 나무와 같은 자연은 인간의 삶에 유용한 것이지만 우리는 그것들의 가치를 올바르게 인식하고 살지 못하는 것이 사실입니다.

후설의 말처럼 편견과 선입견을 버리고 자연을 보면 그 속에 존재하는 작은 것 하나 하나가 모두 의미가 있고 쓸모가 있습니다. 그리고 우리는 그것이 의미 있다고 느낄 때 그것과 진정한 관계를 맺을 수 있습니다. 우리가 자연을 보잘 것 없는 것으로 인식하면 자연을 보지 못하고 영원히 그것과 관계를 맺을 수 없습니다. 사람과의 관계도 마찬가지입니다. 우리가 친구를 선입견과 편견으로 바라보면 절대 그 아이와 친밀한 관계를 맺을 수 없습니다. 편견과 선입견을 버리고 진실된 마음으로 사람을 바라볼 때, 낯선 이 모두가 우리의 친구가 될 수 있습니다.

이처럼 편견과 선입견을 버리고 나와 너, 나와 자연이 관계를 맺어 가는 것을 후설은 의식의 '지향성' 이라고 불렀습니다. (가)에도 나와 있듯이 '지향한다' 는 것은 지향하는 나와 지향되는 대상으로 나누어집니다. 여기서 지향하는 나가 대상에 대해 편견 없는 시각을 가지고 있어야 둘은 올바른 관계를 가질 수가 있다고 후설은 말합니다.

case 4 유전공학을 활용하여 곡식을 많이 생산하고, 환자들을 치료하는 것은 물론 좋은 일이다. 하지만, 인간의 편리만을 고려하여 유전공학을 무분별하게 발전시키면 큰 위험이 발생할 수도 있다.

먼저 동식물을 복제하는 것은 많은 실험과 연구가 필요한데, 이 실험이 잘못되면 기존의 생태계에 혼란을 줄 뿐만 아니라, 인간에게 해로운 동식물이 나타날 수 있다. 유럽에서 유전자가 조작된 식품을 금지하는 이유가 바로 여기에 있다. 이런 유전자 조작 식품들이 인간에게 어떤 해악을 끼칠지 알 수 없기 때문이다. 이것은 인간을 대상으로 했을 때도 마찬가지다. 당장 눈앞에 닥친 병의 치료를 위해 인간 복제를 허용한다면 인류는 스스로도 감당하기 힘든 정체성의 혼란을 겪을 수도 있다. 당장의 편리나 이익의 관점이 아니라 자연의 질서, 인간의 삶을 근본적으로 위협하는지를 꼼꼼히 살피는 장기적인 관점이 필요하다.

(생각 다지기)

현대인들은 과학을 지나치게 맹신하여 객관적 사실이 되기 힘든 우리의 감정이나 욕망, 행복 등을 무시해 버리는 경향이 있습니다. 그런데 우리 인간에게서 감정과 같은 것을 모두 제거해 버리고 키나 몸무게, 시력이나 청력 등 객관적인 수치로만 바라보게 되면 도대체 인간이 물건들과 다를 게 있을까요? 인간이 다른 동물과 구별되는 것은 감정이 있다는 것, 생각을 할 수 있는 것입니다. 그런데 과학적 태도가 너무 지나치면 인간마저도 물건과 똑같이 취급하게 되어 버린 사태가 올 수도 있습니다. 이처럼 후설은 바로 현대사회에 만연한 과학주의에 대해 비판하고 있습니다.

인간이 인간으로서 대접받지 못하고 물건처럼 다루어지게 되는 '과학적 세계'는, 우리 인간 하나하나가 전적으로 소중한 존재인 생활 세계와는 대비되는 세계입니다. 후설은 우리가 과학적 세계에서 벗어나 생활 세계로 되돌아가기를 요구합니다. 우리가 과학적 세계에서 벗어나기 위해 필요한 것은 당연히, 과학적으로 객관적인 사실만이 유일하게 옳다는 선입견에서 벗어나 있는 그대로 대상을 바라보는 현상학적 인식입니다. 이러한 현상학적 인식에 섰을 때, 철저하게 인간의 주체성을 수호하는 "인간의 얼굴을 한 과학"이 등장할 수 있습니다.

case 5 (다)는 나와 너, 이웃과 이웃이 서로에게 관심을 갖고 포용하려는 생활을 '사회주관성'이라고 표현했다. 이를 위해서 가장 중요한 것은 서로에 대한 선입견과 이기심을 버리는 것이다. 이와 유사하게 (나)는 재해, 빈곤, 실업, 차별로 고통 받는 주변 사람들의 삶을 돕는 것은 인권 사회를 살아가는 모든 사람들의 책임이라고 주장한다.

그런데 (가)에 나와 있는 여관 주인은 (나)와 (다)의 어떠한 가치도 지키고 있지 않다. 여관 주인은 장발장이 감옥에서 나왔다는 이유 하나만으로 방을 줄 수 없다고 하였다. 이는 이미 죗값을 치루고 나온 장발장을 여전히 편견의 시선으로 바라봄으로써 그가 사회의 일원으로 당당하게 참여하는 기회를 가로막는다. 나아가 인권적 측면에서도 여관 주인의 행동은 잔인하다고 하지 않을 수 없다. 전과자라 하여 인권이 없는 것은 아니다. 여관 주인처럼 이런저런 이유로 타인의 인권을 무시하는 일이 많아질수록 사회의 풍속은 험악해지고, 사회적 협력과 연대는 약화되고 말 것이다.

(생각 다지기)

후설은 자시의 철학적 목표를 우리가 살고 있는 생활세계를 조화롭게 만드는 것에 두고 있습니다. 나와 너, 이웃과 이웃 간에 편견과 이기심 없이 바라보고, 진정 순수하게 서로를 바라보기는 바라고 있습니다.

후설이 이런 생각을 가지게 된 것은 그가 전쟁을 경험했기 때문입니다. 전쟁의 참상 속에서 그는 왜 인간이 이토록 갈등과 대립을 겪을 수밖에 없는 고민했습니다. 아마도 후설이 추구했던 현상학의 주요 관심사도 바로 이것입니다. 인간 사회에 만연한 갈등상황을 어떻게 극복할 것인가가 될 것입니다.

앞에서도 여러 번 살펴보았듯이 후설의 우선 편견과 이기심의 색안경을 벗을 것을 주장합니다. 편견 없이 서로를 바라보아야 순수하게 서로의 가치를 확인할 수 있기 때문입니다. 주변사람들에 대한 관심과 배려도 바로 이런 상태에서만 가능합니다. 그리고 후설은 이렇게 나와 너, 이웃과 이웃이 진정으로 서로를 알아가고 포용하려는 하는 삶이 가장 가치 있는 삶이라고 주장했습니다.

철학자가 들려주는 철학이야기 083

E. H. 카가 들려주는 역사 이야기

저자_**박기호**

고려대에서 교육학 석사를 받았다. 윤리학과 철학에 대해 고민하며 살아오다가 대입논술을 지도하게 되었다. 그 결과 부엉이 눈으로 논제 분석하기, 매트릭스법으로 제시문 읽기, 마인드맵으로 개요 짜기, 토피카로 차별화하기 등의 독특한 논술방법론으로 대입논술과 로스쿨 LEET 논술에서 마감강사가 되었다. 경향신문 대입논술 출제 집필진으로 활동한 바 있으며, 현재 유명 대입학원과 로스쿨 전문학원에서 논술을 지도하고 있다. 저서로는 《아비투어 철학논술 맥루한이 들려주는 미디어 이야기(초급)》, 《快(쾌) 논술 LEET 시리즈》 전4권, 《대학별논술 예상문제집》 전25권, 《4개년간 논술기출문제해설》, 《논술자세잡기》 등 이 있다.

배경 지식 넓히기

Carr, Edward Hallet

E. H. 카와 '역사'

E. H. 카 주요 개념

1. E. H. 카를 만나다

1) E. H. 카의 생애

에드워드 카(Carr, Edward Hallet)는 영국이 낳은 대표적인 역사가로 1892년 6월 28일에 잉글랜드 런던에서 태어나 1982년 11월 3일 케임브리지에서 생을 마감했습니다. 그는 《역사란 무엇인가》 등을 통해 역사학의 이론 확립에 가장 크게 공헌한 역사 철학자 중 한 명으로 꼽히고 있습니다.

흥미로운 사실은 그가 영국을 대표하는 역사 철학자이지만 처음부터 역사학을 공부한 학자는 아니었다는 점입니다. 카는 케임브리지 대학교의 트리니티 칼리지(Trinity College)를 졸업한 다음 1916년 영국의 외무성에 들어갑니다. 이때부터 카는 라트비아의 리가(Riga)주재 공사관에서 일하는 등 1936년까지 외교와 언론 분야에서 다양한 업무를 수행하게 됩니다. 또 1919년에는 영국 대표단의 일원으로 파리강화회의에 참여하기도 했습니다. 그 이후에도 〈런던타임스〉의 부주필 겸 논설위원으로 언론계에서 활동하기도 했고 1948년에는 국제연합의 〈세계인권선언〉 기초위원회 위원장

직을 맡기도 했지만 1936년에 외무성에서 물러난 다음 바로 대학에 진출하여 가르치고 연구하고 저술하는 길로 들어섰습니다.

카는 20여 년 동안 외교관 생활을 했으며, 대학에 들어와서는 정치학을 강의하다가 60세가 넘어서야 모교인 케임브리지 대학에서 역사학을 강의하기 시작한 늦깎이 역사가였습니다. 카는 젊은 시절, 외교관으로서의 폭넓은 현장 체험을 통해 참신하면서도 유연한 역사관을 체득하게 됩니다. 그러니까 외교관으로서 쌓았던 실제 활동 경험이 역사와 정치를 바라보는 그의 학문적인 견해를 결정하는데 많은 영향을 미쳤던 것이죠. 카는 언제나 "이론(theory)과 실제(practice)", "이상(utopia)과 현실(reality)"의 양 극단을 거부하고 그 사이에서 균형을 유지하려고 애쓴 유연한 현실주의적 역사가였습니다.

이를 통해 카는 기존의 틀에 갇혀 연구하는 다른 역사가들과는 달리 독특한 역사관을 정립할 수 있었습니다. 카는 바로 이러한 그의 풍부한 경험을 바탕으로 1961년 케임브리지 대학에서 강연을 시작합니다. 거기서 카의 독특한 역사관은 선풍적인 인기를 얻게 되었습니다. 그 때 카가 가르쳤던 강연 내용을 책으로 묶은 것이 그의 대표작인《역사란 무엇인가》입니다.

이처럼 외교관, 언론인 그리고 독특한 역사학자로서 다채로운 삶을 살아간 카는 생을 마감하는 날까지《낭만적 망명》(1933),《칼 마르크스》(1934),《소비에트 러시아사》(1950~1978),《역사란 무엇인가》(1961)등 무수한 저작을 남겼습니다.

2) E. H. 카의 사상

① 역사적 사실이란 무엇인가

역사란 흔히 과거에 일어났던 일을 연구하는 학문을 말합니다. 역사의 대상은 현재 일어나고 있는 일이나 미래에 일어날 일이 아니라 정확하게 과거에 실제로 있었던 일입니다. 이처럼 과거에 실제로 일어났던 일을 우리는 보통 '사실' 이라고 부릅니다. "철수가 오늘 학교에 가지 않은 것이 사실입니까?" "임진왜란은 1592년에 일어났군요" 또는 "박예담은 2002년에 태어난 것이 사실입니다" 등 모든 사실은 과거에 있었던 일을 가르키는 말입니다. 역사의 사전적 의미는 "인류 생활에 관한 과거의 일을 기록한 것" 입니다.

하지만 이렇게 정리했다고 해서 역사의 의미가 정확하게 전달되는 것은 아닙니다. 역사가 다루는 영역이 워낙 넓고 또 사람에 따라서 역사를 정의 내리는 방식이 다양하기 때문입니다. 그래서 '역사는 무엇인가' 라는 물음에 대한 정의는 간단하지 않습니다.

역사가 과거에 있었던 일을 대상으로 한다고 했습니다. 이 말은 누구나 동의할 수 있는 말입니다. 그러나 과거에 있던 모든 일이 역사가 될까요? 우리가 과거에 학교에 가고, 밥을 먹고, 친구들을 만난 것은 모두 과거의 사실이 틀림없지만 이 모든 것이 역사가 된다고 말할 수 있을까요? 우리의 일상을 정리한 일기가 역사책으로 가치가 있을까요?

우리는 우선 "인간에 관한 과거의 기록이면 모든 것이 역사가 될 수 있는가"라는 가장 기본적인 문제부터 생각해 보아야 할 것입니다.

점과 점을 연결하면 선이 됩니다. 물론 세상에 수많은 점들이 있고 모든 점들은 선이 될 수 있는 가능성이 있지만, 이를 연결하지 않으면 선이 될 수 없습니다. 역사의 정의도 이와 유사하게 설명할 수 있습니다. 세상에는 무수한 과거의 사실이 있습니다. 우리가 이 글을 읽고 있는 지금 이 순간에도 끊임없이 과거가 만들어지고 있습니다. 이 무수한 과거들을 점이라고 가정해 봅시다. 이 점이 역사가 되기 위해서는 누군가가 이 점에 의미를 부여하고 그것을 다른 사실과 연결시켜 주어야 합니다. 그랬을 때 그것은 역사선(歷史線)'이 될 수 있습니다. 이렇게 역사선을 만드는 과정을 '기록(記錄)'이라고 정의할 수 있습니다.

그러나 모든 과거의 점이 기록이 될 수 있는 것은 아닙니다. 그렇게 하기에는 과거의 사실들이 너무나 많기 때문입니다. 또 이제까지 있었던 과거, 지금도 새롭게 생겨나는 과거를 모두 기록한다는 것은 불가능한 일입니다. 그래서 우리는 기록을 할 때 과거의 사건 중 특별한 것을 선택하여 기록할 수밖에 없습니다. 다시 말해 수많은 과거의 점 중에도 그 점의 중요성, 가치와 의미를 따져 선별하여 기록할 수밖에 없습니다. 적어도 역사선 상에 오르기 위해서는 그것 자체로서의 의미와 가치를 지니고 있어야 한다는 것입니다. 역사학에서는 이전에 존재했던 무수한 일을 사실(事實, facts)이라고 하고 이 중에서 사람들이 중요하다고 판단하여 역사의 기록으로 남기기로 결정한 과거를 사실(史實, historical facts)이라고 정의하고 있습니다. 발음이 같아 헷갈린다고요? 한자와 영어의 뜻을 찾아보면 두 단어가 전혀 다른 의미를 가지고 있다는 것을 알 수 있습니다.

문익점은 고려말(1363) 원나라에서 목화씨를 붓대 속에 넣어 가지고 들어와 우리나라에 최초로 목화 재배를 가능하게 했던 사람입니다. 어떻게 보면 대단히 훌륭한 사람이라고 할 수 있습니다. 그런데 이상한 것은 우리는 이것 외에 문익점이라는 사람에 대해 알고 있는 점이 별로 없다는 것입니다. 왜 그럴까? 아까도 말했듯이 역사에서는 특정한 개인의 모든 과거와 세세한 삶 모두를 주목하지 않기 때문입니다. 역사는 문익점의 행적 가운데 의미를 부여할 수 있는 '역사적 행위' 만을 뽑아 이를 기록으로 남겼습니다. 따라서 문익점에 대해 기록된 내용만을 보고 자란 우리는 문익점의 전체 인생 중 목화씨를 가져온 사실만을 기억하게 되는 것입니다. 이를 아까 배운 단어로 정리해 볼까요? 문익점의 전 생애에는 여러 사실(事實, facts)이라고 말할 수 있습니다. 그러나 역사의 기록은 그가 '목화씨를 전래했다' 는 그 점만을 주목하여 사실(史實, historical facts)로 인정하는 것입니다.

이렇게 볼 때 역사란 과거 인류사에 있었던 수많은 사실(事實)과 사건 가운데 사람들이 의미있고 가치있다고 여겨지는 것을 기록으로 남긴 것(史實, historical facts)이라고 정리할 수 있습니다.

② 사료가 말해 주는 것

앞에서 살펴보았듯이 우리는 이제까지 존재했던 모든 과거를 기억할 수도 없고 역사로 기록할 수도 없습니다. 그래서 역사의 기록이란 항상 선택적으로 이루어질 수밖에 없습니다. 우리가 역사를 기록할 때 활용하는 것이 바로 사료(史料)입니다. 사료를 말 그대로 풀어보면 '역사를 연구하는 데 사용되는 기록 자료' 를 뜻한다고 할 수 있습니다. 과거 인류의 조상들이 만들어 놓은 유물이나 문화재, 여러 가지 사건들을 기록해 놓은 기록물들이 사료가 됩니다.

사료는 역사를 기록하는 데 있어 대단히 중요합니다. 만약 사료가 존재하지 않는다면 우리는 먼 과거의 사실은 알 수조차 없을 것입니다. 인간이 과거를 알 수 있는 것은 조상들이 남겨 놓은 이런저런 흔적이나 기록이 존재하기 때문입니다. 즉, 우리가 알고 있는 모든 역사적 사실들은 대부분 사료를 통해 발굴된 것이고 사료에서 의미가 있다고 생각되는 것을 뽑아 놓았다고 이해할 수 있습니다. 그렇다면 사료의 종류에는 구체적으로 어떤 것이 있을까요?

사료는 1차 자료와 2차 자료로 구분할 수 있습니다. 1차 자료는 과거사실을 직접 경험한 사람이 적어 놓은 것입니다. 예를 들면, 일기나 편지 등은 1차 자료라고 할 수 있습니다. 2차 자료는 1차 자료를 가지고 해당 과거사실에 대해 글을 작성하는 것입니다. 예를 들면, 에이브러햄 링컨에 대한 연구자가 링컨의 편지와 일기를 가지고 그의 생애에 대해 글을 작성한다면, 그 글은 2차 자료가 됩니다. 하지만 어떤 역사가가 어떤 사건을 직접 경험하고 그 사건에 대해 글을 작성하는 경우에, 그 글은 1차 자료도 되고 2차 자료도 될 수 있습니다.

또한 사료에는 문자 자료와 비문자 자료가 있습니다. 글로 작성된 일기, 편지, 비석에 새겨진 글 등과 같은 것은 문자 자료입니다. 그러나 그림, 사진, 이미지, 영상, 벽화, 상징, 도구나 기구 등은 비문자 자료입니다. 흔히 역사학은 문자 자료를 대상으로 하고, 비문자 자료는 고고학에서 다룬다고 말합니다. 그러나 역사학에서도 이미지, 그림 등의 의미를 살펴보고 역사학의 대상으로 삼습니다.

—《E. H. 카가 들려주는 역사 이야기》 중에서

유물이나 유적은 시간이 지나면서 훼손되거나 파괴되어 극히 일부만이 전해 내려오고 있고, 기록 사료라고 하는 것도 결국은 과거의 사람들이 중요하다고 생각하는 것을 기록한 것임에 틀림없습니다. 즉, 과거에 있었던 많은 일 중 당시 사람들에게 의미가 있었던 내용이 부분적으로 담겨 있는 것입니다. 특히 사료가 1차 사료가 아니라 글쓴이의 주관적 생각이 개입된 2차 사료인 경우에는 더더욱 과거의 사실을 객관적으로 이해하는 것을 방해할 수 있습니다. 예를 들어 우리가 고인돌을 하나 보았다고 하여 선사시대의 사실을 모두 알았다고 할 수 없다는 것이죠. 또 조선의 왕조 역사를 다룬 조선왕조실록을 보았다고 하여 조선의 모든 역사를 알고 있다고 할 수 없습니다. 따라서 우리는 사료 자체로 과거 전체를 알 수 없을 뿐만 아니라 사료를 한번 보았다고 하여 그 당시 역사를 정확하게 알고 있다고 말할 수도 없습니다.

그러나 앞에서 말했듯이 사료가 없다면 역사를 아는 것 자체가 불가능합니다. 사료가 나름대로 부족하고 한계를 가진 것이 사실이지만 사료 안에는 과거를 들여다볼 수 있는 열쇠가 감추어져 있습니다. 따라서 역사란 사료 속에 감추어져 있는 사실들을 발굴하고 그것에 의미를 부여하는 과정이라고 할 수 있습니다.

조선왕조실록(朝鮮王朝實錄)

조선왕조실록은 조선 태조에서 철종까지 472년간의 역사적 사실을 각 왕별로 기록한 역사서입니다. 조선왕조실록은 활자본(필사본 일부 포함)으로 2,077책으로 구성되어 있고, 1413년(태종 13년)에 《태조실록》이 처음 편찬되고, 25대 《철종실록》은 1865년(고종 2년)에 완성되었습니다. 《실록》의 편찬은 대개 전대 왕이 죽은 후 다음 왕의 즉위 초기에 이루어지는데, 춘추관 내에 임시로 설치된 실록청(또는 일기청)이라는 부서에서 담당했습니다.

실록편찬 과정은 초초(初草) · 중초(中草) · 정초(正草)의 3단계로 나눌 수 있습니다. 초초는 각

방의 당상과 낭청(郎廳)이 자료를 분류하고 중요자료를 뽑아 작성한 초안입니다. 중초는 도청에서 그 내용을 수정 · 보완한 것이고, 정초는 총재관과 도청 당상이 중초를 교열하고 최종적으로 수정 · 첨삭을 하여 완성한 것입니다.
조선왕조실록은 왕실 중심의 서술방식과 당론(黨論)에 의해 사실이 왜곡되는 문제 등이 한계로 지적될 수 있으나 조선시대의 정치 · 경제 · 사회 · 문화 등 다방면에 걸친 역사적 사실을 망라하여 수록하고 있어 사료로 가치가 상당히 높습니다. 세계적으로 귀중한 문화유산임은 물론, 조선시대를 이해하는 데 있어 가장 기본적인 사료로 평가받고 있습니다. 1973년 12월 31일 국보 제151호, 1997년 10월에 유네스코 세계기록유산으로 지정되었습니다.

③ 역사가가 역사를 만든다

그렇다면 도대체 수많은 과거의 사실(事實) 중에서 의미 있고 중요하다고 생각하는 사실(史實)을 결정하는 역할은 누가 하는 것일까요? 이러한 일을 하는 사람들을 일컬어 우리는 역사가라고 합니다. 사료는 절대 스스로 말하지 않습니다. 이 말은 역사에는 항상 그것을 선택하고 기록하는 사람이 필요하다는 말입니다. 역사가가 자신이 의미 있다고 생각하는 과거의 사건을 역사의 선상에 올려 놓았을 때 비로소 과거의 사실(事實)은 우리에게 기억되는 사실(史實)로 남게 되는 것입니다.

그렇다면 역사가들은 모두 같은 과거의 사실만을 선택할까요? 그렇지 않습니다. 사람의 생각이 제각각이듯 역사가가 중요하다고 생각하는 과거의 사실도 다를 수 있습니다. 즉 역사가가 어떤 입장, 어떤 위치에서 과거의 사실을 바라보느냐에 따라 역사의 선 위에 오르는 것과 제외되는 것이 다를 수 있습니다. 나아가 중요하다고 생각하는 과거의 사건이 같다고 하더라도 그것에 대한 평가가 다를 수 있습니다.

이렇게 볼 때 '역사란 무엇인가' 는 문제는 '역사를 어떻게 볼 것인가' 라는 역사 해석의 문제로 이어집니다. '역사를 어떻게 볼 것이냐' 를 보통 사관(史觀)이라 합니다. 그리고 이 사관은 역사가의 시대 인식과 시대의 정치적, 사회적 조건에 영향을 받습니다. '역사란 무엇인가' 라는 질문에 대해 여러 가지 답변이 나오는 것도 역사의 사관이 다양하게 존재하기 때문입니다. 예컨대 아놀드 토인비(A. Toynbee)는 역사를 '자연의 도전에 대한 인간의 응전' 으로 보았으며 역사 철학자인 헤겔(Hegel)은 '절대정신이 변증법적으로 자기발전하는 것' 을 역사라고 하였습니다. 그런가하면 익히 잘 알려진 에드워드 카는 '역사란 역사가와 사실 사이의 부단한 상호작용의 과정이며, 현재와 과거의 끊임없는 대화' 라고 규정했습니다.

이처럼 역사는 역사가의 다양한 사관에 따라 다르게 서술될 수 있습니다. 물론 역사 서술의 기반이 되는 사료도 중요하겠지만 이보다 훨씬 중요한 것은 사료를 다루는 역사가의 태도라고 할 수 있습니다. 이런 점 때문에 E. H. 카는 《역사란 무엇인가》라는 책에서 '역사가가 역사를 만든다' 는 주장을 펼치게 됩니다. 이 말은 역사가가 어떤 시각으로 역사를 보느냐에 따라서 우리가 보는 역사의 기록이 달라질 수 있다는 것을 말해 줍니다.

④ 시대가 바뀌면 역사도 변한다

이처럼 역사를 이해하는 데 있어 사료만큼 중요한 것이 바로 역사가의 사관이라고 할 수 있습니다. 사관이라는 것은 쉽게 말하면 역사를 바라보는 역사가의 주관적인 태도라고 할 수 있습니다. E. H. 카가 "역사를 제대로 이해하려면 우선 그것을 서술한 역사가를 이해하라"고 한 것은 역사가마다 사관이 다르기 때문입니다.

여기서 E. H. 카는 더 나아가 '시대가 바뀌면 역사도 변한다'는 새로운 의견을 내놓습니다. 왜 그럴까요? 그건 역사 서술의 주체인 역사가도 사회에 속해 있는 하나의 개인이기 때문입니다. 모든 개인은 사회의 변화에 영향을 받습니다. 사고관이 다르니 시대마다 중요하게 생각하는 것도 달라질 수밖에 없겠지요. 예를 들어 조선시대 사람들은 양반제도, 남존여비와 같은 차별제도를 당연한 것으로 받아들였습니다. 그러나 요즘에는 이런 것들은 마땅히 사라져야 할 악습으로 평가받습니다. 현대에는 모든 사람은 법 앞에 평등하며 어떤 이도 성별, 나이, 피부색 등에 의해 차별돼서는 안 된다고 여기고 있습니다.

역사가도 사회에 속해 있는 개인입니다. 다른 개인과 마찬가지로 역사가 역시 그 시대의 사회 현상 속에 살고 영향을 받는 인물일 수밖에 없습니다. 이런 이유 때문에 E. H. 카는 '역사가는 의도하든 그렇지 않든 그 사회의 분위기를 대변할 수밖에 없고 그것이 사관에 영향을 미칠 수밖에 없다'는 결론을 내리게 됩니다.

따라서, 역사가가 사료에 접근하는 태도와 그것을 해석하는 관점을 파악하지 않고서는 그의 연구를 충분히 이해할 수도 없고 평가할 수도 없습니다. 아울러 역사가의 입장 자체는 사회적 배경과 역사적 배경에 뿌리를 내리고 있습니다. 그렇기 때문에 "역사를 연구하기에 앞서서 우선 역사가를 연구하라"는 E. H. 카의 말은 역사를 이해하는 중요한 가치를 포함하고 있습니다.

사회적 동물(社會的動物, social animal)
인간이 개인으로서 존재해도, 그 개인 혼자만 떨어져서 살 수 없으며 끊임없이 타인과의 관계 하에 존재하고 있다는 생각에서 나온 용어입니다.
즉, 개인은 사회 없이는 존재할 수 없다는 것을 의미하는 것이기도 합니다. 아리스토텔레스의 '정치적 동물'이라는 말과 같이 인간은 사회의 영향을 받는 존재이면서, 사회라는 공동체를 형성하는 주체라는 의미를 가지고 있습니다. 사회는 어디까지나 개인을 기초로 하고, 동시에 개인은 사회를 발전시켜 간다는 생각입니다.

인간을 흔히 사회적 동물이라고 합니다. 역사가 또한 어느 한 사회를 살고 있는 인물이며, 오늘날의 역사가는 이 시대를 반영할 수밖에 없습니다. 따라서 시대가 바뀌면 역사가도 바뀌고 역사가가 바뀌면 역사도 변합니다.

20년 전만 하더라도 1980년 5월 18일 광주에서 있었던 광주 시민들의 민주화 운동은 사회의 억압적인 분위기로 인해 역사책에는 아예 실리지도 않았고 몇몇의 역사가들은 '폭동이나 반란'이라는 부정적인 사건으로 기록

했습니다. 그러나 사회에 민주화가 자리 잡게 되면서 상황이 달라졌습니다. 여러분이 배우는 사회 교과서에도 5 · 18 광주민주화운동이 실려 있고 그것이 독재에 맞서 민주주의를 지키고자 했던 광주 시민의 항쟁이었다고 재해석되었습니다. 시대가 바뀌면 역사 서술이 어떻게 바뀌는지 이해할 수 있겠지요?

⑤ 역사는 과거와 현재의 끊임없는 대화

흔히 '역사를 공부하면 미래가 보인다' 는 말을 합니다. 정말 그럴까요? 이미 지나간 과거를 통해 어떻게 미래를 볼 수 있다는 말일까요? 역사를 연구하면 언제 누가 무엇이 될 수 있는지를 예언할 수 있다는 말일까요? 물론 그렇지 않습니다. 역사는 개인이나 가족 혹은 한 사회의 장래를 점치는 예언과는 다릅니다.

그러면 '역사를 공부하면 미래가 보인다' 는 말은 무엇을 의미하는 것일까요? 이는 한마디로 과거의 역사를 통해 현재는 물론 더 나아가 미래를 바라보는 역사적 '통찰력' 을 가질 수 있다는 것을 의미합니다.

여러분은 처음 전학 온 친구를 알기 위해 가장 많이 물어보는 질문은 무엇입니까? 전에 다니던 학교는 어떤 곳이었는지, 공부는 어떻게 했는지, 그 곳의 환경은 어땠는지 등일 것입니다. 이는 자연스러우면서도 당연한 의문입니다. 그 누구도 과거 없이 현재만 사는 사람은 없기 때문입니다. 현재의 그 친구를 안다는 것은 곧 과거에 그 친구가 무엇을 했는지를 아는 과정과 다르지 않습니다. 만약 우리가 그 친구가 과거에 어떤 사람이었는지 정확하게 알고 있다면 앞으로 어떻게 생활할 것인지를 예측할 수도 있을 겁니다. E. H. 카는 이를 과거를 통해 미래에 대한 통찰력을 갖는 것이라고 표현했습니다.

여기서 말하는 통찰력은 무속인의 신통력이나 예지력을 의미하는 것이 아닙니다. 그것은 인류 역사의 축적된 경험과 역사법칙에 대한 인식을 의미하는 것입니다. 예컨대 한반도의 역사를 조사해 본 결과 100년 간격으로 특정한 사건이 벌어졌다면 앞으로도 유사한 사건이 벌어질 수 있다는 것을 예측할 수 있습니다. 100년, 200년 전의 역사는 우리가 경험해 보지 못한 오랜 과거의 역사이지만 이를 통해 현재와 미래를 대처할 수 있는 시각을 가질 수 있다는 것이죠. 이렇게 본다면 과거의 역사는 현재 우리 삶과 떨어진 것이 아니라 밀접한 관계를 가진 것이라고 이해할 수 있을 겁니다.

또 다른 예가 있습니다. 우리는 현재 우리가 살고 있는 이 시대를 가리켜 '분단 시대' 라고 부릅니다. 이는 우리민족이 지난 반 세기 동안 남과 북으로 갈려 대립 상황에 처해 있기 때문에 붙여진 이름입니다. 그래서 오늘의 우리 민족이 안고 있는 최대의 민족사적 과제는 분단된 조국을 하나로 통일하는 일입니다. 하지만 단일민족이라는 관점에서 봤을 때, 우리 역사에서 분단 상황이 현재에만 있었던 것은 아닙니다. 지금부터 천 년 전 우리

민족은 지금 상황과 거의 유사한 상황에 처한 적이 있었습니다. '통일신라와 발해' 시대가 바로 그것입니다. 지금의 삼팔선처럼 대동강과 원산만을 경계로 남쪽의 신라와 북쪽의 발해국 사이에는 서로를 헐뜯으며 대립하던 시절이 있었습니다. 심지어 양국 국경 사이에 천리장성을 쌓고 서로 왕래조차 하지 않았으니 지금 우리의 분단 상황과 비슷하다고 볼 수 있습니다. 여기까지 보면 신라와 발해의 상황이 오늘의 한반도 상황과 많이 닮았다는 것을 알 수 있을 겁니다.

그런데 우리가 발해와 통일신라의 상황을 보며 공감하는 이유는 무엇일까요? 그것은 우리가 현재의 관점으로 과거를 보고 있기 때문입니다. 만약 우리가 분단 상황이 아니었다면 천리장성이 왜 세워졌는지, 관심을 갖지 않았을지도 모릅니다. 과거를 단순히 과거 자체로 보지 않고 현재 우리가 있는 현실에 입각해서 바라보기 때문이죠.

그래서 최근 학계에서는 천 년 전 그 시대를 '통일신라와 발해'가 아닌 '남북국 시대'라 부르는 경우가 많아졌습니다. 즉, 분단된 민족 현실로부터 생겨난 오늘의 역사인식은 더욱 그 시대를 '남북국 시대'라 부르기를 요구하고 있는 것이지요. 카의 표현을 밀리자면 빌려서 '과거와 현재가 끊임없이 대화'하며 역사에 대한 새로운 인식에 이르게 된 것이죠.

남북국시대(南北國時代)

한국사의 시대 구분 중에서 통일신라와 발해가 함께 존재했던 7세기 후반부터 10세기 전반의 시기를 의미합니다. 발해사를 한국 역사로서 인식한 것은 이승휴(李承休)가 《제왕운기(帝王韻記)》에서 고구려의 구장 대조영이 발해를 건국했다고 주장한 데서 비롯되었습니다. 그러나 아직 통일신라와 대등한 국가로 인정하여 '남북국'이라고 서술하지는 않았습니다. '남북국시대'라는 명칭은 민족사에 대한 관심이 높아졌던 조선 후기 무렵, 유득공(柳得恭)이 1784년(정조 8년)에 〈발해고〉를 작성하면서 처음 쓰여지기 시작했습니다.

유득공은 그 서문에서 발해가 고구려의 후계자이기 때문에 통일신라 · 발해가 공존한 시기는 남북국시대라고 주장했습니다. 또한 1864년(고종 1년)에 김정호의 〈대동지지〉에서도 발해가 고구려의 옛 땅을 이어받아 신라와 함께 200년간 남북국을 이루었다고 서술하고 있습니다.

그러나 이러한 여러 가지 근거에도 불구하고 남북국시대론의 문제점은 여전히 남습니다. 고구려계가 지배층을 구성하여 발해의 제도와 문화에서 고구려적 요소가 많이 나타나지만, 주민의 대다수가 말갈족이었다는 사실은 발해가 고구려의 계승국이라는 점을 의심하게 합니다.

그러나 이런 한계에도 불구하고 발해를 고구려의 후계국으로 보고 새로운 역사적 시각을 제시한 것은 의미가 있다고 할 수 있습니다.

⑥ 역사는 진실을 향한 끝없는 탐구의 과정

이렇듯 역사를 바라보는 역사가의 관점은 현재 우리가 발을 딛고 있는 현실의 상황에 따라 끊임없이 변화할 수밖에 없습니다. 과거가 없으면 현재가 없듯이 현재의 관점에서 벗어난 과거의 기록도 없다고 할 수 있습니다. 그런데 한 가지 주의해야 할 점이 있습니다. 우리가 현재의 관점으로 과거를 본다는 것이 자칫 과거의 사실을 무시하고 현재의 관점으로 사료를 왜곡해도 좋다는 것으로 이해해서는 안됩니다.

다음의 글을 참고해 봅시다.

> 역사가는 ①사료를 열심히 읽어서 과거사실에 대한 설명을 이해하려고 노력하고, ②수많은 설명 중에서 사실이라고 검증된 것을 중심으로 그 역사적 중요성에 대해 논의하며, ③우리 사회와 국가의 역사에서 확정된 중요성을 가진 사실이 무엇인지를 보여 주려고 노력하는 사람입니다. 물론 이 세 가지의 역사 사이에는 명백한 경계가 있는 것은 아닙니다. 경우나 주제마다 역사적 중요성이 달라지기 때문입니다. 에드워드 카는 이 세 가지 종류의 역사를 끝없이 오고가며 과거를 탐구하는 작업을 역사라고 했습니다.
>
> −《E. H. 카가 들려주는 역사 이야기》 중에서

E. H. 카는 역사가가 현재의 관점으로 과거 역사를 보기 이전에 우선, 과거사실을 정확하게 이해해야 한다는 점을 놓치지 않았습니다. 그냥 무작정 현재의 눈으로 과거를 왜곡하는 것이 아니라 정확한 사실에 입각하여 역사를 바라보되, 우리 사회와 국가가 중요시하는 가치관을 개입시켜 역사의 의미를 적극적으로 해석해 나가야 한다는 것입니다. 만약 이것을 잘못 이해하여 현재의 관점으로 역사적 사실을 왜곡한다면 그것은 올바른 태도라고 할 수 없습니다.

정리하자면 E. H. 카가 얘기한 역사가의 태도란 사실로 입증된 사료를 바탕으로 그것을 현대적 입장에서 늘 새롭게 해석하려고 노력하는 것입니다. E. H. 카에 따르면 사실 자체만을 잘 보존하거나 발굴했다고 하여 역사가의 임무가 모두 끝난 것이 아닙니다. 사실의 의미를 현재의 관점에서 끊임없이 재해석하고 재구성하여 이제까지 우리가 느끼지 못했던 새로운 내용들을 적극적으로 제시하는 것이 필요하다는 것입니다.

결국 '역사란 무엇인가'는 '역사를 어떻게 볼 것인가'에 따라 그 정의와 개념이 달라질 수 있으며 그 기준은 현재 우리가 살고 있는 현실의 문제의식과 깊은 관련성을 지니고 있는 것입니다. 요컨대 역사란 과거 속에 묻혀버린 사실을 밝히는 데 그치는 것이 아니라 죽어버린 과거의 사실에 생명을 불어넣어 오늘의 거울로 삼고 내일을 조망하려는 적극적인 태도에서 발전할 수 있습니다.

3. 기출문제 속에서 만난 E. H. 카

2008학년도 인하대 논술에서는 E. H. 카의 《역사란 무엇인가》의 일부 내용을 제시하고 이를 《시간과의 경쟁》(민두기), 《과학의 최전선에서 인문학을 만나다》(존 브록만 엮음), 《쓸모없는 지식을 찾아서》(복거일) 등으로 비판할 것을 학생들에게 요구하고 있습니다. 엄밀하게 말하자면 위 제시문은 역사와 직접적으로 관련된 내용은 아니지만 역사를 바라보는 카의 입장에서 충분히 이해할 수 있는 내용이라고 할 수 있습니다.

18세기와 19세기 동안 과학자들은 자연에 관한 여러 불변의 법칙들 뉴턴의 운동법칙, 중력의 법칙, 보일의 법칙, 진화의 법칙 등이 발견되어 명확하게 확정되었다고 생각하였고, 과학자의 직무는 관찰된 사실로부터 귀납적인 추론 과정을 통해서 그러한 불변의 법칙들을 더 많이 발견하고 확정하는 것이라고 생각하였다. '법칙' 이라는 용어는 구름의 꼬리처럼 영광스런 흔적을 남기면서 갈릴레이와 뉴턴에게서 전해 내려 왔다. 사회를 연구하는 사람들은 의식적으로든 무의식적으로든 자신의 연구가 과학적 지위를 가진다고 주장하고 싶은 마음에 과학에서 사용하는 용어와 똑같은 용어를 사용하였고, 자기들도 과학에서와 똑같은 객관적 연구 방법을 따르고 있다고 믿었다. 예컨대 버클은《문명사》결론에서 인류 역사의 발전 과정에는 '보편적이고 일관된 규칙성이라는 영광스런 원리가 스며들어 있다' 는 확신을 표명했다.

— E. H. 카,《역사란 무엇인가》중에서

위에 제시된 내용을 살펴봅시다. 위 글에서 카는 18~19세기 자연과학과 사회과학 연구자들의 과학적 태도를 지적하고 있습니다. 이들은 사회현상과 자연현상 모두에 대해 일정한 탐구를 통해 불변하는 객관적 법칙을 확정할 수 있다고 생각했습니다. 따라서 사회현상과 자연현상을 모두 설명하는 법칙이 존재한다고 믿었던 것이죠. 그러나 그런 주장은 이후 과학적 결과들과 사회현상에 대한 설명이 가지는 상대적 성격이 밝혀지면서 비판받는다는 것이 지문의 핵심 내용입니다. 즉, 과학자들은 연구를 정확하게만 하면 변하지 않으면서도 세상의 모든 문제를 해결할 수 있는 법칙을 발견할 수 있다고 믿었는데 카는 그런 법칙은 존재할 수 없다고 비판한 것이 글의 중심 생각이라는 겁니다.

카는 역사가 역사가의 사관이나 시대가 변함에 따라 함께 유동적으로 변할 수밖에 없다는 생각을 가지고 있습니다. 나아가 역사는 현재의 시대적 상황에 따라 항상 새롭게 서술될 수 있다고 보았습니다. 이런 면에서 봤을 때 카는 세상에 뭔가 절대적인 것이 있다던가, 변하지 않는 것이 있다고 믿지 않았습니다. 18~19세기의 과학자들을 비판한 것도 그런 이유에서입니다. 설사 자연과학에서는 모든 것을 설명할 수 있는 법칙을 만들 수 있다고 해도 다양한 인간들이 어울려 살아가는 사회에서는 불변의 법칙이라는 것이 존재할 수 없다고 본 것입니다.

자연현상(自然現象)

자연계에서 스스로 일어나는 모든 사물의 현상을 말합니다. 과거부터 현재까지 변함없이 일어나며, 변화가 반복하여 일어나기도 합니다.

우리 주변에서는 인간이 느끼거나 또는 느끼지 못하는 사이에 끊임없이 여러 가지 물리적 현상이 일어나고 있습니다. 이러한 자연적인 현상은 인간의 의지나 시간과 공간에 구애없이 일어나는 매우 보편적인 현상입니다. 이렇게 자연 작용이 일어나는 방법과 모습은 옛날이나 지금이나 변함이 없습니다. 예를 들면 어느 한 곳에 고기압이나 저기압이 발생하면 대기가 이

동하면서 바람이 일고, 물이 열을 받으면 증기로 변하고 식으면 다시 물로, 또 차가워지면 얼음으로 변하는 것이나, 어두운 밤하늘에서 별똥별이 떨어지는 현상, 또는 계절의 변화에 따라 자연 생태계가 바뀌는 것 등이 모두 그러한 것입니다. 이처럼 인간의 의지와는 다르게 자연 스스로 작동하는 현상을 자연현상이라고 합니다.

2004학년도 경희대 정시에서는 민주주의 사회에서 벌어질 수 있는 문제점, 예를 들어 사람들이 자신의 이익만을 생각하는 이기주의 때문에 공공질서가 파괴되는 문제에 대해 어떻게 대처할 수 있는지를 물었습니다. 이 문제에서는 《역사란 무엇인가》의 일부 내용을 제시하여 민주주의 사회에서 공공질서가 파괴되는 문제에 대해 해결책을 제시할 것을 요구하고 있습니다.

사회 또는 개인 중에서 어느 것이 우선인가 하는 문제는 암탉과 달걀에 관한 문제와 같다. 이것은 논리적인 문제로 다루든 역사적인 문제로 다루든, 똑같이 일방적인 그 반대편의 의견에 의해서 틀림없이 수정될 터이므로, 여러분은 그 문제에 관해서 어느 쪽으로든 의견을 제시할 수 없을 것이다. 사회와 개인은 분리될 수 없다. 그것들은 서로에게 필수적이고 보완적인 것이지 대립적인 것이 아니다. 인간은 '함께 모이기' 이전에도 존재했다고, 또는 어떤 종류의 실체를 가지고 있다고 전제하는 것은 잘못이다. 우리가 태어나자마자 세계는 우리에게 작용하기 시작하여 우리를 단순히 생물학적인 단위로부터 사회적인 단위로 변화시킨다. 역사의 혹은 역사 이전의 모든 단계에서 인간은 누구나 한 사회 속에서 태어나고, 아주 어렸을 적부터 그 사회에 의해서 형성된다.

인류학자들은 흔히 원시인은 문명인보다 덜 개인적이며 사회에 의해서 더 완전하게 형성된다고 말한다. 여기에는 진리의 한 요소가 포함되어 있다. 보다 단순한 사회가 더 균일하다고 말하는 것은 그 사회가 더 복잡하고 더 발전한 사회에 비해서 사회적으로 필요한, 그리고 사회가 그 기회를 제공하는 개인적인 기술과 직업이 훨씬 다양하지 못하다는 의미에서이다. 심화되고 있는 개별화는 이러한 의미에서 발전한 근대사회의 필연적인 산물이며, 그것은 저 꼭대기에서부터 밑바닥까지 그 사회의 모든 행위들을 파고든다. 그렇다고 해서 이 개별화의 과정과 증대하고 있는 사회의 힘 또는 응집력 사이에 대립항을 설정하는 것은 중대한 오류일 것이다. 사회의 발전과 개인의 발전은 병행하며, 서로를 조건 짓는다. 사실 우리가 이해하고 있는 복잡한 혹은 발전한 사회란 개인들 상호간의 의존관계가 발전한 그리고 복잡한 형태를 취해 온 사회이다.

— E. H. 카, 《역사란 무엇인가》 중에서

위에 제시된 내용을 살펴봅시다. 카는 이 부분에서 개인과 사회가 상호의존관계에 있음을 강조하고 있습니다. 제일 앞부분에서 카는 "사회 또는 개인 중에서 어느 것이 우선인가 하는 문제는 암탉과 달걀에 관한 문제와 같다" 고 하여 어느 것이 더 우선한다고 할 수 없으며 서로 분리할 수도 없는 관계라고 설명하고 있습니다. 카는 사회와 개인의 관계에 있어 개인의 역할을 긍정적으로 바라보고 있습니다. 사람들은 이기적인 마음으로 자신의 이익만 가지는 것이 아니라 서로 협력하고 연대하는 마음도 있다는 것이죠. 그래서 카는 사회가 건전하게 발전하려면 개인들이 서로의 이익만을 추구하는 자세를 자제하고 서로 돕고 협력하는 자세를 가져야 한다고 본 것이죠.

2008학년도 성균관대 모의 논술에서는 역사를 바라보는 관점, 즉 올바른 역사관에 대한 학생들의 의견을 물어s보았습니다. 각기 다른 역사관을 제시하고 여기서 학생들이 올바르다고 생각하는 역사관을 옹호하고 다른 입장을 비판하는 것이 문제의 중심적인 방향입니다.

과거는 완벽히 복제될 수 없으며 또다시 재구성될 수 없기 때문에, '모든 역사 구성은 필연적으로 선택적이다' 라는 원칙은 자명한 것이다. 그리고 이 원칙은 매우 중요한 것이다. 왜냐하면 역사를 서술할 때는 이 원칙에 따라 사실들의 선택을 규제하기 때문이다. 이 원칙은 과거의 사건에 부과되는 비중을 결정하며, 또한 무엇을 선택하고 무엇을 생략해야 하는지를 결정한다.

아울러 선택된 사실들이 어떻게 정리되고 배열될 것인가도 결정한다. 게다가 사실의 선택이 기본적이고 중요한 것이라고 여긴다면, 모든 역사는 필연적으로 현재의 관점에서 쓰며, 또한 모든 역사는 현재의 역사라는 사상을 인정하지 않을 수 없을 것이다. 다시 말하여 역사는 동시대인들이 현재에 중요하다고 판단한 것들에 대한 기술(記述)이라는 피할 수 없는 결론에 다다르게 되는 것이다." (……)

아주 간단하게 생각해 보아도, 역사 서술에서 사용되는 개념 자료들이 역사가 쓰여진 그 당시의 개념 자료들임은 쉽게 알 수 있다. 주요한 원칙들이나 가설들에 대해 유용한 자료는 바로 역사적 현재가 공급한 자료들이다. 문화가 변화하듯이 한 문화에서 지배적이었던 개념도 변화한다. 당연히 자료를 검토하고 평가하고 정리하기 위한 새로운 관점이 생겨난다. 바로 이 때에 역사는 다시 쓰여진다. 이와 같이 어떤 특정한 개념들은 어떤 특정한 시기의 문화에서 매우 중요하다. 그렇기 때문에, 이미 완성된 상태의 과거에서 발견되는 '사실들' 이 과거의 사건을 구성하기 위하여 적용된 특정한 개념들을 정당화시키는 것은 아니다. 그 같은 견해는 본말이 전도된 것이다.

위에 제시된 글은 E. H. 카가 직접 쓴 글은 아니지만 《역사란 무엇인가》에 나오는 카의 역사관을 간추린 글입니다. 위의 글에 따르면 역사는 "역사가의 관점과 필요에 따라 과거사실을 선택하고, 역사를 기술하기 때문에 모든 역사는 현재의 역사이며 따라서 어느 정도 관점에 따른 주관성을 배제할 수 없다"는 것이죠. 이는 시대가 변하면 역사가의 생각과 관점(사관, 史觀)도 변할 수 있고, 역사의 서술 내용도 바뀔 수 있다는 카의 역사관과 같다고 할 수 있습니다.

또한 "모든 역사는 현재의 역사라는 사상을 인정하지 않을 수 없을 것이다. 다시 말하면 역사는 동시대인들이 현재에 중요하다고 판단한 것에 대한 기술(記述)이라는 피할 수 없는 결론에 다다르게 되는 것이다"라고 기록한 부분은 역사를 "현재와 과거의 끊임없는 대화"라고 했던 카의 역사관과 동일한 것이다고 할 수 있습니다.

가설(假說, hypothesis)
현상(現象)을 설명하기 위하여 논리적이라고 판단되는 학설로 미리 구성해 놓은 명제를 가설이라고 합니다. 쉽게 말하자면 현상의 결론을 미리 정해 놓은 것으로 우리가 현재 옳다고 믿는 과학 법칙도 처음에는 가설이었던 것이 실험과 증명으로 법칙이 된 것이 많다. 반대로 일상생활에서 옳다고 널리 알려진 사실 중에는 철학적으로는 가설로 보는 것들도 많다. 가설은 경험적 진리나 개념에 의하여 새로운 명제나 개념을 산출해 내는 것이므로 가설의 제기는 새로운 사실을 증명하는 가장 적극적인 창조 행위라고 볼 수 있다.

실전 논술

논술 문제

case 1 (가)의 내용을 참고하여 (나)의 내용이 사료로 어떤 가치가 있는지 설명해 보시오. (500자 내외)

가 사료라는 것은 '역사를 연구하는데 사용되는 기록의 자료' 라는 뜻입니다. 사료라고 말하는 것이나 기록이라고 말하는 것은 같은 뜻이라고 할 수 있습니다. 다만, 사료라는 말은 기록 가운데에서 역사 연구 대상이 되는 것을 강조하기 위해서 사용하는 용어일 뿐입니다.

(……)

사료는 과거사실에 대한 기록입니다. 따라서 사료가 보여 주는 과거사실은 과거사실 그 자체가 아니라 과거사실에 대한 (사료 기록자가 작성한) 사실입니다. 과거사실 그 자체는 과거의 어떤 특정한 시점과 장소에 일어났던 사건 그 자체입니다. 그리고 사료 기록자는 그 사건을 자신이 본 관점에서 기록하는 것입니다. 기록자가 사료에 글로 써서 남긴 것은 사건 그 자체가 아니라 그 사건에 대한 설명입니다. 따라서 사료는 과거사실을 보여 주는 것이 아니라 그 과거사실에 대한 설명을 보여 주는 것입니다.

—《E. H. 카가 들려주는 역사 이야기》 중에서

나 '하느님(환인)' 의 아들인 환웅은 널리 인간을 유익하게 하기 위해 바람, 구름, 비를 다스리는 신하들을 거느리고 태백산에 내려왔다. 환웅은 이 곳을 신시라 이름 짓고, 스스로를 천왕이라 하면서 사람들을 다스렸다.

그러던 중, 호랑이와 곰이 찾아와 사람이 되기를 원하므로 환웅은 이들에게 마늘과 쑥을 주며, "너희들이 이것을 먹고 백일 동안 햇빛을 보지 않으며 사람으로 변할 수 있을 것이다."라고 하였다. 호랑이는 이를 이겨 내지 못했으나 곰은 잘 참아 내어 마침내 여인이 되었다. 환웅은 이 여인을 아내로 맞이하여 아들을 낳았는데, 이분이 바로 단군왕검이다.

단군왕검은 아사달에 도읍을 정하고 나라를 세워 조선이라 하였다.

— 초등학교 6-1, 《사회》 중에서

생각 쓰기

생각 쓰기

생각 쓰기

case 2 (나)를 최근에 발견된 문자 자료라고 가정해 봅시다. (가)의 내용을 참고하여 (나)에 나타난 청동기 시대의 생활 모습을 구체적으로 서술해 보시오. (400자 내외)

가 또한 사료에는 문자 자료와 비문자 자료가 있습니다. 글로 작성된 일기, 편지, 비석에 새겨진 글 등과 같은 것은 문자 자료입니다. 그러나 그림, 사진, 이미지, 영상, 벽화, 상징, 도구나 기구 등은 비문자 자료입니다. 흔히 역사학은 문자 자료를 대상으로 하고, 비문자 자료는 고고학에서 다룬다고 말합니다. 그러나 역사학에서도 이미지, 그림 등의 의미를 살펴보고 역사학의 대상으로 삼습니다.

(……)

그렇기 때문에, 과거사실에 대한 설명을 간직하고 있는 사료를 잘 읽으면 그 과거사실이 무엇이었는지를 알 수 있습니다. 사료를 읽으면 과거가 보인다고 말하는 사람이 있습니다. 하지만 사진이 그 사람의 이름을 가르쳐 줄 수 없듯이, 사료는 설명하고 있는 과거사실의 모든 것을 보여 줄 수 없습니다. 그러나 사료는 그 한계를 가지고 있지만, 사료가 없으면 역사도 찾을 수 없습니다.

— 《E. H. 카가 들려주는 역사 이야기》 중에서

나 머루의 일기

봄이다. 요즘은 마을의 어른들이나 아이들 할 것 없이 모두 바쁘다. 농사가 시작되었기 때문이다. 아침 일찍부터 마을 주변의 밭으로 나가 남자 어른들이 밭을 갈면, 여자 어른들은 돌과 나무 뿌리를 골라내고 씨앗을 뿌린다. 밭에서 가까운 산 중턱에서는 나무를 베어 내고 나무 뿌리와 잡초를 태워 새 밭을 만드느라 바쁘다. 내 친구 흰돌이는 올 봄부터 울타리에 가두어 놓고 키우는 가축한테 먹이 주는 일을 맡아서 하고 있다. 가축을 잘 키워 족장님께 꼭 칭찬을 듣겠다며 열심히 일하고 있다.

대부분의 사람들이 아침 일찍 밭으로 나가지만, 나는 아버지와 대장간으로 간다. 우리 아버지는 대장장이이시다. 어제 아버지께서는 족장님의 명령으로 하늘에 제사를 지낼 때에 쓰는 청동 거울과 청동 방울을 만드셨다. 오늘부터는 혹시 있을지 모를 이웃 마을의 공격에 대비하기 위해 마을 울타리를 수리해야 한다고 말씀하셨다. 지금은 비록 아버지의 심부름을 하는 정도이지만, 나도 언젠가는 우리 마을 최고의 대장장이가 되고 싶다. 그러기 위해서는 구리와 주석 같은 금속을 다루는 방법을 잘 익혀 두어야 한다. 아버지께서는 내가 열심히 일하면 곧 금속 다루는 방법을 가르쳐 주겠다고 하셨다. 그 때가 기다려진다.

— 초등학교 6-1, 《사회과 탐구》 중에서

생각 쓰기

생각 쓰기

case 3 (나)를 요약하고, 이를 토대로 정부 수립에 이승만과 김구의 입장이 대립하는 이유를 설명하시오. (400자 내외)

가 정부 수립에 대한 두 입장

철저한 반공주의자였던 이승만은 제2차 세계대전 후의 미국과 소련의 관계를 누구보다 잘 알고 있었다. 그는 우리 스스로 정부를 세우는 일이 중요하다는 생각에서 우선 남한만의 정부를 수립하고자 했다. 이승만은 남한만이라도 정부를 세우는 것이 통일을 위한 방법이라고 주장했다. 남한만의 선거가 남북한을 영원히 나누는 것이 아니며, 남한에 세운 정부를 중심으로 국제적인 발언권을 얻으면 우리 힘으로 통일의 길을 열 수 있다고 주장하였다.

김구는 대한민국 임시정부의 정통성을 주장하면서 다른 나라에 의한 신탁 통치를 반대하는 운동에 앞장섰다. 그리고 김규식 등과 함께 남북 협상을 통해 통일 문제를 의논하고자 하였다. 김구는 남북한에 각기 다른 정부가 세워지는 것을 막기 위해 5.10 총선거에 반대하는 입장을 분명히 하였다. 남한만의 단독 선거를 실시하는 것은 남북한이 영원히 분단되는 것을 의미하므로, 시간이 좀 더 걸리더라도 남북한이 모여 협상을 통해 진정한 통일을 이루자고 주장하였다.

— 초등학교 6-2, 《사회》 중에서

나 따라서 사료에는 그 사료를 기록하는 사람의 관점과 이해관계가 함께 기록됩니다. 달리 말하면, 기록자의 관점과 이해관계에 따라서 과거사실에 대한 설명이 제한되고 왜곡됩니다.

(……)

우리는, 기록자의 관점과 이해관계에 의해서 제한되고 왜곡된 설명을 사료로 읽고 해독하게 됩니다. 그렇게 되면, 제한되고 왜곡된 설명은 다시 한 번 더 제한되고 왜곡하게 되는 셈입니다. 그래서 역사가들은 그렇게 제한되고 왜곡되는 과정과 현상을 최대한 줄이려고 노력합니다. 하지만 아무리 훌륭한 역사가라고 하더라도 자신이 가지고 있는 가치관, 인생관, 세계관 등을 모두 완전하게 버릴 수는 없겠죠. 또한 아무리 훌륭하더라도 타임머신을 타고 가서 정말 과거 속으로 들어갈 수도 없습니다. 그는 과거가 아니라 오늘에 서 있을 수밖에 없습니다. 역사가는 현재에서 절대로 벗어날 수 없습니다. 그래서 어떤 역사 이론가들은 '역사는 항상 현재의 역사'라고 말하곤 합니다.

—《E. H. 카가 들려주는 역사 이야기》 중에서

생각 쓰기

생각 쓰기

case 4 (가)에서 나폴레옹에 대한 글쓴이의 판단이 달라진 이유를 설명하되, (나)에 나와 있는 핵심어를 활용하여 서술하시오. (400자 내외)

가 모든 사람이 골고루 권리를 누리고 발전하기 위해서는 '정의'를 늘 고려해야 합니다. 사회 구성원 모두의 적절한 생활 수준을 유지하기 위해 자원의 재분배를 꾀하는 것, 누구나 교육과 의료 혜택을 누릴 수 있도록 하는 것, 사회적 약자에 대한 특별한 보호 대책을 마련하는 것 등이 사회 정의와 경제 정의를 실현하기 위해 인권이 도모하는 일입니다.

(……)

주변에 흔하기 때문에 오히려 눈에 잘 안 띄는 문제들, 가령 빈곤이나 실업, 차별과 편견 등에 대해 관심을 가지고 행동하는 것도 중요합니다.

— 초등학교 6-1, 《국어 읽기》 중에서

나 역사가를 포함해서 모든 사람들이 과거를 이해하는 방식은 사료에 기록된 과거사실을 읽음으로써 그 과거사실을 이해하게 되는 것입니다. (……)

둘째, 과거사실에 대한 설명을 읽는 사람의 이해관계 혹은 관점 때문에 문제가 발생합니다.

(……)

과거사실에 대한 설명을 읽는 사람의 관점이나 이해관계 때문에, 과거사실이 진실과 달리 멋있게 꾸며지거나 지나치게 비판되기도 하고 혹은 무시되기도 합니다.

또한, 주어진 사료들의 진위성이나 신뢰도가 평가되고 그에 따라 읽는 사람이 진실이라고 생각하는 바대로 과거사실이 재구성되는 것입니다.

—《E. H. 카가 들려주는 역사 이야기》 중에서

생각 쓰기

생각 쓰기

생각 쓰기

case 5 (가)의 밑줄 친 부분의 의미를 설명하고, 이를 바탕으로 (나)에 나온 흥선대원군의 척화운동을 오늘날의 관점에서 다시 평가해 보시오. (400자 내외)

가 에드워드 카는 역사를 "현재와 과거의 끊임없는 대화"라고 말했습니다. (……)

역사가는 과거사실을 탐구할 때, 위에서 말한 세 가지 종류의 사실을 통해서 연구합니다. 역사가는 ①사료를 열심히 읽어서 과거사실에 대한 설명을 이해하려고 노력하고, ②수많은 설명 중에서 사실이라고 검증된 것을 중심으로 그 역사적 중요성에 대해 논의하며, ③우리 사회와 국가의 역사에서 확정된 중요성을 가진 사실이 무엇인지를 보여주려고 노력하는 사람입니다. 물론 이 세 가지의 역사 사이에는 명백한 경계가 있는 것은 아닙니다. 경우나 주제마다 역사적 중요성이 달라지기 때문입니다.

에드워드 카는 이 세 가지 종류의 역사를 끝없이 오가며 과거를 탐구하는 작업을 역사라고 했습니다. 물론 근본적으로 역사는 과거사실이 무엇인지를 알려고 탐구하는 사람입니다. 그러나 과거에 있는 과거사실은 누구에게도 발생한 그대로의 경험으로 다가오지 않습니다. 그렇기 때문에, 카는 과거사실에 대한 설명을 두고 위에서 말한 세 가지 역사의 끊임없는 수정 작업을 통해 역사의 진실을 파헤치려고 노력해야 한다고 말합니다. 역사의 진실은 있습니다. 그러나 어느 누구도 그것을 소유하고 있다고 말할 수 없습니다. 카는 부단히 그것을 위해 노력해야 한다고 주장합니다.

— 《E. H. 카가 들려주는 역사 이야기》 중에서

나 조선 후기에 이르러 나라 안의 왕실의 외척이 권력을 휘둘러 정치 · 사회적으로 혼란하였고, 나라 밖으로는 '이양선' 이라 불린 서양 배들이 나타나 무역을 하자며 위협하였다. 이 시기에 고종의 아버지 흥선 대원군은 위기에 처한 나라를 구하고자 많은 개혁을 시도하였다. (……)

두 차례에 걸친 서양의 침략을 물리친 흥선 대원군은 서양과 교류하지 않겠다는 결의를 다지기 위해, 전국에 다음과 같은 내용을 새긴 척화비를 세웠다.

"서양 오랑캐가 침범하였을 때 그들과 싸우지 않으면 화해하는 것이요, 화해를 주장하는 것은 나라를 파는 일이다."

흥선 대원군은 백성들에게 서양의 침략을 일깨우고, 서양과 교류하지 않겠다는 생각을 더욱 굳혔다. 그러나 서양의 침범을 막기 위해서는 서양의 기술을 익혀 나라의 힘을 길러야 한다고 생각하는 사람들이 점점 늘어 갔다.

"나라의 근본이 곧 백성입니다. 백성을 으뜸으로 생각하고 정치를 펴는 것이 곧 어진 정치입니다."

조식은 거침없이 임금과 관리의 바른 길에 대하여 말하였다. 임금은 그의 높은 학식과 충성심에 감탄하여 늘 함께 있기를 청하였다.

— 초등학교 6-1, 《사회》 중에서

생각 쓰기

생각 쓰기

실전 논술

예시 답안

case 1

(가)는 사료의 의미를 정의하고 있다. 이에 따르면 사료는 과거의 사실 그 자체가 아니라 사료 기록자가 특정 위치와 시간에 자신의 관점을 기록한 것이다. 따라서 사료는 과거사실 자체가 아니라 과거사실에 대한 설명을 보는 것이라고 할 수 있다.

(나)는 이야기 형식으로 된 사료다. 얼핏 보면 단순한 옛날 이야기 같지만 이 자료는 역사적으로 많은 의미를 함축하고 있다. 예를 들어 환웅이 바람, 구름, 비를 다스리는 신하를 데리고 왔다는 것은 이미 이 당시 농사를 중요시하는 의식이 생겼다는 것을 엿볼 수 있다. 또 '곰'과 '호랑이'는 곰과 호랑이를 숭배하는 사람들을 뜻한다. 따라서 곰을 숭배하는 사람들과 환웅이 거느리고 온 사람들이 함께 살게 되었다고 해석할 수 있다. 이런 점을 비추어 봤을 때 삼국유사는 고대 조상들의 생활을 간접적으로 보여 준다는 점에서 사료로 훌륭한 가치를 지닌다고 할 수 있다.

(생각 다지기)

인간의 기억에는 한계가 있습니다. 모든 것을 기억할 수 없고 모든 것을 기억으로 전달할 수 없습니다. 따라서 우리가 역사를 알기 위한 가장 좋은 방법은 사료를 활용하는 것입니다. 우리는 사료를 통해서만 역사를 바라볼 수 있고 또 서술할 수 있습니다.

그러나 사료는 과거의 역사를 객관적으로 보여 주는 것이 아닙니다. 사료조차도 당시에 기록되는 사람의 주관이 개입될 수 있기 때문입니다. 카에 따르면 역사는 역사가가 중요하다고 생각되는 과거를 선택하는 순간 역사가의 주관이 개입될 수밖에 없다고 했습니다. 그래도 우리는 불가피하게 사료를 통해서 과거를 볼 수밖에 없습니다. 우리에게 필요한 것은 사료에서 사실이 되는 부분과 기록자가 주관적으로 해석한 부분을 가려내는 것이 됩니다. 주관적 해석과 객관적 사실이 뒤엉켜 있는 사료에서 사실만을 추리고 이를 과거의 사실로 재구성하는 노력이 역사가와 역사를 보는 사람들에게 필요합니다.

case 2

(나)는 청동기 시대의 생활환경을 알 수 있는 훌륭한 기록 자료이다. 이 자료는 청동기 시대의 모습을 모두 보여 줄 수는 없지만 당시의 삶을 엿볼 수 있는 구체적인 단서들을 담고 있다.

우선 '봄이 되어 밭으로 일을 나가고 씨를 뿌린다' 고 한 걸 보아 이 당시 농사를 중시하는 삶이 시작되었다는 사실을 알 수 있다. 또 집에서 가축을 기르고 있었다는 것은 사냥을 위주로 하는 채집, 수렵 생활보다는 농경, 정착 생활을 했다는 것을 보여 준다. 또한 전문적인 대장장이가 등장할 정도로 청동기가 널리 쓰이고 있었다는 것을 확인할 수 있다. 청동기에 쓰이는 광석에 대한 지식이 해박한 것도 청동기가 중요한 삶의 도구로 활용되고 있었음을 알게 해 준다. 마지막으로 족장의 명령으로 제사를 준비하는 모습 속에서 청동기 시대에 하늘을 섬기는 종교적 풍습이 발생했다는 것을 알 수 있다.

(생각 다지기)

사료에는 한계가 있습니다. 이 말은 우리가 과거를 모두 알 수 있을만큼 충분한 사료가 없다는 말입니다. 특히 머나먼 과거로 거슬러 올라갈수록 우리가 볼 수 있는 사료의 양은 대단히 적습니다. 특히 선사시대나 고대 부족사회에서는 문자생활전이기 때문에 역사를 아는 데 많은 어려움을 겪습니다.

그렇다면 사료가 부족한 먼 과거의 역사 탐구를 포기해야 할까요? 역사가들은 부족하지만 존재하는 자료를 가지고 최대한 해석을 시도합니다. 예를 들면 고인돌을 보고 단지 '옛날에는 돌 아래 사람을 묻었구나' 로 끝나지 않고 더 폭넓은 사고를 통해 해석의 범위를 넓히려고 합니다. "고인돌 같이 무거운 돌을 옮기려면 사람이 많이 필요했을거야. 그럼 이때부터 사람들이 무리 생활을 했다는 것이 되겠네" 또는 "자기 무덤을 짓기 위해 이 정도로 사람을 동원할 정도면 대단한 권력가였나 봐. 그렇다면 이 때 벌써 강력한 권위의 지도자가 생겼다는 것인가?" 이와 같은 사고의 확장으로 역사의 빈 공간을 채워나갑니다.

우리가 과거를 직접 가보지 않는 이상, 우리의 상상력은 맞는 것인지 확인할 길은 없습니다. 그러나 사료의 빈 공간을 적극적인 해석을 통해 채워나가는 작업도 분명히 역사가가 담당하고 있는 임무입니다.

case 3 (나)는 우선 기록자의 관점과 이해관계에 따라 역사가 제한되거나 왜곡될 가능성에 대해 우려하고 있다. 그러나 이는 최소화시킬 수 있을 뿐이지 우리가 과거의 역사를 정확하게 알 수 없는 한, 역사 기록의 불가피한 한계라고 설명하고 있다. 이런 (나)의 주장을 잘 입증해주는 것이 (가)의 상황이다.

(가)의 김구와 이승만은 다른 동일 사실, 동일 과제에 대해 서로 다른 입장을 가지고 있다. 이는 김구와 이승만의 세계관, 가치관이 다르기 때문이다. (가)에서 알 수 있듯이 이승만은 반공을 자신의 가치관으로 삼고 있다. 이렇다 보니 사상과 이념이 다른 동등한 통일 정부를 구성하기 보다는 남한의 단독 정부를 선호하고 있다. 이에 반해 김구는 분단이 외세의 개입 때문이라는 생각을 가지고 신탁 통치에 반대하며 임시정부의 전통을 계승하는 남북 공동 정부를 주장하고 있다. 물론 둘 다 정부 수립에는 동의하고 있다. 하지만 각기 상이한 가치관을 가지고 있음으로 해서 동일한 사건에 대해 다른 해석을 내리는 것이 대립의 원인이다.

(생각 다지기)

역사는 흔히 사실로써의 역사와 기록으로써의 역사로 나뉩니다. 사실 그 자체를 다루는 사실로써의 역사에는 역사가의 주관이 개입될 여지가 없습니다. 해가 동쪽에서 뜨고 서쪽으로 지는 것이나 우리나라의 광복절이 1945년 8월 15일이라는 사실, 또는 베이징 올림픽에서 박태환 선수가 금메달을 딴 것은 분명한 사실로써의 역사입니다.

그런데 이런 것이 역사로 기록되는 순간 필연적으로 역사가의 주관이 개입될 수밖에 없습니다. 사실적인 내용을 그냥 쓴다하더라도 왜 그 역사를 선택했는지 문제가 되겠지요. 역사를 선별하고 선택하는 과정에 이미 역사가의 주관이 개입되었다고 보는 것입니다. 따라서 보통 역사라고 하면 사실로써의 역사와 기록으로써의 역사가 공존하는 것으로 이해하면 됩니다. 역사란 사실과 해석의 끊임없는 상호작용인 셈이죠.

역사가 사실과 해석으로 이루어져 있다 보니 동일 사건을 놓고 대립하는 경우가 빈번합니다. 그리고 역사상의 해석 차이는 심각한 대립으로 나타나는 경우가 많습니다. 최근 독도 영유권을 둘러싼 일본과의 대립이나 한 때 고구려사가 쟁점이 되었던 중국과의 역사 분쟁을 알아보면 좋을 듯합니다. 이 모든 것은 그만큼 역사적 사실이 해석의 여지가 많기 때문에 발생하는 것입니다. 그러나 간혹 의도적으로 사실을 왜곡하거나 특정 사실을 부각시켜 자신들에게 유리한 해석을 내리는 경우가 있습니다. 이것은 해석의 문제를 넘어서 역사를 왜곡하고 있다고 보아야겠지요. 아무리 해석의 여지가 열려 있다고 해도 사실 관계를 조작하거나 선택의 객관성을 잃으면 그것은 진정한 역사가 아니라 거짓 역사가 됩니다.

case 4 나폴레옹에 대한 글쓴이의 태도가 달라진 이유는 나폴레옹의 행위를 바라보는 글쓴이의 위치가 달라졌기 때문이다. (나)에는 역사가를 포함한 모든 사람이 사료를 통해 역사를 이해하지만 과거사실을 읽는 사람의 관점과 이해관계에 따라 사료에 대한 태도가 달라진다고 하였다. (가)의 글쓴이가 바로 이 경우에 해당한다고 할 수 있다.

(가)의 글쓴이가 처음에 나폴레옹을 긍정적으로 봤던 것은 성공한 장군으로서 나폴레옹의 입장 또는 전쟁에서 승리한 프랑스 국민 입장에서 사료를 보았기 때문이다. 하지만 두 번째 글을 읽을 때는 나폴레옹을 보는 위치가 완전히 바뀌었다. 이번에는 나라를 침략당한 국민의 입장에서 본 것이다. 침략 받은 국민의 입장에서 나폴레옹은 과거의 자신의 처지(식민지국인 코르시카의 국민)를 망각하고 명분없이 전쟁을 일으킨 침략자에 불과하다. 이렇듯 나폴레옹에 대한 (가) 글쓴이의 평가가 달라진 것은 역사를 바라보는 위치와 이해관계가 달라졌기 때문이다.

(생각 다지기)

동일한 사건이라도 시간이 지나면 평가가 달라지는 경우가 있습니다. 대표적인 것이 부도덕한 권력자에 대해 대항했던 무수한 백성들의 민란(民亂)같은 것들입니다. 당시에는 사람을 옥에 가두고 천하의 역적으로 몰지만 시간이 지나면 역사 발전에 큰 의미가 있었던 사건으로 기록됩니다. 대표적인 것이 동학농민항쟁이나 5.18 광주민주화운동 같은 경우입니다.

그렇다면 같은 사건인데 왜 과거와 현재의 사건이 다르게 평가되는 것일까요?

그것은 역사가나 역사를 바라보는 사람들의 시각이 시대 상황의 영향을 받기 때문입니다. E.H.카가 얘기하듯이 인간은 사회적 동물이고 사회와 끊임없이 상호작용하며 살아갑니다. 따라서 시대가 바뀌면 역사를 바라보는 사람들의 시각도 바뀝니다. 앞서 동학농민항쟁의 경우도 조선왕조의 입장으로 보면 반란이나 민란으로 평가되지만 민주주의가 널리 퍼진 현재의 관점으로 보면 사회의 부정을 해소하기 위한 저항운동으로 평가하게 되는 것입니다.

이처럼 시대 상황이 변하면 역사도 변하기 마련입니다. 변하지 않는 역사라는 것은 존재하지 않습니다. 시대 상황에 따라 끊임없이 재해석되고 재평가되는 것이 역사의 본성입니다.

case 5

(가)는 역사를 현재와 과거의 끊임없는 대화라고 표현하고 있다. 이는 역사가가 과거의 사실에 대한 정확한 이해를 바탕으로 하되, 최종적으로는 현재의 관점을 적용하여 끊임없이 새로운 진실을 찾으라는 의미로 해석할 수 있다.

그런 점에서 홍선 대원군의 척화 운동은 다시 생각해 볼 여지가 많다. 홍선대원군은 외세의 침략을 막아야 한다는 당장의 문제만을 볼 뿐 변화하는 주변 상황을 정확하게 읽지 못했다. 당시 조선은 서방 사회는 물론 이웃 일본에게도 근대화에 뒤떨어져 있었다. 이런 상황에서 외세가 싫다고 문을 걸어 잠그고 외국과의 교역을 거부한 것은 나라를 지키기보다는 국력을 약화시키는 결과를 초래했다. 세계화를 통해 새로운 발전을 이룩해야 하는 오늘날의 대한민국 입장에서 홍선대원군의 척화운동은 본받지 말아야할 부정적인 역사로 기억될 것이다.

(생각 다지기)

텔레비전에서 고구려사를 소재로 한 주몽, 태왕사신기, 연개소문과 같은 사극이 인기리에 방영했던 것을 기억할 겁니다. 왜 갑자기 이런 현상이 일어난 것일까요? 그것은 아마 그 시기에 중국과의 역사 분쟁이 있었기 때문입니다. 중국에서 고구려를 자신의 역사라고 주장하자 사람들이 일시에 고구려사에 대한 관심을 가졌다는 것이죠. 고구려는 확실히 우리 역사인데 중국이 반론을 제기하니 온 국민들이 발끈한 것으로 보면 되겠죠.

이렇게 보면 역사는 확실히 현재의 관점으로 보게 되는 것이 맞습니다. 학창시절 국사책에서나 봤을 고구려의 역사에 대해 온 국민이 관심을 가진 것은 갑자기 역사에 대한 학구열이 불타 올랐다기보다 역사에 대한 현재의 관심이 반영된 결과라고 보아야 할 것입니다. E. H. 카는 이것이 바로 역사가 만들어지는 과정이라고 보았습니다. "역사는 현재와 과거의 끊임없는 대화이다." 이 말은 과거의 역사는 현재의 관점에 따라 끊임없이 재해석되고 재평가될 수밖에 없다는 E. H. 카의 중심 생각을 잘 보여주는 것입니다.

E. H. 카는 역사를 단지 과거에 있던 것을 간직하고 기록하여 잘 보존하는 것에

만족하지 않습니다. E. H. 카는 역사가 항상 현재의 필요성이나 문제의식을 해결해 줄 수 있어야 한다고 보았습니다. 물론 그렇다고 하여 현재의 관점대로 과거의 사실을 왜곡해도 좋다는 것은 아닙니다. 물론 사실 자체는 왜곡 없이 진실되게 다루고 발굴, 기록해야 합니다. 하지만 이것이 이루어진 다음에는 보다 적극적인 해석의 자세가 필요합니다. 사실로써의 역사에 현재의 관점을 반영해 끊임없이 새로운 역사의 진실을 파헤쳐가는 것이 중요하다는 것입니다. E.H.카는 이러한 노력을 통해 인류가 역사의 진실에 한 걸음씩 다가갈 수 있다고 보았습니다.

Abitur

철학자가 들려주는 철학이야기 084

서경덕이 들려주는 기 이야기

저자_**이봉선**

중앙대에서 문예창작을 전공했습니다. 1998년과 2004년에 신춘문예 단편소설로 등단하였습니다. 현재 대학에서 소설 창작을 강의하며 소설을 쓰고 있습니다. 효원이 태준이의 아빠로서 좋은 책을 많이 읽어주려 노력하고 있습니다. 학생들에게 국어와 논술을 가르치면서 가장 소중한 삶의 가치가 무엇인지도 늘 고민하고 있습니다.

배경 지식 넓히기

徐敬德

서경덕과 '기'

서경덕 주요 개념

1. 서경덕을 만나다

1) 서경덕은 누구인가

서경덕은 조선 중기의 유학자입니다. 그는 주기론(主氣論)의 선구자로 1489년 송도(松都 : 지금의 개성) 화정리(禾井里)에서 태어났습니다. 그는 양반 집안 출신이었지만, 할아버지와 아버지가 무반 계통의 하급관리였을 뿐이라서 남의 땅을 부쳐 먹으며 가난한 생활을 했습니다. 그래서 그는 14세가 되어 비로소 글을 읽고 독학으로나마 공부를 하게 되었습니다. 하지만 사화(10세 때 무오사화, 16세 때 갑자사화, 31세 때 기묘사화, 57세 때 을사사화)때문에 과거에는 뜻을 두지 않고 주로 산림에서 은거하였습니다. 조식(曺植) · 성운(成運) 등 당대의 처사(處士)들과 지리산 · 속리산 등을 유람하며 교유하였으며, 1519년 조광조에 의해 실시된 현량과에 으뜸으로 천거되었으나 사퇴하고 화담에 서재를 지어 연구를 계속했습니다. 1531년에는 어머니의 소원에 따라 생원시에 응시해 합격하기도 했으나 벼슬길에는 나가지 않았습니다. 1544년 김안국(金安國)이 후릉참봉(厚陵參奉)에 서경덕을 천거했으나 역시 벼슬길에 나가지 않았습니다.

서경덕은 황진이 · 박연폭포와 함께 개성을 대표한 송도3절(松都三絶)로 지칭되기도 합니다. 그는 노장사상으로 대표되는 도가의 행적을 기록한 것으로도 유명합니다. 1544년 병으로 누웠다가 1546년 58세의 일기로 서재에서 숨을 거두었습니다. 죽기 전 제자가 기분이 어떠냐고 묻자 "삶과 죽음의 이치를 안 지 이미 오래이니, 편안할 뿐이다"라고 대답했다고 합니다.

죽은 뒤 우의정이라는 상징적 의미의 벼슬과, 문강(文康)이라는 시호를 받았습니다.

2) 서경덕의 사상

취산(聚散)과 기자이(機自爾)

서경덕은 새가 날아다니는 원리를 이해하기 위해, 날이 저무는지도 모를 정도로 연구에 몰두했다고 합니다. 또한 죽은 살구나무 뿌리를 땅 밖으로 내놓아 살리기도 했고, 차가운 땅속에서 뜨거운 온천이 솟는 이유를 음양이론을 바탕으로 설명하기도 했습니다. 이런 자연현상은 서경덕의 중요한 관심사였습니다. 서경덕은 이러한 개념을 기(氣)와 연결해서 설명합니다.

'기'는 원래 생명현상을 설명하는 개념이었습니다. 호흡은 생명을 판가름하는 기준이었고 그것을 기라고 설명한 것입니다. 이러한 기를 확장시켜 신체(오장육부)를 비롯한 육체와 정신까지 설명하게 되었습니다. 더 나아가 사회와 우주까지 설명이 가능했으며, 목성 · 화성 · 금성 · 토성 등도 기로 설명할 수 있게 되었습니다.

서경덕은 기로 인간과 우주를 설명할 때, 취산(聚散)이라는 개념을 사용했습니다. 취산이란 모으고 흩어짐을 의미합니다. 즉, '삶과 죽음, 사람과 귀신은 단지 기가 모였다가 흩어진 것일 뿐이다' 라는 말입니다. 맑게 하나로 아울러 깨끗하고 텅 빈 기는 바깥이 없는 태허(太虛)에 가득 차 있는데, 이것이 크게 모인 것이 하늘과 땅이며, 작게 모인 것이 만물이 되었다고 설명합니다. 그리고 기가 모이고 흩어지는 기세에 희미하고 뚜렷한 것, 오래 걸리고 빨리 되는 것의 차이가 있을 뿐, 비록 한 포기의 풀이나 나무 같은 것의 기도 흩어지지 않는다고 여겼습니다. 하지만 흩어진다면 어떻게 될까요? 서경덕은 부채를 예로 듭니다. 부채에서 바람이 나오는 것이 아니라 바람이 있고 부채가 그것을 움직인다고 본 것입니다. 바람 또한 기라고 여겼기에 기는 언제나 존재하며 흩어지는 것이 아니라는 말입니다. 서경덕은 여기서 바람이 멈춘 상태를 태허 즉, '큰 빔' 이라고 설명합니다. 기가 없는 것이 아니라 희박해진다는 주장입니다.

희박했던 기가 뭉치면 만물이 변화합니다. 이는 자연 구조뿐만 아니라 인간에게도 적용됩니다. 인간에게 있어 태허는 마음이고, 만물은 감정과 욕망입니다. 고요한 마음이 대상과 만나 감정과 욕망이 생긴다고 본 것입니다. 욕망과 감정은 사람의 이해관계에 따라 움직이기 쉽습니다. 따라서 고요한 마음이 가진 도덕성을 해치게 된다는 것입니다. 그래서 서경덕은 사람이 언제나 고요한 마음을 유지하기 위해서는 마음을 비워야 한다고 주장합니다. 그것은 곧 태허로, 서경덕은 언제나 고요함과 즐거움을 찾고자 노력했으며 이를 '머무름' 이라고 보았습니다.

사람의 경우 머무름 또한 한 가지 형태가 아닙니다. 그래서 각각 적절한 곳에 머무를 줄 알아야 합니다. 부모와 자식이 은혜에 머무르고 임금과 신하가 의리에 머물러야 한다고 보며 이를 본성이라고 보았습니다.

움직이는 사람은 조용해지고 수고한 사람은 편안함을 찾습니다. 뜨거운 것을 잡으면 찬 것을 만지고 피곤하면 잠을 잡니다. 움직이던 것을 멈추고 힘이 들면 쉬어야 하고 더우면 시원한 곳을 찾아가야 합니다. 이처럼 지혜로운 사람은 기다리지 않고도 자신이 머물 곳을 알아야 합니다.

서경덕은 이렇게 기가 움직이는 현상을 기자이(機自邇)라고 설명했습니다. 기자이는 작동 구조가 저절로 그렇게 변한다는 뜻입니다. 쉽게 말하자면 어떤 원인이 있어서 그런 것이 아니라, 저절로 그렇게 된다는 말입니다.

이(理)와 기(氣)

만물의 존재가 이(理)와 기(氣) 두 요소로 이루어졌다고 설명하는 성리학의 이론입니다. '기'는 것은 서양 철학의 존재론에 있어서 '물질'과 비슷한 개념입니다. 즉, 세계를 구성하는 양적 · 물질적 · 물리적 요소를 가리킵니다. 이에 비해 '이'는 것은 세계가 형성되고 변화하는 근본 법칙, 또는 원리와 비슷한 개념으로, 질적 정신적 체계에 속한다고 할 수 있는 개념이라고 볼 수 있습니다.

'이와 기 가운데 무엇을 더 근원적인 요소라고 생각하는가?' '무엇이 더욱 중요한 요인이라고 생각하는가?'에 따른 학자들의 의견은 서로 다릅니다. 주기론자들은 기가 근본적 요소이며 이는 기의 변화 생성의 법칙일 뿐이라고 생각하는 반면, 주리론자들은 이가 근본적 요소로써 기는 단지 이에 의해 변화 생성 되는 재료에 불과하다고 생각합니다.
주기론을 지지하는가 주리론을 지지하는가에 따라서 세계와 인간, 인간의 실천적인 문제 등 세계를 해석하는 관점이 현격히 달라지는 것입니다. 주기론자들은 인간의 본능적 성향을 긍정하며 현실적이고 실질적인 것을 선호합니다. 반대로 주리론자들은 인간의 도덕적 성향을 긍정하며 이상적이고 가치적인 것을 선호합니다.
율곡 이이의 주장은 주로 주자(朱子)의 이론에서 출발하는데 이는 주기론에 가깝다고 할 수 있습니다. 퇴계 이황이 철저한 주리론자라면 율곡의 학설은 주리설과 주기설의 중간 지점에서 약간 주기설 쪽에 가까운 감이 있는 것입니다. 서경덕은 주기론에서 더 극단적으로 나아가 거의 유기론자(唯氣論者 : 오로지 기밖에 없다고 주장하는 편이라고 하는데 이율곡은 서화담의 이러한 학설을 비판합니다.

2. 교과서에서 만난 기

① 우주 만물의 근원인 이(理), 만물의 구성 재료인 기(氣)

고려 말기에 원나라로부터 받아들인 성리학은 조선에 이르러 유교 사상을 더욱 이론적으로 분석하고 체계화하며 철학적으로 발전하였다. 성리학의 이기론(理氣論)과 심성론(心性論)에 의하면, 성(性)은 '본연지성'과 '기질지성'으로 나누어진다. 본연지성은 이(理)이고, 기질지성은 기(氣)이다. '이'는 우주만물의 근원이 되는 이치로서 '기'의 활동 근거가 되어 사단으로 표출되고, 기는 만물을 구성하는 재료로서 칠정으로 나타난다.

조선시대 대표적인 성리학자로는 이황과 이이를 들 수 있는데, 이황은 "사단은 이를 발해 기가 이를 따른 것이고, 칠정은 기가 발해 이가 기를 탄 것"이라고 하면서 이기호발을 주장하였다. 이에 대해 이이는 사단과 칠정이 모두 "기가 발하고 이가 탄 것"이므로, 이황의 "사단은 이가 발하고 기가 이를 따른 것"이란 주장은 옳지 않다고 비판하였다. 이이는 '이'란 보편적인 것이고, '기'는 특수한 것으로 파악하여, '이'는 통하고, '기'는 국한된다는 독특한 견해를 창출하였다. 즉, 이이는 인간을 포함한 모든 사물의 특성이 제각기 다른 것은 '기'의 국한성 때문이라고 보았다. 그러나 서로 다른 특성 속에서 본체로서의 '이'가 내재하고 있다는 의미에서 보면, 인간이나 사물은 모두 동일하다고 주장하였다. 따라서 이통기국론은 '이'와 '기'의 양자가 서로 보완 관계를 유지하면서 조화되는 것이라 하겠다.

—고등학교, 《윤리와 사상》, 〈유교윤리〉 중에서

'기'에 대한 내용은, 중학교 3학년 교과서 《도덕》, 〈조상들의 학연 모습〉, 185쪽과 고등학교 《전통윤리》, 〈사단칠정논쟁〉, 89쪽 등에서도 다뤄집니다. 내용이 조금 어려워 보이지만 차분하게 읽어 나가면 이해할 수 있을 것입니다.

기란 무엇일까요? 기를 한마디로 단정 짓기는 어렵습니다. 하지만 우리는 '기가 막힌다', '기를 살려주자', '기분이 좋다' 등 흔히 기와 관련된 말을 합니다. 조선시대 성리학자들이 관심을 가졌던 기와 이의 문제는, 만물의 근원과 구성 원리를 파악하기 위한 노력이었습니다. '이'는 보편적인 공통 속성이고, '기'는 그것을 이루는 개별적인 특수한 것입니다. 어떤가요? 이제 '기'가 이해되나요? 사실 좀 어렵지요? '기절한다'는 말의 기절(氣節)은 기가 끊어짐을 뜻합니다. 이처럼 기는 우리 주변에서 흔히 쓰는 말입니다. 물론 서경덕이 말한 기의 의미가 우리가 일상적으로 쓰는 기와 완전히 똑같은 것은 아닙니다. 그러나 '기'의 의미를 어렵게만 받아들일 것이 아니라 일상생활과 연계해 생각하다 보면 새로운 의미를 찾아가는 재미가 있을 것입니다.

사단칠정(四端七情)

사단은 사람의 본성에서 우러나오는 윤리적인 네 가지 마음이고, 칠정은 인간의 자연스러운 마음 일곱 가지입니다. 다시 말해 사단은 선천적이며 도덕적인 능력을 말하고, 칠정은 인간의 본성이 사물을 접하면서 표현되는 감정입니다.

사단은 ①불쌍히 여기는 마음 惻隱之心(측은지심), ②자신의 불의(不義)를 부끄러워하고 남의 불의를 미워하는 마음 羞惡之心(수오지심), ③양보하는 마음 辭讓之心(사양지심), ④잘잘못을 분별하여 가리는 마음 是非之心(시비지심)의 네 가지 도덕적 감정을 말합니다. 사단은 이처럼 인(仁) · 의(義) · 예(禮) · 지(智)의 덕목과 관련되어 있습니다.

칠정은 ①기쁨(喜), ②노여움(怒), ③슬픔(哀), ④두려움(懼), ⑤사랑(愛) ⑥미움(惡) ⑦욕망(欲)의 일곱 가지 자연적 감정을 가리킵니다.

성리학에서는 하늘의 이치와 사람의 마음이 통한다는 생각으로, 우주 자연의 생성과 변화를 설명하기 위한 이론적 바탕으로 이기론(理氣論)을 발달시켰습니다. 이것을 바탕으로 하여 인간의 마음이 어떻게 발생하였는지 연구하여 도덕적 실천의 철학적 근거를 찾으려는 과정에서 사단칠정의 의미를 함께 연구하는 것입니다.

3. 기출 문제에서 만난 서경덕

2004년도 춘천교육대학교 정시

서경덕이 탐구한 '기'를 바탕으로 한 성리학은 논술에서 자주 언급되는 편입니다. 2000년 이화여대 정시, 2005년 고려대 수시 1학기, 2006년 서강대 수시 2학기, 2007년 가톨릭대 수시 2학기 등에도 성리학에 관한 문제가 직·간접적으로 출제되었고, 서경덕의 탐구 방법에 관해 언급한 문제도 있었습니다. "들판으로 나물을 캐러 간 아이가 하루하루 변하는 그 신기한 자연현상을 관찰하느라고 나물 바구니보다 종달새에 더 관심을 보였다"는 서경덕의 일화가 소개된 적이 있습니다. 이는 2004년 춘천교육대학교 정시 문제로 위 이야기를 통해 올바른 교육과 그 실천 방법을 모색하라는 문제였습니다.

서경덕이 뛰어난 학자로서 이름을 남긴 것은 자연현상에 대한 끊임없는 의문과 탐구 덕분입니다. 누구나 흔하게 겪는 보편적인 자연현상에 대해서 그는 스스로의 관찰과 경험을 토대로 특정한 의미를 부여함으로써 새로운 지식을 창조해 갔고 그것을 실천하고자 노력했습니다. 여기에서 각각 적절한 곳에 머무를 줄 알아야 한다는 그의 사상을 찾아볼 수 있습니다. 서경덕이 부모와 자식이 은혜에 머무르고, 임금과 신하가 의리에 머무르는 것이 본성이라고 언급했듯이, 현상에 관한 관찰과 연구는 바로 학자의 본성이라고 볼 수 있을 것입니다. 이런 체험을 통해 서경덕은 깨달음에 도달할 수 있었고 훗날까지 이름을 남길 수 있었습니다.

그렇다면 서경덕과 같은 학생을 교육하기 위해서는 어떤 방법이 바람직할까요? 이 또한 서경덕의 사상 속에서 그 답을 찾아낼 수 있습니다. 바로 학생이 적절한 곳에 머물 수 있도록 지도를 해 나가면 되겠지요. 이는 바로 선생님의 적절한 머무름으로 설명할 수 있습니다. 우선 학생은 자신에게 알맞은 형태로 지식을 재구성할 수 있도록 환경을 조성해 나아가야 합니다. 그러나 학생이 해결하지 못한 문제에 대해서는 선생님이 올바른 방향을 제시해 주는 것도 좋은 방법입니다. 특히 어린 학생들은 추상적이고 상징적인 중간 언어로 제시되는 내용은 이해하기 어려우므로, 구체적 제시를 통해 이를 이해하고 자신의 지식으로 받아들일 수 있을 것입니다. 또한 선생님은 학생 개개인의 특징과 소질, 흥미를 파악하고 그들이 올바른 곳에 머물 수 있도록 지도를 해야 할 것입니다.

실전 논술

논술 문제

case 1 다음 글을 읽고 주어진 조건에 따라 논술하시오.

가 초가 연소할 때 생기는 물질 알아보기

실험 방법(1) 종이, 나무, 초 등이 연소하고 나면 원래의 물질은 어디로 가는지 알아봅시다. (2) 초가 연소할 때 생기는 물질은 무엇인지 알아봅시다. ① 촛불에 집기병을 씌워 집기병 안쪽 벽면이 뿌옇게 되게 합니다. ② 촛불을 끈 다음, 집기병 안쪽을 관찰하고, 푸른색 염화코발트 종이를 집기병 안쪽 벽면에 생긴 물질에 대 봅니다. ③ 푸른색 염화코발트 종이에 물을 묻힙니다. ④ 집기병 안에 잠시 촛불을 켜 놓았다가, 석회수를 부어 석회수의 변화를 관찰합니다.

초가 연소할 때 생기는 물질 (3) 초가 연소한 후 생기는 물질에 대하여 알아봅시다.

실험 결과(1) 초뿐만 아니라 다른 물질도 연소하고 난 후에는 연소하기 전과는 전혀 다른 물질을 만들어냅니다.(2) 초가 연소할 때 생기는 물질 ① 집기병 안쪽에는 그을음이 생기고 물방울이 맺혀 있습니다. ② 푸른색 염화코발트 종이를 집기병 안쪽 벽면에 대 보면, 푸른색 염화코발트 종이가 붉은색으로 변합니다. 또한, 푸른색 염화코발트 종이에 물을 묻히면 붉은색으로 변합니다. ③ 집기병 안에 석회수를 부으면 석회수가 뿌옇게 흐려집니다.(3) 초가 연소할 때 생기는 물질 ① 물 ② 이산화탄소 ③ 그을음 등

— 초등학교 5, 《과학》 중에서

나 "비록 풀 한 포기 나무 한 그루의 미미한 사물에 있어서도 그 기의 끝은 흩어지지 않는데, 하물며 크고 오랫동안 모인 사람의 정신과 지각(知覺)이 그렇게 빨리 흩어지겠습니까? 사람이 죽으면 형체와 육체가 흩어져 없어지는 것 같지만, 사람이 죽어서 흩어지는 것은 육체뿐이요, 텅 빈 것처럼 맑고 깨끗한 사람의 기는 그 끝에 가서도 흩어지지 않습니다. 단지 태허의 맑은 기 가운데 하나로 흩어질 뿐입니다. 지각의 모임과 흩어짐에는 단지 빠르고 느림의 차이가 있습니다. 예를 들어 촛불의 경우 그 기운이 눈앞에서 흩어지는 것 같지만, 남은 기의 종말은 흩어지지 않습니다. 어떻게 없어졌다고 말할 수 있겠습니까?"

화담 선생은 사람이 태어난다는 것을 기가 모이는 것으로, 죽어 없어지는 것을 기가 흩어지는 것으로 설명합니다. 사람과 귀신은 하나면서 둘이요, 둘이면서 하나인데, 그것은 귀신이나 사람이 본디 천지 사이에 있는 기로 이루어졌기 때문입니다.

선생은 정자와 주자가 귀신에 대해 잘 말했다고 했습니다. 정자는 "귀신이란 하늘과 땅이 만들어낸 작용으로, 조화의 흔적"이라고 하였고, 장자(횡거)는 "귀신이란 두 가지 기의 능력"이라고 말했습니다. 그리고 주자는 "두 가지 기를 가지고 말한다면, 귀(鬼)란 음기(陰氣)의 신령함이요, 신(神)이란 양기(陽氣)의 신령함입니다. 하나의 기를 가지고 말한다면 뻗어가 펼쳐지는 것이 신(神)이요, 오그라들고 되돌아가는 것이 귀(鬼)입니다. 실제로는 하나일 뿐입니다"라고 하였습니다. 그러면서 주자는 귀신은 형체와 소리가 없는, 조화의 흔적이라 말하였지요.

여러 유학자들이 말한 귀신을 종합해 보면, 우리가 영화나 텔레비전에서 보듯이 머리를 풀고 흰 옷을 입고 나타나는 유령은 귀신이 아닙니다. 귀신이란 기(氣)이며 소리도 없고 모습도 없는, 기의 신비한 조화의 흔적을 일컫는 말입니다. 따라서 귀신은 물질이라 할 수 있고, 물질이라면 유학자들이 말하는 귀신도 과학적으로 탐구할 수 있는 것이 됩니다. 귀신을 무서워할 필요가 전혀 없다는 것은 이 때문입니다.

인간이 살아 있다는 것은 기가 모여 형체를 이루며 생명 활동을 하고 있다는 것입니다. 죽은 것이란 생명 활동이 멈추고 원래의 기로 돌아간 것을 뜻합니다. 사람이 죽으면 육체는 서서히 변하면서 기로 돌아가지만, 몸에서 활동하는 생기(生氣)는 금방 자연으로 돌아가 버리는 것이지요.

—《서경덕이 들려주는 기 이야기》 중에서

1. (가)에서 확인한 실험 결과를 통해, (나)에서 제시한 서경덕의 '기'를 자신이 이해한 방식대로 자유롭게 설명하시오.

2. (가)는 직접 실험으로 가능한 자연과학이고 (나)는 마음속의 생각입니다. 이 두 가지의 차이점과 공통점을 설명하고, 서로 달라 보이지만 결국은 서로에게 도움을 주는 이유를 논술하시오. (500~ 600자 내외)

생각 쓰기

생각 쓰기

생각 쓰기

case 2 다음 글을 읽고 주어진 조건에 따라 논술하시오.

가 화담 선생이 말하였습니다. "태허(太虛: 원래 크게 비어 있다는 뜻)는 비워 있으나 비어 있는 것이 아닙니다. 비어 있다는 그것이 곧 기(氣)입니다. 비어 있는 그것은 무궁하고 끝이 없습니다. 기 또한 무궁하고 끝이 없습니다. 비어 있어 고요한 것은 기의 몸이요, 모이고 흩어지는 것은 기의 작용입니다. 비어 있는 것이 곧 비어 있지 않은 것이란 걸 안다면, 없는 것이 없다고 말할 수도 없습니다.

노자(老子)는 '있는 것(有)'이 '없는 것(無)'에서 나왔다고 했는데, 비어 있다는 것이 곧 기라는 사실을 몰랐던 것입니다. 또 비어 있는 것이 기를 생기게 한다는 것도 잘못된 생각입니다. 만약 비어 있는 것에서 기가 생긴다면, 기가 없던 죽은 상태에서 기가 생긴다는 것이 됩니다. 기가 없었는데 어떻게 스스로 생기겠습니까?

기는 시작도 없고 생기는 것도 아닙니다. 시작이 없는데 어떻게 끝을 맺겠습니까? 생기는 것도 아닌데 어디서 없어지겠습니까? 노자가 '비어 있음(虛)'과 '없음(無)'을 말하고, 불교에서 '고요한 상태로 없어짐(寂滅)'을 말했지만, 이것은 리(理)와 기의 근원을 몰랐던 것이니, 또 어떻게 진리를 알았겠습니까?"

이렇듯 서경덕 철학에 있는 것은 오로지 기(氣)뿐입니다. 기가 있는 것은 시간적인 시작도 끝도 없어서 생겨나는 것도 아니고 없어지는 것도 아닙니다. 또한 기는 없는 곳이 없어서 끝이 없습니다. 이 세상 어디에나 있습니다.

기는 하나이며 크게 비어 있는 것 같지만 사실 비어 있는 것이 아닙니다. 그것이 본래 기입니다. 이 기가 모이면 사물이 되고 흩어지면 원래의 기로 되돌아가는데,

기가 모이기 전의 원래의 상태를 선천(先天)이라 부릅니다. 그는 이것을 다른 말로 태허(太虛)나 일기(一氣)라고도 불렀습니다.

기는 모이기도 흩어지기도 합니다. 모이면 사물이 되는데, 그렇게 모인 것이 태양이나 달, 별 및 천지 만물을 이루는 것들입니다. 이렇듯 기가 모여서 사물이 이루어진 것을 후천(後天)이라고 부릅니다.

—《서경덕이 들려주는 기 이야기》 중에서

나 우포 늪은 경상남도 창녕군에 있는 우리나라 최대의 자연 늪으로, 창녕읍에서 서쪽으로 7㎞ 떨어진 곳에 있습니다. 우포 늪은 야트막한 산에 둘러싸인 호수이면서 포원이기도 합니다. 가까이 다가가보면 강도 아니고 저수지도 아닙니다.

면적은 20만㎡로, 서울 여의도보다 약간 작습니다. 1m를 넘지 않는 깊이에, 물밑 바닥에는 오랜 세월에 걸쳐 가라앉은 부식니가 두껍게 쌓여 있습니다.

그 곳에 가면 철새 떼를 볼 수 있습니다. 새가 많다는 것은 새들의 먹이가 되는 동식물이 풍부하다는 뜻입니다. 습지는 땅의 역사와 물의 역사를 동시에 지니고 있기 때문에 그 역사만큼이나 많은 생물이 살고 있습니다. 우포 늪의 우거진 수초는 다양한 습지 생물들의 은신처이자 삶의 터전입니다.

그러나 우리의 소중한 자연유산인 우포 늪이 영원히 사라져 버릴 뻔한 적도 있습니다. 그동안 우포 늪 주변의 주민들은 우포 늪이 생태계 보전 지역으로 지정되는 것을 반대해 왔습니다. 우포 늪이 자연 생태계 보전 지역으로 지정되면, 축산,

영농, 공장 등에 제약을 받게 되고, 그 결과 지역 발전이 안 된다는 것이 반대 이유였습니다.

환경부는 주민들의 반발을 무릅쓰고, 그동안 보전과 개발 문제를 놓고 논란을 빚어 온 우포 늪 일대 20만㎡를 자연생태계 보전 지역으로 지정했습니다.

우포 늪 같은 습지는 다양한 생물 종의 보고이며, 생물종의 다양성은 생태계의 안정에 필수적입니다. 이 밖에도 습지는 아름다운 경관을 제공하여 생태 관광자원으로 활용될 수 있고, 오염 물질을 걸러주는 수질 정화 기능을 갖고 있습니다.

현재는 우포 늪 주변에 사는 주민들은 늪과 함께 사는 법을 알고 있습니다. 습지를 현명하게 이용하는 방법은 습지 생태계의 질서를 깨뜨리지 않는 한도 내에서 이용하는 것입니다. 그들의 삶은 또한 습지 생태계를 이루는 한 요소이기도 합니다.

— 초등학교 6, 《도덕》 중에서

1. (가)에서 설명하는 '기'를 바탕으로 (나)의 우포 늪의 가치와 우포 늪 개발의 의미를 설명하시오. (200자 내외)

2. (가)에서 제시한 '비어 있다'라는 의미에 대해 (나)를 참고하여 자신의 생각을 설명하고, 이런 생각을 바탕으로 우리가 해결해야 할 일은 무엇인지 논술하시오. (500~600자 내외)

생각 쓰기

생각 쓰기

생각 쓰기

case 3 다음 글을 읽고 주어진 조건에 따라 논술하시오.

(가) 우리 허파 속에 들어오는 산소나 이산화탄소는 내가 살았을 때나 죽었을 때나 똑같은 물질입니다. 그러나 내 몸을 이루는 것들은 분해되어 내 몸과 다른 물질로 변할 것입니다. 그게 흩어지는 기인 것이지요.

할아버지가 돌아가셨다고 사라진 것은 아닙니다. 다만 그 기가 흩어졌을 뿐입니다. 그러니 인간에겐 영혼 따위는 없는 것이 맞겠지요. 죽어서 천당에 가거나 지옥에 갈 이유도 없고요. 천당이나 지옥이라는 것 때문에 죽음에 대한 공포가 생겼고 사람들은 불안해 했습니다. 그래서 나의 기도로 할아버지의 영혼이 천당에 갈 수 있다고 믿었는지도 모르겠습니다.

사실 진짜 '나'는 따로 있는지도 모릅니다. 잠시 내 몸을 이루는 것, 나를 생각하게 만드는 것, 이 모두가 기인 것입니다. 만물은 기로써 하나지요. 다시 말하면 '나'라는 것이 저기 보이는 구름이고 돌이고 얼굴을 스치는 바람과 같은 것일 겁니다. 내가 너고 네가 나이지요. 내가 만물이고 만물이 나인 것입니다.

모든 것은 하나의 기가 만들어낸 것입니다. 이러한 만물을 벗어나 귀신이니 영혼이니 천당이니 지옥이니 하는 것들은 모두 인간의 마음이 만들어낸 그림자일 뿐이겠지요? 잠시 있다가 흩어지는 나에게 집착하고 구원을 받으려고 한 것이 모두 가짜였고, 그 가짜가 커져 버려 진짜 나를 보지 못한 것일 테니까요.

가짜인 '나'를 버리면 기만 남는 것입니다. 이 지구가 없어진다고 해도 말입니다. 영원토록. 그래서 모든 만물은 기로써 한 몸이 되는 것인지도 모르겠습니다. 나는 우주이고, 우주가 나인데 우주와 나를 분리시켜 영혼이 있다고 천당이나 지옥이 있다고 하는 것은 다만 인간이 죽음을 두려워해서 만든 허구일 뿐이라는 생각이 들었습니다.

—《서경덕이 들려주는 기 이야기》 중에서

나 (3) 에너지의 전환과 보존

1) 에너지의 전환

가) 에너지의 전환

빛 에너지

열에너지

역학적 에너지

화학 에너지

석탄의 화학 에너지

역학적 에너지

빛 에너지

태양 복사 에너지

원자 에너지 : 원자력 발전

2) 에너지의 보존

가) 마찰이나 저항을 받는 물체의 에너지 보존

처음의 역학적 에너지 = 나중의 역학적 에너지 + 열에너지

= 일정

나) 에너지보존법칙

자연계의 모든 에너지의 총합은 항상 일정

— 중학교 3, 《과학》 중에서

다 종교적 가치는 경건함과 성스러움의 추구와 관련되어 있다. 사람은 세속적인 것에서 벗어나 무언가 경건하고 성스러운 것을 추구하고자 한다. 그리하여 어떤 사람은 삶의 유한함을 자각하고 경건한 마음으로 살고자 하며, 인간의 불완전함을 깨닫고 초인간적이며 완전한 신의 존재를 믿고 의지하고자 한다. 이러한 종교적 가치 추구는 인간으로서의 불완전함을 극복하고 더 차원 높은 삶을 살아갈 수 있도록 하는 힘이 되기도 한다.

—중학교 3, 《도덕》 중에서

1. (가)에서 주장한 내용의 핵심은 무엇인지 설명하고 이것을 비판하는 입장과 찬성하는 입장에서 각각 논술하시오. (500자 내외)

2. (가), (나), (다)의 자료를 모두 활용하여, 종교와 과학에 대한 자신의 생각을 논술하시오.

생각 쓰기

생각 쓰기

생각 쓰기

실전 논술

예시 답안

case 1

1. (가)의 실험에서 알 수 있듯이 초가 연소를 하게 되면 물, 이산화탄소, 그을음 등이 생성된다. 이는 초가 사라지는 게 아니라 다른 물질로의 변화를 의미한다. 초뿐만이 아니라 다른 물질도 마찬가지로 연소할 때 여러 가지 물질을 생성해낸다. (나)에서는 이러한 현상에 대해 눈앞의 기가 흩어진 결과라고 설명한다. 촛불처럼 보이는 기가 연소되면서 보이지 않는 기로 치환되었다고 보는 것이다.

물질은 기의 모임과 흩어짐에 따라서 형태가 변화할 뿐 사라지지 않는다. 일반적으로 사람이 죽으면 사라진다고 여겨지는데, 이 또한 기가 자연으로 돌아간 것이지 없어진 것은 아니다.

세계는 수없이 변화된 기가 서로 맞물려 이루어져 있다. 그 기는 물체의 형태로 보이는 것도 존재하지만 우리 눈에 보이지 않는 모습으로 존재하기도 한다. 이러한 기가 모였다 흩어짐을 반복하는 것이 세상이며 현상이다.

2. (가)는 촛불의 연소 과정을 실험을 통해 관찰한 것이다. 하나의 이론을 바탕으로 관찰과 실험을 통해서 현상을 증명하는 과정이다. 반면 (나)는 여러 가지 예시와 전제를 바탕으로 설명이 가능하지만 그것을 보여줄 수는 없다. 즉, (가)와 (나)는 대상이나 현상을 설명한다는 공통점이 있지만, 결과가 나타나는 양상에서 차이가 발생한다.

인간의 발전은 어떤 생각(가설)을 바탕으로 그것을 현실화(증명)해 왔기 때문에 가능했다. (가)는 사람들은 촛불이 타는 과정에 나타나는 현상에 대한 궁금증을 바탕으로 그것을 증명할 많은 방법을 연구한 끝에 얻어진 결론이다. 그리고 이렇게 내려진 결론을 바탕으로 사람들은 또 다른 현상에 대한 연구를 계속해 나간다. 이처럼 생각과 과학적 실험은 서로에게 도움을 주며, 또 다른 이론을 정립시켜 나간다. 마치 악어와 악어새와 같은 공생관계로 설명될 수 있다.앞으로도 인류는 이렇게 생각과 증명을 통해서 계속 발전해 나갈 것이다. (480자)

case 2

1. (가)에서 기는 하나로 모이면 사물이 되고 흩어지면 기가 된다고 설명한다. 우포 늪은 이 기가 모여 형태를 이루는 것으로 볼 수 있지만, 그 모양에 있어서는 차이가 나타난다. 우포 늪은 자연 그대로 순환되는 기의 모습으로 형성된 것이지만, 우포 늪의 개발은 인간이 인위적으로 기를 조절한 행위라는 데 차이가 있다.

2. 일을 하기 위해서는 휴식이 필요하고, 밥을 먹기 위해서는 위장이 비어 있어야 한다. 비어 있는 것은 아무런 의미가 없는 것이 아니라, 비어 있지 않은 것을 하기 위한 일종의 바탕이 된다. 이는 기가 천지만물을 이룰 수 있는 이유도 원래의 비어 있음이 가능했기 때문이라는 (가)의 관점과도 일치한다.

비어 있는 것은 아무것도 없는 것처럼 보인다. (가)에서는 이를 본모습의 '기'

라고 설명한다. 하지만 사람들은 이러한 기의 속성에 대해 부정하는 경향이 강하다. 보이지 않는 것보다는 보이는 것에 가치를 부여하고 가치에 따라서 사물에 대한 태도를 다르게 한다. (나)에서 주민들은 우포 늪이 지역 발전에 장애요소라고 여기며 자연 생태계 지정을 반대했다. 이는 주민들이 보이는 것에 가치를 부여하고 그것을 추구했기 때문이다.

현대사회의 개발 논리 때문에 계속해서 자연이 파괴되고 있다. 이는 비어 있음이 또 다른 가치를 만들어내는 준비의 과정이라는 사실을 무시한 결과이다. 비어 있는 부분이 없다면 더 이상 아무것도 창조해낼 수 없다. 따라서 비어 있음이야말로 또 다른 있음을 만들어내는 준비 과정으로 인식하는 자세가 필요하다.

case 3

1. (가)에서는 우주와 모든 물질은 기로 구성되어 있기에 궁극적으로 모든 사물을 하나라고 본다. 따라서 나와 타인, 영혼과 육체, 삶과 죽음 등 모든 것을 구별할 필요성이 없음을 역설한다.

봄이 가면 여름이 오고, 가을과 겨울을 거쳐 다시 봄이 오는 것처럼 사람 또한 무에서 태어나 무로 돌아간다. 이렇게 모든 현상은 생성과 소멸을 되풀이한다. 그래서 (가)의 주장처럼 현실에 집착할 필요가 없고 죽음을 두려워 할 필요가 없으며 나의 존재에 대해서 고민을 할 필요가 없다.

하지만 이렇게 되면 우리의 삶에는 어떤 의미도 부여할 수 없다. 세상도 의미가 없어지고 세상에서 일어나는 모든 현상들도 그저 무의미해질 뿐이다. 이처럼 모든 현상에 의미를 부여하지 않는다면 우리가 살아가는 필요성 또한 아무런 의미를 지니지 못하게 된다는 문제점이 있다.

2. (가)는 우주와 모든 만물이 기로 구성되어 있음을 강조하며 종교를 부정한다. 기는 (나)의 에너지와 같이 변하면서도 그 합은 동일하다는 특성을 지닌 것으로 본다. 반면 (다)는 종교는 불안전함을 극복하고 더 높은 곳으로 나아가는 힘이 된다고 주장하며 종교의 필요성을 역설한다.

인간은 불완전한 존재이다. 따라서 현실에서 일어나는 모든 현상을 설명하고 증명하기는 불가능하다. 이처럼 불완전한 인간은 신을 통해서 스스로의 단점을 는 점에서 (다)에 제시된 종교는 우리 삶에 긍정적 역할을 담당할 수 있다. 하지만 우리는 신에 대해 확신할 수만은 없다. 이는 (가)와 같이 다양한 의견을 인정해야 하는 이유이기도 하다. 또한 신에 대한 인정과 부정한 개인의 선택이 존중되어야 하는 이유이기도 하다. 이러한 선택에 있어 자신과 의견이 다른 사람을 멀리하지 말아야 하며 (나)의 과학적 연구 또한 다양한 측면의 가능성을 인정하고 신을 탐구해 나아가야 할 것이다.

철학자가 들려주는 철학이야기 085

신사임당이 들려주는 효행과 예술 이야기

저자_**이봉선**

중앙대에서 문예창작을 전공했습니다. 1998년과 2004년에 신춘문예 단편소설로 등단하였습니다. 현재 대학에서 소설 창작을 강의하며 소설을 쓰고 있습니다. 효원이 태준이의 아빠로서 좋은 책을 많이 읽어주려 노력하고 있습니다. 학생들에게 국어와 논술을 가르치면서 가장 소중한 삶의 가치가 무엇인지도 늘 고민하고 있습니다.

배경 지식 넓히기

申師任堂

신사임당의 '효행과 예술'

신사임당 주요 개념

1. 신사임당을 만나다

1) 신사임당은 누구인가

신사임당은 시 · 글씨 · 그림에 모두 뛰어났으며 여성에게 요구되는 덕행과 재능을 겸비한 현모양처로 칭송받고 있습니다. 신사임당은 1504년 강릉 북평촌(오죽헌)에서 아버지 평산 신씨와 어머니 용인 이씨의 자녀로 태어났습니다. 어려서부터 그림에 소질을 보였고 세종 때 유명한 화가, 안견(安堅)의 그림을 본받아 산수, 풀벌레, 포도, 매화 등의 그림을 그렸습니다. 신사임당은 외할머니와 어머니의 교육을 받아 유교경전은 물론 글씨와 문장, 바느질과 자수에도 능했습니다.

신사임당은 1522년(19세)에 한양에 사는 이정수와 혼인을 하였고, 그 해 아버지가 세상을 떠나자 친정어머니를 위해 강릉에서 살게 됩니다. 신사임당은 1524년 21세에 아버지 3년 상을 마치고 서울 시댁으로 돌아왔으며 이듬 해 맏아들 '선' 을 낳은 뒤 파주, 봉평, 강릉 등지를 오가며 생활을 하게 됩니다. 1529년 맏딸 매창을 낳았고 1530년 둘째 아들을 1534년은 둘째 딸을 낳고 1536년 검은 용이 동해에서 침실로 날아드는 꿈을 꾸고 율곡 이이를 낳게 됩니다. 1542년에는 넷째 아들 우를 낳아 4남 3녀의 자녀를 두게 됩니다. 그리고 1551년 48세에 남편 이원수가 맏아들 선과 셋째아들 율곡을 데리고 평안도로 출장을 간 사이 병으로 세상을 떠나기 전까지 많은 작품을 남겼습니다.

사임당은 당호(집의 이름에서 따온 그 주인의 호)이며, 그 외에 시임당(師任堂), 임사재라고도 했습니다. 당호의 뜻은 중국 고대 주나라 문왕의 어머니인 태임을 본받는다는 것으로 그것을 최고의 여성상으로 꼽았음을 알 수 있습니다. 신사임당을 평한 사람들 중에는 그의 온아한 성품과 예술적 자질조차도 모두 태임의 덕을 배우고 본뜬 데에서 이뤄진 것이라고 하였습니다. 이는 이이와 같은 대정치가요 대학자를 길러낸 훌륭한 어머니로서의 위치를 평가한 것입니다.

오늘날에도 신사임당은 새로 발행될 화폐의 인물로 논의될 정도로 높은 평가를 받고 있습니다. 현모양처라는 전통적인 어머니상으로 평가받는가 하면, 이러한 평가는 여성을 남성의 관점에서 희생을 강요하는 것이라서 다른 관점에서 평가해야 한다는 의견도 있습니다. 즉, 여성에게는 억압적인 사회에서도 학문에 대한 연구와 탁월한 예술가로서의 삶을 평가해야 한다는 것입니다. 여러분들은 신사임당의 어떤 면모에 관심을 가지고 있나요? 여기에서는 신사임당의 효행과 예술을 중심으로 살펴보도록 하겠습니다.

2) 신사임당의 사상

신사임당은 어려서부터 유교의 경전과 좋은 책들을 널리 읽어 학문을 닦았습니다. 그리하여 예술가인 동시에 높은 덕과 인격을 쌓아 어진 부인으로 남편에게는 항상 올바른 길을 가도록 내조하였으며, 훌륭한 어머니로서 7남매를 모두 훌륭하게 키웠습니다. 또한 시부모와 친정어머니를 잘 모신 효녀로 오늘날까지도 많은 사람들에게 존경을 받고 있습니다. 신사임당은 많은 어려움을 겪으며 딸로서, 한 가정의 며느리로서, 아내로서, 그리고 어머니로서의 역할을 다한 것입니다.

신사임당은 율곡 형제를 가르치느라고 일생 동안 놀이 한 번 간 일이 없다고 합니다. 이런 일화를 통해서 그녀가 얼마나 가정에 충실했는가를 짐작할 수 있습니다. 그런데 이러한 면모가 지나친 희생은 아니었는지 생각해 볼 부분도 있습니다.

신사임당은 시, 그림, 글씨, 화의 여류 명인일 뿐 아니라 뛰어난 인격자이면서 덕망이 높은 어진 여성이었습니다. 어버이에게 지극한 효녀이면서 어진 어머니이기도 합니다. 이러한 신사임당은 먼저 가족 간의 도리로 다음과 같은 덕목을 강조하였습니다. 부모 섬기는 도리, 남편 섬기는 도리, 시부모 섬기는 도리, 동서 간에 화목해야 하는 도리, 자식 기르는 도리, 형제 간에 우애를 돈독히 하는 도리, 친척 간에 화목해야 하는 도리 등을 강조하며 스스로 이러한 덕목을 훌륭하게 실천했습니다. 또한 제사 받드는 도리,

일을 부지런히 하는 도리, 남에게 해를 끼치지 않는 도리, 친구 사귀는 도리, 의복과 음식 만드는 도리, 손님을 대접하는 도리, 재물을 아껴 쓰는 도리 등을 중심에 두고 생활했습니다.

이것뿐만 아니라 자녀 교육의 목표를 실천하면서 장차 나라에 충성하고 큰일을 할 수 있는 인재로 성장시키기 위해 힘을 쏟았습니다. 신사임당의 이론만 중요시했던 것이 아니라 그것을 바탕으로 실천하고자 노력했다는 사실을 알 수 있습니다.

그러나 신사임당은 어머니와 아내의 역할에만 충실했던 것은 아닙니다. 신사임당은 조선왕조가 요구하는 유교적 여성상에 만족하지 않고, 독립된 인간으로서의 역할을 스스로 개척했다고 할 수 있습니다. 또한 그녀는 통찰력과 판단력이 뛰어나고 예민한 감수성으로 자신만의 예술적 세계를 펼쳐 나갔습니다. 거문고 타는 소리를 듣고 감회가 일어나 눈물을 지었다든지 또는 강릉의 친정어머니를 생각하며 눈물로 밤을 지새운 사연 등은 그녀의 섬세한 감성을 엿볼 수 있는 실례입니다.

여성에게 제약과 억압이 많은 조선시대에 살면서도 한시를 짓고 그림을 그린 신사임당은 찾아보기 드문 어머니상이며 예술가입니다. 지혜로운 아내요, 훌륭한 자식을 길러낸 어머니요, 뛰어난 예술가인 신사임당은 이 시대에 필요한 진정한 여성의 미래상입니다.

3) 신사임당의 그림과 글씨, 그리고 시

신사임당의 그림 · 글씨 · 시는 매우 섬세하고 아름다운데, 그림은 풀벌레 · 포도 · 꽃과 새 · 물고기와 대나무 · 매화 · 난초 · 산수 등이 주된 소재였습니다. 마치 살아 있는 듯 섬세했다고 합니다. 그리하여 이런 일화도 있습니다. 풀벌레 그림을 마당에 내놓고 여름 볕에 말리려 하자, 닭이 와서 살아 있는 풀벌레인 줄 알고 쪼아대는 바람에 종이가 뚫어질 뻔했다는 것입니다.

또한 자연의 풍경을 그린 산수화에서는 안견파와 강희안 이래의 절파를 절충한 화풍으로, 16세기 전반에 생겨난 산수화단의 새로운 경향을 보여주는 중요한 의의를 지니고 있습니다. 그림으로 채색화 · 묵화 등 약 40폭 정도가 전해 지고 있는데 아직 세상에 공개되지 않은 그림도 수십 점 있는 것으로 알려져 있습니다.

신사임당의 글씨는 초서 여섯 폭과 해서 한 폭이 남아 있을 뿐입니다. 이 몇 편의 글씨에서 그녀의 높고 우아한 정신과 예술가로서의 뛰어난 경지를 찾아볼 수 있습니다. 1868년 강릉부사로 간 윤종의는 사임당의 글씨를 영원히 후세에 남기고자 그 글씨를 판각하여 오죽헌에 보관하면서 발문을 적었는데, 그는 거기서 사임당의 글씨를 "정성들여 그은 획이 그윽하고 고상하고 정결하고 고요하여 부인께서 더욱더 저 태임의 덕을 본뜬 것임을 알 수 있다" 고 격찬하였습니다.

신사임당은 뛰어난 시를 남겼습니다. 특히 강릉에 있는 친정어머니를 그리워하는 작품은 신사임당의 마음을 잘 드러내고 있습니다.

늙으신 어머님은 임영에 계시는데
이 몸 혼자 서울로 떠나는 마음
머리를 북촌으로 돌려 때때로 바라보니,
흰 구름 떠가는 아래 저녁 산만 푸르구나.

이 작품은 〈대관령을 넘으며〉라는 작품입니다. 친정어머니를 두고 시댁으로 돌아가며 지은 시로 이별하는 순간의 슬픔이 잘 나타나 있습니다. 오늘날처럼 교통이 발달한 시대에도 강릉과 서울은 가까운 거리가 아니지요. 그런데 도로도 없던 시대에는 어떠했을까요? 오가는데 시간도 많이 걸리고, 또 마음대로 친정집을 갈 수도 없었던 신사임당은 어머니를 두고 가야 하는 마음이 더욱 애절하고 안타까웠을 것입니다. 그 어머니를 두고 대관령을 오르면서 한걸음 한걸음마다 눈물로 얼룩졌겠지요.

어머니를 그리워하는 〈사친〉이란 작품에서도 신사임당의 마음이 잘 표현되어 있습니다. 특히 끝 부분의 '언제나 강릉길 다시 밟아 가 / 색동옷 입고 앉아 바느질할꼬' 라는 부분에서는 어린 시절로 돌아가 어머니와 함께 하고 싶은 간절한 그리움이 나타나 있습니다. 이런 작품을 통해서 신사임당의 어머니에 대한 그리움과 지극한 효성을 엿볼 수 있습니다.

4) 예술을 지향할 수 있는 환경

신사임당으로 하여금 절묘한 경지의 예술세계에 머물게 한 중요한 동기로 내세울 수 있는 것은 '환경'이라고 할 수 있습니다. 첫째는 현철한 어머니의 훈조를 마음껏 받을 수 있었다는 점을 들 수 있고, 둘째는 완고한 집안 중심적인 유교 사회의 전형적인 남성 우위의 허세를 부리는 그러한 남편을 만나지 않았다는 점입니다.

신사임당의 어머니는 무남독녀로 부모의 깊은 사랑을 받으면서 학문을 배웠고, 출가 뒤에도 부모와 함께 친정에서 살았기 때문에 일반 여성들이 겪는 시가에서의 정신적 고통이나 육체적 분주함이 없었습니다. 이러한 어머니에게 훈도를 받은 명석한 그녀는 천부적 재능을 마음껏 발휘할 수 있었던 것입니다.

앞서 살펴본 신사임당이 서울 시가로 가면서 지은 〈유대관령망친정(踰大關嶺望親庭)〉이나 서울에서 어머니를 생각하면서 지은 〈사친(思親)〉 등의 시에서 어머니를 향한 그녀의 애정이 얼마나 깊고 절절한가를 살펴볼 수 있습니다. 이것은 어머니의 세계가 사임당에게 그만큼 영향이 컸다는 사실을 증명하는 자료입니다.

신사임당의 예술성을 보다 북돋아 준 사람은 남편이었습니다. 남편은 사임당의 그림을 사랑채의 친구들에게 자랑할 정도로 아내를 이해하고 또 그 재능을 인정하고 있었습니다. 또한 그는 아내와 대화를 나눌 때 인색하지 않았습니다. 아내와의 대화에서 늘 배울 것은 배우고 받아들일 것은 받아들였다고 합니다. 사임당이 후세에 이름을 떨칠 수 있었던 이유는 이러한 환경 덕분이기도 합니다.

조선시대 화풍

조선시대 회화는 도화서를 통해 배출된 화원들과 사대부 화가들에 의해 발전하게 됩니다. 이미 초기부터 현저하게나마 구도, 공간 처리, 필묵법, 준법, 수지법 등이 나타납니다. 조선 시대 한국적인 회화 전통이 확고하게 성립된 것은 안견(安堅), 강희안(姜希顔), 안평대군(安平大君) 등이 활약했던 세종 때입니다. 특히 안견은 북송의 곽희파 화풍을 토대로 자신의 화풍을 형성했으며, 한쪽에 치우친 편파 구도, 몇 개의 흩어진 경물들로 이루어졌으면서도 조화를 이루는 구도, 넓은 공간과 여백을 중요시하는 공간 개념, 대각선 운동의 효율적인 운용, 그리고 개성이 강한 필묵법 등은 그가 형성한 독자적인 화풍의 특색을 잘 나타냅니다.

이러한 일련의 특색들은 16세기에도 계승되어 하나의 강한 회화 전통을 이루었는데 이는 이미 15세기에 한국적인 회화 전통의 뿌리가 확고하게 내렸음을 의미하는 것입니다. 임란, 호란을 겪으면서도 안견파 화풍은 이어지고, 절파계(浙派系) 화풍이 대두되는 외에 영모와 수묵화조, 묵매, 묵포도 등의 분야에서 조선왕조적인 정취를 풍겨 주는 화풍이 발달했습니다.

조선왕조적인 회화 전통이 더욱 뚜렷해진 것은 1700~1800년대라고 할 수 있습니다. 초기의 회화가 송·원대 회화의 영향을 바탕으로 한국적 특성을 보여 주었던 데 반하여, 후기의 회화는 명·청대의 회화를 수용하면서 보다 뚜렷한 민족적 자아의식이 발현했던 것입니다. 이런 새로운 경향의 회화가 발전하게 된 것은 새로운 회화 기법과 사상의 수용 및 시대적 배경에 연유한 것입니다. 영, 정조 연간에 자아의식을 토대로 크게 대두되었던 실학의 발전은 조선 후기의 문화 전반에 걸쳐 중대한 의의를 지니고 있습니다. 한국의 산천과 생활상을 소재로 다룬 조선 후기의 회화는 실학의 추이와 매우 유사함을 보여 줍니다. 즉, 조선 후기의 회화는 새로운 시대적 배경 하에서 새로운 경향의 회화 전통을 이루었던 것이니, 그 주요한 것을 들면 다음과 같습니다.

첫째는 조선 중기 이래로 유행했던 절파계 화풍이 쇠퇴하고 대신 남종화가 본격적으로 유행했습니다.

둘째는 남종화법을 토대로 한국에 실제로 존재하는 산천을 독특한 화풍으로 표현하는 진경산수가 겸재 정선을 중심으로 크게 발달하였습니다.
셋째 조선 후기의 생활상과 애정을 해학적으로 다룬 풍속화가 단원 김홍도와 혜원 신윤복 등에 의해 풍미하게 되었습니다.
넷째 청으로부터 서양화법이 전래되어 어느 정도 수용되기 시작하였던 사실 등을 들 수가 있습니다.
이와 같은 새로운 경향은 조선 후기의 회화를 어느 시대보다도 개성이 강하고 한국적인 것으로 돋보이게 해 줍니다. 특히 서양화법은 명암법과 투시도법으로 특징지어지는데 청조에서 활약한 서양인 신부들에 의해 소개되기 시작했는데 우리나라에는 연경을 다녀온 사행원들의 손에 의해 전래되었습니다.

2. 교과서에서 만난 신사임당

1) 우리나라 여성의 본보기

현모양처의 표본으로 모든 여성들의 본보기가 되는 심사임당은 강원도 강릉시 북평 마을에서 태어났다. 조선시대에는 여자에게 글을 가르치기보다는 집안 살림을 하는 것이 관습이었다. 그러나 신사임당의 외할아버지는 생각이 같은 사람이어서 여자도 배워야 한다며 학문을 가르쳤다.

어린 사임당은 외할아버지로부터 학문을 익히고, 어머니로부터 여자가 지켜야 할 도리를 배우며 훌륭한 인격을 쌓았다. 사임당은 어려서부터 부모님에 대한 효성이 매우 깊었다. 이러한 효성은 하늘을 감동하게 한 열녀였던 어머니로부터 물려받았던 것 같다. 혼인한 후에도 부모에 대한 정 때문에 친정에서 아버지의 3년 상을 치르고 그 후에도 늘 시를 쓰며 어머니를 그리워하고 걱정하였다.

늙으신 어머님을 고향에 두고
외로이 서울 길로 가는 이 마음
돌아보니 북촌은 아득한데
흰 구름만 저문 산을 날아 내리네

사임당의 원래 이름은 인선이다. 그런데 중국 문왕의 어머니인 태임을 본받으려는 마음에서 스스로 사임당이라고 불렀다. 태임은 문왕을 임신하였을 적에 눈으로 좋지 않은 걸을 보지 않고, 귀로 음탕한 소리를 듣지 않으며, 입으로 못된 말을 하지 않았다. 사임당도 율곡선생을 임신했을 때, 이와 같이 몸조심하고자 했다.

사임당은 어릴 때부터 사물을 보는 눈이 깊었다. 학문을 열심히 익혔을 뿐 아니라 문장, 붓글씨, 바느질, 자수에 이르기까지 천부적인재능을 발휘했다. 7살 때부터 화가 안견의 화풍을 이어받아 산수, 포도, 곤충 등을 그리는 데에 뛰어난 솜씨를 보였다.

이처럼 뛰어난 문필가요 예술가인 사임당의 고고한 삶의 인품은 자녀들에게 그대로 나타나 훌륭한 어머니로서 이름을 높게 하였다. 사임당에게는 일곱 자녀가 있었는데, 모두 학식과 덕망이 높았다. 그중 셋째 아들 율곡은 어릴 때부터 신동이라 알려졌고 중국 주자의 성리학을 발전시킨 학자이자 사상가로 이름 높다.

사임당은 자녀들에게 가장 모범적인 현모였다. 자녀들에게 항상 옛날 위인들의 행실을 들려주고 본받게 하는 한편, 엄할 때에는 서릿발과 같았다. 사임당은 자녀들에게 사람다운 사람이 되려면 공부만 잘해서는 안 되고 사람다운 행실을 갖추어야 한다고 강조하였으며 몸소 실천함으로써 모범을 보였다. 그리고 사임당은 남편의 부족함을 채워주기도 하는 현명한 부인이었다.

마음씨는 착하고 어질지만, 의지가 약하고 끈기가 없는 남편에게 용기를 북돋워 주고 공부에 전념케 했으며 남편이 바른길을 가도록 큰 뒷받침 역할을 했다.

사임당은 덕과 인격을 갖춘 훌륭한 어머니이자 어진 아내, 그리고 예술가로서 부족함이 없다. 이는 사임당이 낡은 시대의 풍조에 얽매이지 않고 여자로서 한계를 뛰어넘는 자신에 대한 강한 의지가 있었기 때문에 가능했던 것이다. 이러한 면모는 우리나라 여성들의 본보기가 된다.

— 중학교 1, 《도덕》 중에서

우리 역사에서 가장 대표적인 어머니가 누구냐고 묻는다면, 상당히 많은 사람들이 신사임당을 생각합니다. 신사임당은 그만큼 현모양처의 가장 모범적인 인물로 평가하고 있습니다. 어질고 현명한 어머니로서 자식들을 키워 냈고, 남편 내조를 훌륭하게 해낸 인물로 평가받고 있습니다.

그런데 이 부분에 대해 잠시 생각해 봐야 하겠습니다. 현모양처가 과연 신사임당이 훌륭한 인물로 평가받아야 할 가장 중요한 덕목일까요? 그렇다면 다른 사람들은, 좋은 아버지와 좋은 남편으로는 평가하지 않는 것일까요? 현모양처의 대표적인 인물로 신사임당을 평가하는 것은 왠지 신사임당을 유교 사회에서 희생을 강요당한 여성의 모습을 보는 것 같습니다. 유교적 덕목에 의해 여성을 억압하고 그 억압된 체제에 가장 순응한 인물로 신사임당을 평가한다면 너무 남성 중심의 생각이 아닌가도 한 번 생각해 봅시다.

신사임당이 진정으로 높이 평가받아야 할 덕목은 그 지극한 효성과 어려운 환경 속에서도 꾸준히 정진하여 이룩한 높은 예술적 경지라 할 수 있을 것입니다. 시와 그림, 글씨 등에 뛰어난 예술적 성과를 남긴 신사임당은 학문적으로도 뛰어났습니다. 신사임당의 예술은 단순히 현실을 잘 묘사한 기술적 능력이 아니라, 생각의 깊이에서 나온 철학이 있기에 더 깊은 감동을 주는 것입니다.

2) 부모님의 사랑

부모님의 말씀을 자주 어기는 아들이 있었습니다. 아버지는 아들을 타이르곤 했지만, 아들은 번번이 부모님과 한 약속을 어겼습니다.

어느 날, 아버지가 아들에게 말했습니다.

"한 번만 약속을 더 어기면 너를 추운 다락방으로 보내겠다."

그러나 며칠 후, 아들은 또다시 약속을 어기고 말았습니다. 부모님께 가는 것도 알리지 않고 집을 나가 늦도록 돌아오지 않았던 것입니다.

아버지는 애를 태우며 여기저기 아들을 찾아 헤맸고, 어머니는 정성껏 차려 놓은 저녁상의 음식들이 차갑게 식어 가는 것을 지켜보았습니다.

이윽고 아들이 집에 돌아왔습니다. 찬바람이 씽씽 부는 추운 겨울밤이었지만, 아버지는 약속한 대로 아들을 추운 다락방으로 올려 보냈습니다. 아들을 다락방에 보낸 아버지와 어머니는 잠을 이룰 수가 없었습니다. 어머니가 한숨을 쉬며 먼저 입을 열었습니다.

"다락방은 너무 춥고 어두워서 아이가 무서워할 텐데……."

그 말에 아버지가 대답했습니다.

"저 애를 지금 다락방에서 내려오게 하면 앞으로도 자기 잘못을 깨닫지 못할 거요."

매서운 겨울바람에 창문이 덜컹거렸습니다. 잠을 이루지 못하고 괴로워하던 아버지는 다락방으로 올라갔습니다. 아들은 베개도 없이 차갑고 딱딱한 방바닥에 쪼그리고 누운 채 잠이 들어 있었습니다. 아버지는 조용히 담요를 덮어 주고 아들 곁에 누워 아들을 꼬옥 안고 팔베개를 해 주었습니다. 아들은 아무것도 모른 채 곤히 자고 있었습니다.

잠시 후, 어머니도 다락방으로 올라왔습니다. 어머니는 아버지의 맞은편에 살며시 누워 아들의 뺨에 볼을 갖다 대었습니다. 아들은 어머니의 따뜻한 볼이 닿자 깜짝 놀라서 눈을 떴습니다. 그런데 차가운 다락방에 누워 있는 자신의 몸을 아버지가 꼬옥 안고 있었습니다. 부모님의 따뜻한 체온과 담요가 자신의 차가운 몸을 녹이고 있었던 것입니다.

"아버지, 어머니, 제가 잘못했습니다."

아들의 눈에서 뜨거운 눈물이 흘러내렸습니다.

— 초등학교 5, 《도덕》, 〈사랑의 다락방〉 중에서

우리는 부모님의 사랑을 지극히 당연한 것으로 생각할 때가 많습니다. 부모님께 받은 사랑을 고마워하기 전에, 다른 부모님들도 모두 그렇게 하는 것으로 생각하고, 때로는 다른 집의 잘사는 부모님과 비교하면서 자신이 제대로 사랑받지 못한다고 불평을 할 때도 있습니다.

효도와 관계된 말 중에, 조금 어려운 말로, 반포지효(反哺之孝), 혼정신성(昏定晨省), 풍수지탄(風樹之嘆)과 같은 말이 있습니다. 이 중에서 풍수지탄이라는 말을 한 번 살펴볼까요?

공자가 유랑하다가 하루는 몹시 울며 슬퍼하는 사람을 만났습니다. 공자가 그 사람이 우는 이유를 묻자 그는 이렇게 대답했습니다. "저는 너무도 큰 잘못을 저질렀습니다. 젊었을 때 천하를 두루 돌아다니다가 집에 와 보니 부모님이 이미 세상을 떠나신 것이었습니다. 자식이 늦게나마 깨닫고 부모님을 잘 모시고자 하지만 부모는 이미 제 곁에 계시지 않습니다." 이 말을 마치고 그 사람은 마른나무에 기대어 죽고 말았습니다. 여기에서 풍수지탄이라는 말이 나왔습니다. 효도를 하고자 하나 이미 부모님이 돌아가셔서 안타까워하는 자식의 한탄을 가리키는 말입니다. 부모가 살아계실 때 효도를 다하라는 뜻으로 살아생전에 부모님을 지극히 섬기라는 의미입니다. 〈사랑의 다락방〉에 나오는 어린 아들은 참 행복한 아이입니다. 부모님이 아직 살아계실 때 부모님의 사랑을 깨닫고 자신의 잘못을 반성했으니 말입니다. 아마도 이 친구는 부모님의 뜻을 따라서 착하고 훌륭한 사람으로 성장해 나갈 수 있겠지요.

사람들은 항상 자신이 가진 행복을 작게 생각하고, 자신이 처한 상황에 불만을 가질 때가 많습니다. 여러분은 부모님께 어떤 불만이 있나요? 그렇다면 그런 부모님을 위해 여러분은 어떤 일을 해 드렸나요? 아무리 빨리해도 늦은 것이 후회입니다. 지금 이 세상에서 가장 소중한 부모님의 얼굴을 한 번 바라보세요. 여러분과 얼굴을 마주 대하는 것만으로도 행복해 하지 않으시나요?

신사임당의 부모님에 대한 지극한 효성은 오늘날까지도 우리 삶의 모범이 되고 있습니다. 세상의 그 어떤 가치도 부모님께 효도하는 것보다 큰 것은 없습니다.

반포지효(反哺之孝)

이 말은 부모님의 은혜에 보답하는 까마귀와 관련된 말입니다. 까마귀는 부화한 지 60일 동안 어미가 새끼에게 먹이를 물어다 줍니다. 이후 새끼가 자라면 더 이상 먹이를 구하기 힘든 어미를 위해, 이번에는 까마귀의 새끼들이 그 어미를 먹여 살린다고 합니다. 우리 인간들 중에는 까마귀보다 못한 사람들이 많습니다. 까마귀의 이런 지극한 효성은 우리가 본받아야 할 중요한 덕목입니다.

혼정신성(昏定晨省)

'혼정'은 '밤에 잘 때 부모님의 방에 가서, 밤새 편안하게 주무시기를 여쭙는다'는 뜻입니다. '신성'은 아침 일찍 일어나 부모의 침소에 가서 안녕히 주무셨는지를 살피는 일입니다. 우리는 부모님의 고마움을 알고 있습니다. 하지만 막상 부모님께 그 고마운 마음을 전달하기는 쉽지 않지요. 어버이날 같은 때 부모님 '고맙습니다'라는 말을 할 때도 왠지 쑥스럽지요? 그렇다고 마음속으로만 담고 있으면 안 되겠지요. 자기 마음속에 담고 있는 고마운 마음을 아침저녁으로 표현하고 인사드리는 것이 효의 시작입니다.

3. 기출 문제에서 속에서 만난 신사임당

2007년도 춘천교육대학교 정시 — 출제의도 해설

올바른 교육관이나 여성상을 묻는 논술 문제는 자주 출제되는 주요 논지 가운데 하나입니다. 이중 건국대 2004년 정시 논술에서 현대사회의 올바른 여성상에 대해서 언급했는데 '신사임당'과 비슷한 인물 유형이 제시문에 설명되었습니다. 이 문제의 경우에는 과거 사회와 현대사회에 변화된 특성에 맞게 올바른 여성상에 관해서 여러분이 생각해 볼 필요성이 있습니다. 과거에는 유교적 가치관이 지배하던 시대였기 때문에 수동적인 여성의 모습이 주류를 이루었지만 현대사회에서는 폭넓은 감수성과 섬세함을 갖춘 적극적인 여성의 모습을 요구한다는 점에 초점을 맞추면 좋은 답안을 작성할 수 있을 것입니다.

또한 2007년도 춘천교대 정시 문제에서는 2006년 말 정부와 국회가 고액권(10만 원권, 5만 원권) 발행에 합의함에 따라, 그 지폐에 넣을 인물에 대한 논의의 대상 중에 신사임당이 포함되어 있다는 재미있는 문제가 출제되기도 했습니다. 외국의 화폐에는 여성의 초상이 많이 나오지만 우리나라 화폐에는 여성이 없습니다. 따라서 신사임당이나 유관순 같은 여성을 넣어야 한다는 의견이 주장되고 있다는 것이었습니다. 또한 중국이 고구려사를 왜곡하고 있기에 광개토대왕이나 연개소문 같은 인물을 넣자는 의견, 과학

기술의 성과를 알리기 위해 장영실과 같은 인물을 넣어야 한다는 의견이 제시문에 소개되었습니다. 이는 그만큼 신사임당이 우리 역사에서 중요한 비중을 차지하고 있다는 말이기도 합니다.

과연 화폐에 어떤 초상을 넣어야 할까요? 판단은 여러분의 몫입니다. 신사임당이나 유관순, 광개토대왕이나 연개소문, 아니면 다른 인물을 선택해도 아무런 상관은 없습니다. 하지만 그 전제는 설득력이 있어야 하겠지요. 만일 신사임당을 넣어야 하겠다면 그녀의 교육관과 사상 등을 바탕으로 화폐에 넣어야 하는 적절한 이유를 서술해 나가야 하겠지요. 여성에게 제약과 억압이 많은 시대에 살았지만 지혜로운 아내로, 훌륭한 자식을 길러낸 어머니로, 뛰어난 예술가로 살아간 신사임당이 지폐에 넣었을 때 우리 사회에 미칠 방향에 대해서 생각해 보는 것 또한 좋은 답안을 작성하는 요건이 될 것입니다.

실전 논술

논술 문제

case 1 다음 글을 읽고 주어진 조건에 따라 논술하시오.

(가) 신사임당은 우리나라의 대표적인 여성상으로 잘 알려져 있습니다. 신사임당은 효녀였고, 사서오경에 통달하여 높은 학문 수준에 이르렀으며 4남 3녀를 한결같이 이름난 학자, 철학자, 예술가로 길러내는 등 자녀교육에 있어 몸소 모범을 실천하였습니다.

신사임당은 강릉의 북평촌(현재 강릉시 죽헌동)에서 조선 연산군 10년 되는 해(1054년) 음력 10월 29일 태어났습니다. 아버지 신명화는 생전에 공정하고 엄격한 성품을 가졌던 것으로 전하며, 이씨 부인과의 사이에서 다섯 딸을 두었으며 그 가운데 둘째가 사임당입니다.

사임당의 어린 시절에 관해 전해 오는 기록은 많지 않으나, 태어나면서부터 인물이 뛰어났고 다방면에 특출한 재능을 보여 부모님의 특별한 총애를 받았다고 전해집니다. 특히 손재주가 비상하여 바느질과 자수는 물론, 글과 그림에도 뛰어났으며 특히 초충화에 있어서 절묘한 솜씨를 보였다고 합니다.

신사임당은 일곱 살 때부터 그림을 시작했는데 세종 때 이름 높던 화가 안견의 산수화를 교과서로 삼았다고 알려져 있습니다. 그녀는 산수화를 그리면서 자신의 예술 세계에 처음 눈을 떴다고 말할 수 있습니다.

현재까지도 세기의 명화로 꼽히는 '몽유도원도'의 화가 안견은 당대 문화계의 거장이었습니다. 한양도 아닌 강릉에서 그런 그의 그림을 구한다는 것은 하늘의 별따기만큼 힘든 일이었습니다. 또한 당시 사회 분위기 속에서 여인이 그림 공부나 학문을 익히기란 쉽지 않은 일이었습니다. 이러한 상황에서도 사임당이 그림 공부를 할 수 있었다는 걸 보면 그녀의 부모님이나 외조부모님 등 주변인들이 그녀의 재능을 얼마나 아끼고 지원해 주었는지 알 수 있습니다.

— 《신사임당이 들려주는 예술과 효행 이야기》 중에서

(나) 만일 여러분이 예쁘거나 날씬하다는 이유로 남들보다 좋은 대접을 받고, 반대로 뚱뚱하거나 못생겼다는 이유로 무시당한다면 어떻겠는가?

최근에 외모를 근거로 한 편견이나 차별을 뜻하는 말로 새롭게 '루키즘 lookism' 이라는 표현이 사용되기 시작했다. 그만큼 사람의 용모가 개인 간 우열과 인생의 성패를 가르는 중요한 잣대로 크게 부각되었다는 뜻이다.

이는 방송과 광고 등에 의해 더욱 부추겨진 측면이 강하다. 텔레비전에 등장하는 주인공들은 한결같이 날씬하고 잘생겼다. 간혹 뚱뚱하고 못생긴 사람도 등장하지만, 그들은 악역이거나 상대적으로 잘생긴 사람을 돋보이게 하는 보조 역할로 등장하기 일쑤이다.

지난 2000년에 명문대 영어 교육과를 졸업한 J씨는 대학 때 친구들 사이에서 영웅으로 통했다. 학점과 토익 점수가 만점에 가까웠기 때문이다. 그러나 그는 직장을 구하지 못했다. 여러 번 면접에서 떨어졌는데, 가장 큰 원인은 외모였다.

이러한 외모 지상주의는 남성들에게도 마찬가지다. 요즈음은 대머리라는 이유로 취직이나 결혼에 불이익을 당할까 봐 고민하는 젊은이도 많다. 실제로 면접 때 좋은 인상을 주기 위해 성형 수술을 하거나 마사지를 받는 남성들도 흔하다는 것이다.

최근에는 인터넷상에서 얼짱 신드롬이라는 신조어가 생겨나 외모를 중시하는 또 다른 문화 현상이 나타나고 있으며, 채용에서 면접을 중요시하는 업체가 많아지면서 이러한 현상이 더 크게 작용하고 있다. 실제로 한 채용 전문 업체가 기업의 인사 담당자 1000여 명을 대상으로 조사한 결과에 따르면, 응답자 중 79.5%가 "외모가 채용에 영향을 미친다"라고 답한 것을 보아서도 알 수 있다. 특히, 여성 사원을 선발할 때 외모를 채용 기준으로 고려한다는 응답 비율(78.3%)이 남성 사원의 경우 (69.3%)보다 높게 나왔다. 심지어는 취업을 위한 성형 수술에 대해 '긍정적'(35.7%)이라는 답변이 '부정적' (25.8%)이라는 대답보다 높게 나온 것은 우리 사회가 외모에 대한 고정 관념이나 편견에 얼마나 깊이 빠져 있는지를 알 수 있게 해준다.

— 중학교, 《인권》 중에서

1. (가)의 밑줄 친 부분의 원인이 무엇인지 간단히 서술하고 (나)에서 어떠한 문제와 연결될 수 있는지 서술하시오. (200자 내외)

2. (가)를 참고로 하여 (나)의 문제점을 해결하기 위한 방안을 논술하시오. (500~600자)

생각 쓰기

생각 쓰기

생각 쓰기

case 2 다음 글을 읽고 주어진 조건에 따라 논술하시오.

가 초충도란 전통 회화의 종류 중 풀과 곤충을 소재로 하여 표현한 그림이다. 신사임당의 초충도는 작가의 세밀한 관찰력을 엿볼 수 있는 작품으로 풀잎과 곤충의 묘사가 훌륭하게 표현되고 있으며 먹과 채색을 능숙하게 다루고 있는 작가의 표현력을 느낄 수 있다.

— 중학교 2, 《미술》, 〈먹과 채색의 만남〉 중에서

나 현재 전해지고 있는 초충도는 대부분 사임당의 작품이라고 볼 수 있습니다. '수박과 여치,' '맨드라미' 등의 대표작들이 현재까지도 수많은 이들에게서 칭송받고 있습니다. 마당에서 그림을 말리던 중에 닭이 이를 보고 달려들어 쪼았다는 일화는 사임당의 그림이 얼마나 사실적이고 정교했는지를 알려주는 일화입니다. 또한 그녀의 초충도에서 보이는 곱고 품위 있는 색감이나 소박하고 섬세한 표현 기법은 독특하면서도 우아한 화폭의 분위기를 만들어내고 있습니다.

사임당의 회화는 우리가 언제나 일상에서 만날 수 있는 초화나 벌레를 주된 소재로 삼고 있습니다. 수박, 포도, 오이, 가지 등의 열매나 맨드라미, 도라지, 양귀비, 봉선화 같은 꽃들을 중앙에 두고, 도마뱀, 개미, 쥐, 개구리, 메뚜기, 나비, 잠자리 등을 그 주변에 배치하는 사임당의 작품들은, 특히 들쥐나 개구리 같이 일반적으로 아름답다고 여기지 않는 것들을 화폭에 담아내며 정서적 미감에 탁월한 재능이 있음을 보여 줍니다. 주변에서 쉽게 찾을 수 있는 작고 보잘것없는 소재를 택했다

는 것은, 사사로운 것에도 따뜻한 배려를 건네는 사임당의 온화하고 겸손한 인품을 나타냅니다.

신사임당은 주위에서 쉽게 볼 수 있는 풀과 벌레들을 소박하고 단순한 구도로써, 또 깊이 있는 색채와 단아하고 정갈한 느낌으로써 표현하며 자신의 고유한 미적 관념을 펼쳐 보입니다. 친근한 소재와 섬세하면서도 정감 있는 사임당의 표현 기법은 조선 초기 중국으로부터 영향 받지 않은 우리의 독자적인 화풍을 형성하는 데 일조하였습니다. 조선 초기뿐 아니라 한국 미술사에 있어서도 신사임당을 빼놓고는 이야기할 수 없을 만큼, 그녀는 우리나라 초충도의 선구자이며 최고로 손꼽히는 화가 중에 하나라고 할 수 있습니다.

— 《신사임당이 들려주는 예술과 효행 이야기》 중에서

다 문학 작품을 창조적으로 수용한다는 것은 자신의 경험, 배경 지식, 가치관, 상상력 등을 총동원하여 문학 작품과 끊임없이 상호 작용하면서 의미를 재구성하는 적극적인 활동을 의미한다. 그러므로 독자는 작품 속의 활자를 아무 생각 없이 읽어 나가거나, 작품을 읽고 그 내용만을 단순히 받아들여서는 안 된다. 자신의 경험과 상상력을 토대로 작품을 읽어 가면서 질문을 던지고, 의문을 가지면서 창조적인 의미를 구성해야 한다. 다시 말해, 독자는 문학 작품과 적극적으로 대화하면서 의미를 재구성하는 능동적 창조자여야 한다.

창조적인 독자는 다른 사람들의 다양한 생각과 해석을 인정할 수 있어야 한다.

문학 작품에 대한 다른 사람의 생각이나 해석을 들으면 자신이 알지 못했던 새로운 사실을 발견할 수 있으며, 다른 사람과 의견을 교환하는 과정에서 독서의 수준도 높일 수 있고 사고의 폭도 넓힐 수 있다.

자신의 경험과 가치관, 상상력 등을 동원해서 문학을 체험하고 작품에 대하여 다른 생각과 느낌을 나누는 창조적 문학 수용 태도는 문학 작품을 감상하는 능력을 길러 줄 뿐만 아니라, 자아실현의 기회를 제공하며, 인간의 총제적인 삶을 이해하는 데 도움이 될 것이다.

— 중학교 3-2, 《국어》 중에서

1. (나)를 참고로 (가) 그림에 나타난 특징과 그 의미에 대해서 서술하시오. (200자 내외)

2. 모든 제시문을 참고로 해서 우리가 예술 작품을 감상하는 이유와 올바른 태도에 관하여 논술하시오.

생각 쓰기

생각 쓰기

생각 쓰기

실전 논술

예시 답안

case 1

1. 조선 시대는 엄격한 유교 윤리가 강조되었기 때문에 남자와 달리 여자는 교육을 받는 데 많은 제안이 따랐다. (가)의 밑줄 친 부분은 바로 이러한 사회적 여건을 의미한다. 현대사회는 과거와 달리 남녀가 평등해졌고 누구나 교육을 받을 수 있다. 하지만 아직도 학연, 지연, 혈연, 외모에 따른 차별은 아직도 공공연하게 이루어지고 있다. 이중에서 제시문 (나)에서는 외모지상주의의 문제점에 대해서 언급하고 있다.

2. 현대사회에서 외모는 일종의 경쟁력이라고 칭하여 지기도 한다. 이는 실력보다도 그 사람의 외모가 그 사람을 평가하는 중요한 요소로 작용하기 때문이다. 하지만 외모는 그 사람의 능력을 대변할 수 없다. 이는 단지 (나)에서 언급한 고정관념과 편견에 불과할 뿐이다.

(가)의 신사임당은 높은 학문 수준에 이르렀고 자녀들을 훌륭하게 교육한 현모양처의 모범으로 손꼽이다. 신사임당이 이렇게 후세에게 표본이 된 이유는 그녀의 뛰어난 능력과 자질 때문이라고 할 수 있지만 그 밑바탕에는 주변의 환경이 중요하게 작용했음을 주의 깊게 살펴볼 필요가 있다. 당시는 유교적 관념이 지배했던 시대로 여성에 대한 교육은 등한시되었고, 그저 남편과 자녀의 뒷바라지를 잘하는 전형적인 여인을 미덕이라고 여기던 시대였다. 신사임당의 주변인들은 이러한 당시 유교적 고정관념과 편견을 떨쳐버리고 신사임당을 올바르게 교육했던 것이다. 이는 현대사회에 만연한 외모지상주의를 해결하는 데 지향점을 제시해

준다고 할 수 있다. 우선 그 사람의 능력을 정확히 판단하는데 있어 사회적 고정관념이나 선입관은 떨쳐버려야 한다. 그리고 특기와 재능에 걸맞는 인재로 성장할 수 있는 지속적인 교육이 필요하다. 또한 이러한 사회상에 어울리는 풍토가 조성될 수 있도록 힘쓰는 일도 중요할 것이다.

case 2

1. (가)의 그림에는 가지와 나비, 사마귀 등 우리에게 익숙한 식물과 곤충이 등장하고 있다. 이는 (나)의 설명처럼 신사임당이 사소한 것을 배려하는 섬세하고 여성스러운 모습이 나타나는 부분이다. 또한 간단한 구도와 깊은 채색에서 보이는 아름다움은 독창적인 화풍으로 신사임당의 독창성을 엿볼 수 있다.

2. (다)에서 작품에 대한 감상은 감상력을 길러 주는 것뿐만이 아닌, 자아실현의 기회와 삶을 이해하는 데 도움을 준다고 설명하고 있다. 이는 바로 우리가 문학 작품을 감상하는 궁극적 목적이며 다른 장르의 예술 작품을 감상하는 이유이기도 하다. 우리가 작품에서 이러한 의미를 도출해 내기 위해서는 예술 작품을 바라보는 태도 또한 중요하다고 할 것이다.

작품 속에는 작가의 고유한 개성과 가치관이 담겨져 있다. 하지만 이러한 것들을 파악하려는 목적만으로 작품을 바라보는 것은 올바른 수용 방법이 아니다. 독자는 작품을 창조적 의미로 재구성해 내야만 한다. 즉 (가)의 그림을 (나)의 설명을 바탕으로 바라보는 것이 아니라 스스로 그림 속에서 신사임당을 찾고자 노력해야 한다. 이를 통해 독자는 작가가 표현하려는 의도에 한 발짝 다가설 수 있을 것이다. 물론 이렇게 파악한 작품의 의미가 다른 사람들의 견해와는 차이가 날 수도 있다. 하지만 다름은 틀림이 아니다. 똑같은 사물을 작가마다 다르게 표현하듯 독자도 얼마든지 다르게 해석할 수 있다. 작가와 마찬가지로 독자마다 삶의 방식이 다르고 예술 작품을 바라보는 안목이 다르기 때문이다. 또한 이렇게 차이가 나는 부분에 대해 다른 사람과 의견 교환을 한다면, 새로운 사실을 발견할 수 있으며 작품 감상의 안목도 높일 수 있을 것이다.

Abitur

철학자가 들려주는 철학이야기 086

피타고라스가 들려주는 수 이야기

저자_**이봉선**

중앙대에서 문예창작을 전공했습니다. 1998년과 2004년에 신춘문예 단편소설로 등단하였습니다. 현재 대학에서 소설 창작을 강의하며 소설을 쓰고 있습니다. 효원이 태준이의 아빠로서 좋은 책을 많이 읽어주려 노력하고 있습니다. 학생들에게 국어와 논술을 가르치면서 가장 소중한 삶의 가치가 무엇인지도 늘 고민하고 있습니다.

배경 지식 넓히기

Pythagoras

피타고라스와 '수'

피타고라스 주요 개념

1. 피타고라스를 만나다

1) 피타고라스는 누구인가

피타고라스는 언제 태어났는지 확실치가 않습니다. 유명한 수학자의 출생 시기를 정확히 모르는 이유는 무엇일까요? 피타고라스는 기원전, 그러니까 예수님이 태어나기 전의 사람입니다. 이때는 정확한 역사 기록이 많지 않습니다. 출생 연대는 기원전 582년에서부터 기원전 580년 등 여러 가지 설이 있지만 모두 정확하지 않습니다. 다만 그리스에 있는 사모스 섬에서 출생했다는 사실은 널리 알려져 있습니다.

어린 시절의 피타고라스의 삶이 어떠했는지도 정확히 알 수 없습니다. 이 시기에 사모스 섬에 살고 있던 페르키데스라는 철학자에게서 철학을 배웠다는 이야기가 전해집니다. 또한 탈레스를 만나서 수학을 공부했다고 하는데 이 역시 정확한 시기는 알 수 없습니다. 스승 탈레스의 권유로 이집트로 건너가서 수학과 논리학을 배웠습니다. 그 후에 바빌로니아 남쪽에 있는 칼데아 지방으로 가서 천문학을 공부했습니다. 천문학을 익힌 피타고라스는 현재 레바논인 페니키아로 가서 논리학과 기하학을 배웠습니다. 그 후에도 공부를 게을리하지 않고 이란 지방으로 유학을 가서 학문 연구를 계속했다고 합니다.

피타고라스는 이렇게 열심히 공부를 하고 나서 고향인 사모아 섬으로 돌아왔습니다. 그런데 피타고라스는 사람들에게 잘 알려지지도 않았고, 뚜렷한 업적도 없었기 때문에 아무도 그에게서 학문을 배우려고 하지 않았습니다. 그래서 피타고라스는 돈을 주면서 자신의 학문을 가르쳤다고 합니다.

피타고라스는 기원전 538년 경 사모스의 폭군 폴리크라테스를 피해 사모스 섬을 떠나게 됩니다. 그리고 기원전 529년, 그 당시 큰 부자였던 '밀로' 라는 사람의 후원을 받아 학교를 설립합니다. 밀로는 철학과 수학에 관심이 많아서 피타고라스에게 기회를 준 것입니다. 이 학교가 바로 피타고라스학파를 배출한 곳입니다. 물론 오늘날과 똑같은 의미의 학교는 아니지만 학생들을 가르치고 새로운 학문을 연구하던 곳이라고 할 수 있겠지요. 피타고라스는 이 학교의 설립자이며 교장 선생님이고 수학, 철학 등을 가르치던 선생님이었습니다.

이 학교에는 많은 학생들이 참여하여 큰 성황을 이루었습니다. 제자 가운데는 밀로의 딸 테아노가 있었는데, 그녀는 피타고라스와 결혼을 하게 됩니다. 테아노는 최초의 여자 수학자로 알려져 있습니다.

피타고라스는 학생들을 '피타고라스 학생' 이라는 정식 학생과 청강생으로 나누어 수업을 진행했습니다. 그런데 청강생은 수업을 듣기만 할 뿐 선생님에게 질문을 하면 안 되었다고 하네요. 어떻게 그런 수업이 진행되었을지 궁금하지요? 이에 비해 피타고라스 정식 학생들은 다양한 질문과 연구를 하며 학문을 연구해 나갔습니다.

일정한 자격 요건을 갖춘 정식 학생이 되면 천문학, 음악, 수학 등 다양한 분야의 학문을 공부할 수 있었다고 합니다. 그런데 피타고라스는 이들에게 산술과 기하를 강조하여 수학자라는 의미를 가지게 되었다고 합니다.

정식 학생들은 배운 내용에 관해서는 일체 비밀을 지켰으며 간소한 생활, 엄격한 교리, 극기, 절제, 순결, 순종의 미덕 증진을 목표로 단체 행동을 하였습니다. 이들은 피타고라스의 수업을 이해했을 뿐만 아니라 새로운 정리를 만들어내기도 하였습니다. 이 학회에 들어오는 사람은 자신이 가지고 있는 모든 재산을 학회에 헌납했습니다. 하지만 학회를 탈퇴할 시에는 자신의 재산에 2배를 가지고 나갔습니다. 또한 탈퇴한 사람의 업적을 기리기 위하여 기념비까지 세워 주었다고 합니다.

피타고라스가 설립한 학교는 단순히 학교가 아니라 종교적인 성격도 띠었습니다. 영혼 불멸을 연구하며 종교적인 의식을 거행하고, 제자들의 발견은 모두 피타고라스의 것으로 하며, 그 발견을 외부에 누설하지 못하게 했습니다. 그리하여 이 교단은 큰 세력을 갖게 되었고, 각 방면에서 부러움의 대상이 된 동시에 정치적 반대파로부터 뜻하지않은 공격을 받기도 했습니다. 피타고라스의 사람들은 이 사실을 알고 부녀자들을 배에 태워 시실리 방면으로 미리 피난시키고 피타고라스를 호위하면서 메소포타미아 쪽으로 도망을 갔으나 추격은 점점 심해져서 결국 피타고라스는 메타폰톰에서 체포되어 살해되고 말았습니다. 그리스 7현 중의 한 사람인 그의 죽음은 비참했습니다. 피타고라스의 학교는 불태워졌으며, 그의 학파는 그리스의 여기저기에 흩어져서 약 200년간 활동하였습니다.

피타고라스의 학문적 업적은 다른 사람들이 정리한 책에 소개되어 있습니다. 일부에서는 피타고라스라는 사람은 실제로 없었고, 그것은 개인의 이름이 아니라 피타고라스학파의 업적을 의미한다고 말하는 사람도 있습니다. 신비로운 수를 다룬 그의 학문처럼 피타고라스라는 삶도 신비로움으로 가득 차 있다고 볼 수 있습니다.

2) 피타고라스의 수

① 정수론 — 세상 모든 신비를 담은 수의 연구

지금의 수학과는 달리 피타고라스가 수를 대하는 태도는 신비주의적이었습니다. 그렇기 때문에 피타고라스와 그의 제자들은 수에 대한 연구에 몰두했습니다. 정수론의 기초가 되는 짝수와 홀수의 개념도 피타고라스학파에서 발견했다고 합니다.

피타고라스는 자연계에서의 수의 역할을 중요시하여 "만물은 수이다"

라고 했습니다. 수 자체의 성질을 연구하는 것을 정수론 또는 산술이라고 합니다.

피타고라스 학파에서는 정수와 분수만으로 세상 모든 것을 표현할 수 있다고 생각했습니다. 정수는 음의 정수와, 0 ,양의 정수를 합한 것을 말하고 분수란 두 수 비의 값을 말합니다.

피타고라스학파는 이것 외에 다른 숫자가 있다는 사실을 발견하게 됩니다. 바로 피타고라스의 정리에 의해서 무리수를 발견한 것입니다. 그들은 무리수가 분수로 나타낼 수 있는 수라는 사실을 증명하기 위해 노력했습니다. 그러던 중에 무리수는 분수가 아니라는 것을 알게 되었습니다 하지만 피타고라스학파는 이 사실을 외부에 알리지 말자고 약속을 합니다.

왜 그랬을까요? 앞서 살펴본 대로 피타고라스 학파는 단순한 숫자만 연구하는 집단이 아니라 일종의 종교 집단이었기 때문입니다. 자신들은 정수와 분수만으로 모든 세상을 다 표현한다는 믿음을 가르쳐 왔는데, 그것 외에 다른 것이 있다는 사실은 스스로의 종교 교리를 부정하는 것이나 마찬가지였으니까요. 결국 한 사람이 이를 외부에 알리게 되고, 그 사람은 피타고라스학파에 의해 죽게 됩니다. 하지만 피타고라스학파 사람들은 무리수를 자신들의 연구 대상으로 받아들였습니다.

피타고라스학파는 모든 숫자에 의미를 부여하려고 노력했습니다. 홀수, 짝수, 소수, 서로소인 수, 과잉수, 완전수, 부족수, 친화수 등과 같은 것입니다.

소수는 1과 자기 자신만으로 나누어지는 1보다 큰 양의 정수를 말합니다. 예를 들어 2, 3, 5, 7, 11, 13, 17, 19, 23, 29…… 등은 모두 소수입니다. 서로소인 수는 두 수의 최대공약수가 1이라는 것입니다. 과잉수는 자신을 뺀 약수의 합이 자신보다 큰 수를 말합니다. 12와 같이 자신을 제외한 약수를 더하면 16=1+2+3+4+6 이 되는 것과 같이 자기 자신을 제외한 약수의 합이 그 수보다 큰 경우를 말하는 것이지요.

이 밖에도 완전수는, 자기 자신을 제외한 모든 약수의 합이 자기 자신과 같은 것입니다. 부족수는 자기 자신을 제외한 모든 약수의 합이 자신보다 작은 수입니다. 10의 약수는 1, 2, 5, 10인데, 자신을 빼고 1, 2, 5를 합하면 8이 되지요. 이것은 원래 수 10보다 작으므로 부족수라고 합니다. 친화수는 a가 b 자신을 제외한 모든 약수의 합이 되고, 또 b가 a의 자신을 제외한 모든 약수의 합이 되는 한 쌍의 수 (a, b)를 가리키는 말입니다.

예를 들면 220=1+2+4+71+142(284의 약수의 합), 284=1+2+4+5+10+11+20+22+44+55+110(220의 약수의 합)이므로 220과 284는 친화수입니다.

피타고라스학파는 이처럼 다양하게 수를 연구하여 오늘날 수학 발달의 기초를 다져 놓았습니다. 수에는 세상의 모든 신비가 담겨있고, 또 수를 통하여 세상을 이해할 수 있다고 믿었던 피타고라스와 그의 제자들은 수를 철학으로 받아들였던 것입니다.

피타고라스의 정리

직각삼각형에서 직각을 낀 두 변 길이 제곱의 합은 빗변 길이의 제곱과 같다.

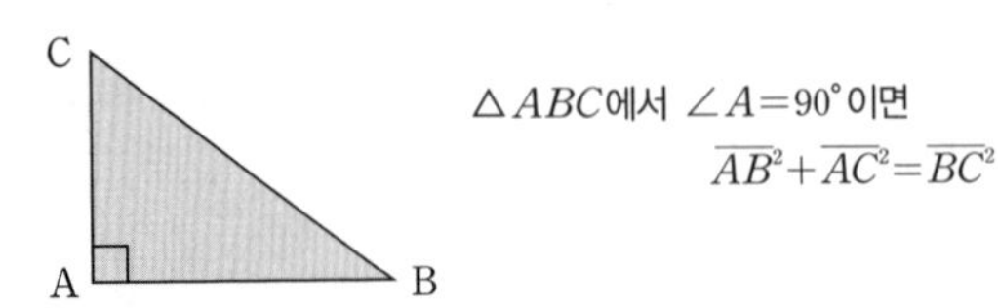

이 정리는 직각삼각형의 세 변에 관한 것입니다. 임의의 직각삼각형에서 빗변을 한 변으로 하는 정사각형의 넓이는 다른 두 변을 각각 한 변으로 하는 정사각형 넓이의 합과 같다는 것입니다. 이 때 빗변의 길이를 c, 다른 두 변의 길이를 각각 a, b라고 하면 다음과 같은 식으로 쓸 수 있습니다.

$$a^2+b^2=c^2$$

이 정리는 단순한 수식으로 끝나는 것이 아니라 수학, 과학 등의 복잡한 원리를 증명하는 방법으로 쓰이며, 실생활에서도 폭넓게 활용되고 있습니다.

무리수

실수 중에서 유리수가 아닌 수를 무리수라고 합니다.

그러면 또 실수는 무엇이고 유리수는 무엇일까요? 실수는 유리수와 무리수를 모두 합한 수입니다. 그리고 유리수는 정수와 분수를 합한 것을 말합니다. 실수 중에서 분수와 정수를 빼면 무리수입니다.

실수 = 유리수 + 무리수

= 유리수(분수 + 정수)

실수란 개념은 매우 크고, 그 중에서 분수와 정수가 아닌 것은 무리수라고 할 수 있습니다.

② 수학을 통한 철학—수에 담겨진 신비

피타고라스는 수학자이며 철학자였습니다. 짝수와 홀수의 구분이나 소수의 의미를 분석하였고, 완전수의 발견에서 유리수 중 정수를 정리해 보려는 시도나 완전수, 부족수, 과잉수의 의미를 정리하였습니다. 피타고라스는 이러한 수를 인간의 삶과 우주와 연계하여 설명하였습니다.

이 세상은 수로 이루어져 있습니다. 피타고라스는 1은 수의 아버지, 2는 수의 어머니라고 설명합니다. 점인 1을 수의 아버지라 부르고, 선인 2는 수의 어머니가 됩니다.

한편 짝수는 홀수에 비하여 약하기 때문에 여성적이라고 생각했습니다. 반면에 홀수는 항상 중심에 있습니다. 왜냐하면 홀수와 짝수의 합은 항상 홀수가 되기 때문입니다. 수의 시작은 본격적으로 3부터 시작됩니다. 1과 2는 본질적이기 때문에 피타고라스학파는 3이 진짜 첫 번째 수가 된다고 주장하였습니다.

1은 모든 수의 기본입니다. 모든 수 안에 들어있고, 모든 수를 수가 되게 하는 독특한 수입니다. 1은 언제나 존재의 근원, 통일성, 전체성, 온전성이며 우주적 신성성을 지니게 됩니다.

2는 하나를 나눈 것입니다. 1이 점이면, 2는 선입니다. 기독교에서 인간 세계의 창조는 원래 하나였던 이 세계를 둘로 갈라놓으면서 시작됩니다. 빛과 어둠, 땅과 하늘, 육지와 바다, 시간과 영원을 갈라놓는 계기를 통해 창조의 세계와 그 기틀을 마련합니다. 남자와 여자라는 이중성, 양극성 등은 모두 2의 철학적 사고입니다.

3은 면의 이미지로 뿐만 아니라 처음과 중간 그리고 마지막을 갖는 수로서 모든 현상을 나타냅니다.

4는 제곱수이며 4원소, 4계절, 달의 4모형, 4가지 미덕 등의 표현에 쓰입니다. 4는 지식의 수이며 세상의 수입니다. 4방과 4방위 바람이 있습니다.

남성적인 수 3과 여성적인 수 2를 합하면 5가 되지요. 그래서 5는 결혼을 의미합니다. 결혼의 수 5는 모든 살아 있는 것들을 포옹하는 자연의 모습입니다. 5가지 본질, 음악에서의 조화음 5가지, 우주에 있는 5가지 창조물—행성, 물고기, 새, 동물, 인간 등을 의미합니다. 그리고 인간의 시각, 청각, 후각, 미각, 촉각의 5감 등이 있습니다.

6도 여성적 결혼의 수로 완전수입니다.

7은 어떤 수로도 만들어질 수 없기 때문에 처녀수라고 합니다. 1에서 10까지의 열 개 수 중에서 7이라는 수는 매우 특이합니다. 일주일은 왜 7일일까요? 신이 세상을 창조하고 쉬었다는 날이 바로 7일째라고 하지요. 창조는 6일간 지속되고 7일에 휴식했으며 그 날을 거룩하게 했다고 합니다. 기독교에서만 이런 생각이 있을까요? 불교에서 석가모니는 7년간의 고행 후에 해탈을 경험합니다.

8은 어디에서 찾아볼 수 있을끼요? 그렇습니다. '도레미파솔라시도' 가 바로 8음계에요. 왜 하필이면 이것을 8로 구분했을까요? 인간이 듣는 소리의 구분이 이 8단계로 되면 가장 명확하다고 합니다.

9는 3의 제곱수이다. 3은 우리 선조들도 매우 신성하게 여긴 숫자입니다. 삼세판이라는 말이 있지요? 한 번으로 끝내지 말고 세 번은 기회를 주라고 하는 의미에도 3에 대한 믿음이 담겨 있지요. 기독교, 불교 등 많은 종교에서도 3의 의미가 신성시됩니다. 그 3이 3번 모여 있는 9는 신성한 숫자로 받아들여졌습니다.

10이라는 수의 표기는 1과 0을 합한 수입니다. 우리는 열 손가락을 갖고 있습니다. 이것이 10진수의 개념이지요. 1과 0이 숫자이면서도 수가 아닌 그 이상의 무엇이듯이, 10은 단순한 수의 개념 이상이었습니다. 양쪽 손가락이 열 개인 것은 열 손가락으로 모든 것을 쥘 수 있기 때문입니다. 그래서 10은 모든 것의 완성입니다.

피타고라스는 숫자로 우주 만물의 이치와 신의 섭리를 설명하려고 했습니다. 피타고라스학파는 평면이 합동인 정다각형으로 빈틈없이 메울 수 있는 것은 정삼각형, 정사각형 그리고 정육각형뿐이라는 것을 발견했습니다. 피타고라스 학파의 철학에서는 정사면체, 정팔면체, 정이십면체, 정육면체를 물리적 세계의 4원소로 해서 각각 불, 공기, 물, 흙으로 나타내었고, 제5의 원소로는 뒤에 발견한 정십이면체를 우주와 결합시킴으로써 나타냈습니다.

피타고라스학파는 평행선에서 엇각이 같다는 성질을 이용하여 정점 A에서 삼각형의 세 내각이 모이게 함으로써 합이 180° 라는 사실을 증명하였습니다.

앞서 살펴본 것처럼 피타고라스 학파는 완전수인 6을 발견했습니다. 이는 약수들의 합이 자신의 수와 같은 수를 말하는 것으로 6은 최초의 완전수인 것입니다. 완전수의 발견은 철학과 기하학이 만난 결과라고 할 수 있습니다. 두 번째 완전수인 28은 천문학적으로도 매우 중요한 달의 주기와 같습니다.

피타고라스학파에서는 수 외에도 음악과 천문학에도 많은 관심을 두었습니다. 왜냐하면 그들은 현의 길이가 정수배인 현들은 서로 조화로운 소리를 낸다는 것을 발견했기 때문입니다. 이러한 생각에서 음악이 세상을 만든 이치를 밝혀낼 수 있는 수단이라고 생각을 하고 음악에도 수의 의미를 부여하였습니다.

피타고라스와 제자들에게 수는 세상을 이해할 수 있는 열쇠이며, 세상은 수를 통해 정리되는 하나의 생명체와 같습니다.

2. 교과서에서 만난 피타고라스

① 수의 개념과 의미 — 생각의 체계

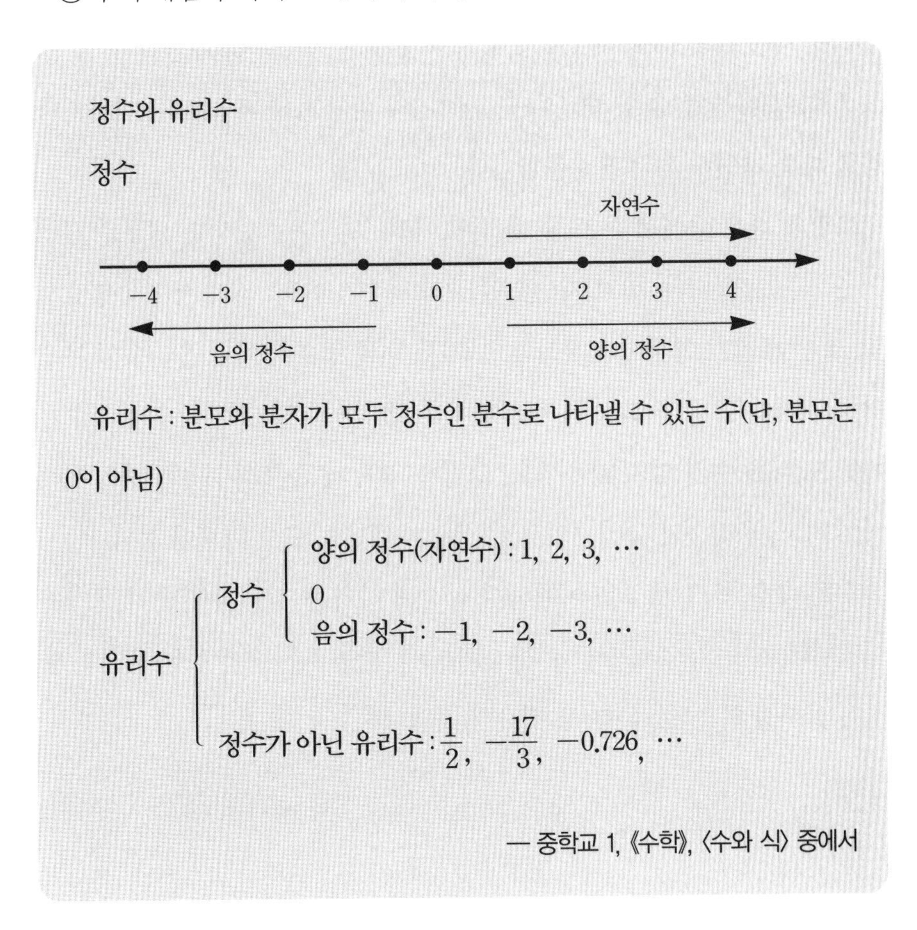
정수와 유리수

정수

유리수 : 분모와 분자가 모두 정수인 분수로 나타낼 수 있는 수(단, 분모는 0이 아님)

유리수
- 정수
  - 양의 정수(자연수) : 1, 2, 3, ⋯
  - 0
  - 음의 정수 : −1, −2, −3, ⋯
- 정수가 아닌 유리수 : $\frac{1}{2}$, $-\frac{17}{3}$, −0.726, ⋯

— 중학교 1, 《수학》, 〈수와 식〉 중에서

피타고라스와 그의 제자들이 정리한 다양한 수의 개념은, 현재 교육과정에서도 가장 기본이 되는 것입니다. 수에 대한 이해가 바탕이 되어야 그 이후의 단계에서도 다양한 활용이 가능하기 때문입니다. 흔히 기초가 부족해서 수학이 어렵다는 말을 하는데, 여기에서 말하는 기초가 바로 수입니다. 우리는 처음 수를 배울 때 1, 2, 3, 4, 5, …… 같은 자연수를 배웁니다. 그 수를 더하고 빼는 연습을 하고 나면 곱하기와 나누기를 배웁니다. 더하거나 곱할 때는 자연수 하나면 충분합니다.

그런데 작은 수에서 큰 수를 빼거나, 어떤 수를 나누게 되면 새로운 개념의 수가 필요합니다. 바로 자연수인 양의 정수가 아닌, 음의 정수가 필요하고, 정수 개념을 이해해야 하고, 나누기를 통해 정수가 아닌 유리수인 분수를 이해해야 합니다. 그러면 유리수에서 끝나는 것일까요? 분수나 정수가 아닌 또 다른 수가 있지 않을까요? 그렇습니다. 바로 무리수의 개념을 이해해야 하고, 무리수와 유리수의 합인 실수의 개념을 또 이해해야 합니다.

수를 배우고 그 개념을 이해하여 확장해 나가는 것은 수학만의 문제가 아닙니다. 수는 우리의 모든 삶과 연계되어 있습니다. 수를 통한 생각의 확장은 공부를 하는데 있어서도 필요한 것입니다.

피타고라스의 정리

▶직각삼각형에서 직각을 낀 두 변 길이의 제곱의 합은 빗변 길이의 제곱과 같다.

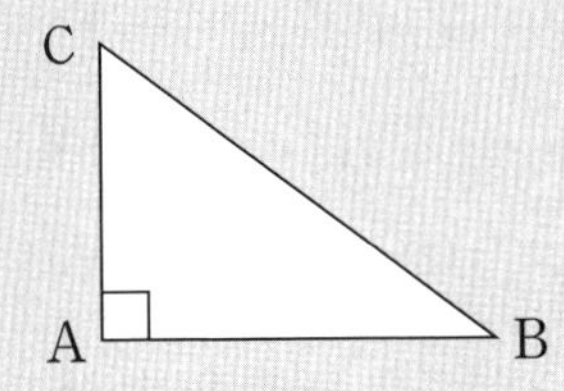

$\triangle ABC$에서 $\angle A=90°$이면
$\overline{AB}^2+\overline{AC}^2=\overline{BC}^2$

피타고라스의 정리의 역

▶세 변의 길이 a, b, c가

$a^2=b^2+c^2$을 만족하는 삼각형은 빗변의 길이가 a인 직각삼각형이다.

즉, $\triangle ABC$에서 $a^2=b^2+c^2$ 이면 $\angle A=90°$

삼각형의 각의 크기와 변의 길이

$\triangle ABC$ 에서 $\overline{BC}=a$, $\overline{CA}=b$, $\overline{AB}=c$일때

▶$\angle A<90° \Leftrightarrow a^2<b^2+c^2$ ($\angle B<90°$, $\angle C<90°$이면 예각삼각형)

▶$\angle A=90° \Leftrightarrow a^2=b^2+c^2$ (직각삼각형)

▶$\angle A>90° \Leftrightarrow a^2>b^2+c^2$ (둔각삼각형)

— 중학교 3, 〈피타고라스의 정리〉, 《수학》 중에서

수학 교과서에서 피타고라스의 정리는 독립된 단원이 있을 정도로, 매우 중요하게 다뤄지고 있습니다. 피타고라스의 정리는 단순하게 '직각삼각형에서 직각을 낀 두 변 길이 제곱의 합은 빗변 길이의 제곱과 같다' 라는 것에서 끝나는 것이 아닙니다. 직각삼각형의 개념이나 넓이만의 문제가 아니라, 기하학의 기본 개념을 이해하는 출발점이 됩니다.

피타고라스의 정리는 건축에서도 잘 활용되고 있습니다. 여러분의 공부방을 한번 살펴볼까요. 방의 모양이 비교적 정확하게 직각을 이루고 있지요. 어떻게 그런 모양이 나올 수 있을까요? 건축은 직각을 가장 많이 사용합니다. 평면으로부터 직각을 이루는 기둥이나 벽은 가장 안전한 각도를 유지할 수 있습니다. 어느 한 쪽으로 기울면 높이 올라갈 수 없겠지요. 피타고라스 정리가 없었다면 건축설계나 시공을 할 때 많은 어려움을 안고 작업을 해야 할 것입니다. 바로 피타고라스의 3 : 4 : 5 비례는 직각을 많이 요구하는 건축에서 가장 중요하게 쓰이고 있습니다.

가끔씩 수학 공부를 하다보면 '이런 것을 왜 배울까' 하는 의문이 들 때가 있습니다. 그것은 수학이 실제 우리 생활에 많은 도움이 되기 때문입니다. 앞에서 예를 든 건축에 적용되기도 하고 새로운 물건을 만들어내는 데 이용되기도 합니다. 이렇게 수학은 눈에 보이는 실용적인 가치뿐만 아니라, 우리 생각을 보다 더 넓고 깊게 해 주는 생각의 힘을 키워줍니다. 어쩌면 이런 가치가 수학의 본질일 수 있습니다. 피타고라스의 정리는 단순한 수학의 정리를 넘어서 우리 주변의 일상적인 것을 통해 창조적인 생각을 이끌어 내는 힘이 있습니다.

3. 기출 문제에서 만난 수학적 사고

2005학년도 고려대학교 수리 논술고사 예시 문항에서는 고대 그리스인들이 다각형의 넓이를 구하기 위한 방식으로, 다각형을 삼각형으로 나누고, 각각 삼각형 넓이의 합을 구하는 원리를 활용하여, 안경의 넓이를 구하는 원리를 묻는 문제가 출제되었습니다. 삼각형의 넓이를 구하기 위해 피타고라스의 정리가 활용되듯이, 문제를 해결하기 위한 수학적 원리와 사고 과정을 묻는 문제였습니다. 이 문제의 중요한 의도는 수학적인 원리를 우리 실생활에 어떻게 활용할 수 있는가를 묻는 문제였습니다.

1998년도 이화여대 자연계 논술문제는 '과학적 탐구 활동에서 수학의 역할'과 관련된 문제였습니다. 화이트헤드의 《과학과 근대 세계》에서 인용한 글을 통해, 과학적 탐구 활동의 여러 단계 중 수학이 어떤 분야에서 왜 중요한가를 설명할 것을 요구하고 있습니다. 구체적인 자연과학의 법칙이나 원리를 통해 과학적 탐구 활동에서 차지하는 수학의 역할은 무엇인지를 묻는 것이었습니다.

수학은 우리 일상의 사소한 문제를 통해 그 안에 숨겨져 있는 공통적인 원리를 찾고 있습니다. 어떤 경우에는 실제 생활과는 무관한 내용을 담고 있는 것처럼 보이기도 합니다. 지나치게 원론적이거나 지나치게 추상적이어서 실용적인 가치도 없는 학문처럼 보이기도 하지요. 그러나 과학 기술이 당면한 문제를 해결하는 가장 근원적인 방법은 바로 수학적 사고를 기반으로 합니다. 복잡해 보이는 것일수록 그 해답은 가장 단순한 원론에 있는 경우가 많습니다. 수학이 바로 그런 모습을 보여 주는 것입니다.

수와 관련한 포괄적인 논제로, 2006 고려대 수시에서는 귀납추리와 수학적 귀납법의 차이에 대한 문제가 출제되었습니다. 또 서울대 2006학년도 예시 문항과, 중앙대 2003학년도 수시에서는 홀수와 짝수의 문제가 출제되기도 했습니다.

수와 관련한 문제는 수리 논술과 관련하여 출제되는 경우가 많습니다. 그 출제 의도는 수학적인 사고, 다시 말해 어떤 문제를 접하고 그것을 해결하기 위한 합리적인 사고 과정을 묻는 문제입니다. 이것은 논술의 중요한 교육 목적과 평가 항목에서 가장 중요한 요인이라 할 수 있습니다.

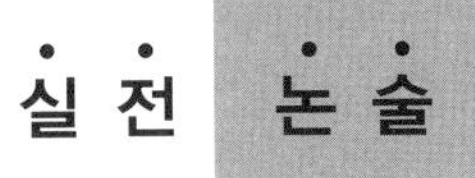

논술 문제

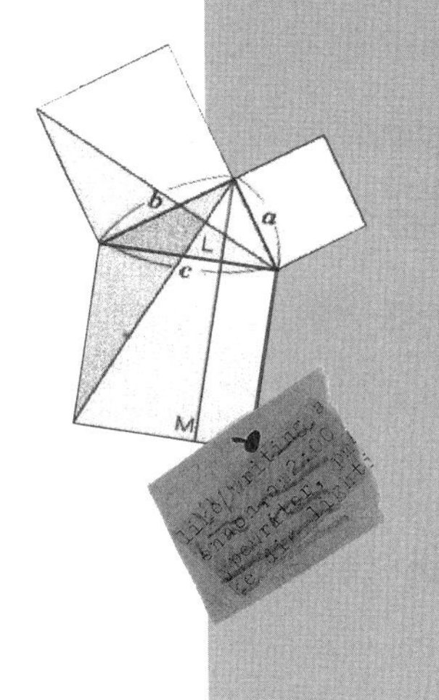

case 1 제시문 (가)에서 '1은 모든 자연수의 약수이다'라는 의미를 제시문 (나)와 연관지어 설명하고, (나)에서 제기한 문제점을 (다)에서 나타난 피타고라스의 생각을 참고로 하여 해결 방안을 논술하시오.

가 몫과 나머지

자연수 a를 자연수 b로 나누면, $a=b\times$(몫)$+$(나머지) 인 관계가 성립한다.

(몫은 0 또는 자연수이고, 나머지는 b 보다 작다.)

특히 나머지가 0일 때는 $a=b\times$(몫) 인 관계가 성립한다.

약수와 배수

자연수 a가 자연수 b로 나누어 떨어질 때 곧 $a=b\times$(자연수)의 꼴로 나타낼 수 있을 때, b를 a의 약수, a를 b의 배수라고 한다.

모든 자연수 a에 대하여 $a=1\times a$ 이므로 다음과 같은 성질을 갖는다.

① 1은 모든 자연수의 약수이다.

② a는 자기 자신의 약수이고 배수이다.

※ 약수와 배수는 자연수에서만 생각하기로 한다.

— 중학교 1, 《수학》 중에서

나 아마존 강 유역의 열대우림에는 '생태계의 보고'라고 불릴 만큼 많은 동식물이 서식하고 있다. 그리고 광대한 열대우림에서 배출되는 산소는 지구의 혼탁한 공기를 정화하는 역할을 하고 있어서 이 지역은 '지구의 허파' 라고도 불린다.

그러나 경제적 이익을 추구하는 무분별한 개발로 지구상의 열대우림 반 이상이 사라져 버렸으며, 이로 말미암아 다양한 생물이 서식할 수 있는 장소도 함께 사라져 버렸다.

이러한 열대우림을 보호하기 위하여 유럽의 환경 단체들은 금 모오기 운동을 전개하여 모은 돈을 브라질 정부에 전달하면서 모금 액수만큼 열대우림의 벌채 규모를 줄여 줄 것을 요청하였다.

— 초등학교 6-2, 《사회》 중에서

다 "그런데 이모. 피타고라스가 왜 그렇게 유명한 거야?"

"피타고라스는 수에 대한 개념을 바꾼 철학자거든."

"수?"

"응. 피타고라스는 세상의 모든 것을 수로 설명하려고 했어. 만물은 수로 표시할 수 있다는 거지."

이모가 설명을 계속했습니다.

"만물이 어떻게 수로 표시 돼? 그럼 이모도 숫자고 나랑 가람이도 숫자라는 거야? 아이고, 어렵다 어려워."

이모의 말이 이해되지 않아 나는 고개를 절레절레 흔들었습니다.

"숫자가 아니라 수 말이야. 피타고라스는 모양과 크기를 갖는 만물의 기원이나 기초가 모두 수에 의해 존재한다고 했어."

이모의 말은 감이 잘 잡히지 않았습니다.

"피타고라스는 사람 사이의 관계까지도 수의 비율에 따라 조화가 잘 되기도 하고 안 되기도 한다고 보았지."

"하하! 그럼 언니와 나는 수의 비율이 조화를 이루지 못한 거네?"

지금까지 딴청만 피우던 가람이가 말하자 이모가 웃었습니다.

"나도 가람이 너하고 조화가 잘 이루어지고 있다고는 생각 안 해."

나는 조금 토라져서 가람이에게 말했습니다.

사실 가람이와 나는 사이가 좋은 자매입니다. 하지만 그만큼 많이 싸우기도 합니다. 싸우고 나면 우리 두 사람 사이에는 한동안 냉기가 흐릅니다. 가람이는 다 좋은데 억지를 부리는 것이 가장 큰 단점입니다. 엄마는 늘 언니인 내가 참아야 한다고 하시는데, 그럴 때마다 나는 정말 화가 납니다. 가람이는 그런 나의 약점을 이용해 일부러 나를 곤란하게 만들기도 하지요. 정말 얼마나 얄미운지 생각하니 또 화가 날 정도예요! 우린 수의 비율이 적절히 조화되지 않은 자매인지도 모르겠어요. 난 조금 시무룩해졌습니다.

"수의 비율이 조화를 잘 이루어야 가정도 편하고 이 사회도 편해지겠구나?"

가람이와 내가 티격태격하는 모습을 보던 이모가 말했습니다.

—《피타고라스가 들려주는 수 이야기》 중에서

생각 쓰기

case 2 제시문 (가), (나), (다)에 제시된 내용의 공통점이 무엇인지 설명하고, 피타고라스의 삶에 비추어 바람직한 삶이란 무엇인지 자신의 생각을 논술하시오. (1,000자 내외)

가 "피타고라스는 원래 사모스라는 섬에 살았는데 이집트에서 유학하면서 수학과 논리학을 배웠어. 그리고 칼데아 지방으로 가서 천문학을 배우고, 페니키아로 가서 논리학과 기하학을 배웠지."

"페니키아가 어딘데?"

"페니키아는 레바논의 수도 베이루트를 중심으로 해서 있었던 옛날 도시야."

가람이의 질문에 이모가 지도를 꺼내며 대답했습니다. 여행 오면서 챙겼던 유럽 지역 지도가 우리 앞에 쫙 펼쳐졌습니다. 이모는 지도에서 위치를 콕콕 짚어 주며 이야기했습니다.

"페니키아는 메소포타미아와 이집트가 만나는 곳에 위치해. 두 지역의 문화적 영향을 많이 받은 곳이지. 기원전 3천 년 정도부터 특히 이집트랑 활발하게 교역을 했어."

"그럼 피타고라스는 이집트 문화의 영향을 받으면서 수학, 천문학, 논리학, 기하학 같은 걸 배운 거네?"

"그렇지."

"그럼 페니키아에서 유학을 마치고 다시 살던 곳으로 돌아갔어?"

가람이의 질문이 또 계속 이어졌습니다.

"아니. 피타고라스는 페니키아 다음으로 지금의 이란으로 또 유학을 갔어."

"우와!"

"대단하다!"

가람이와 내가 동시에 소리쳤습니다.

"그렇게 여러 곳을 돌아다니며 공부를 했다니 정말 존경스러워."

"그럼 모두 네 나라에서 유학을 한 거네?"

내가 부러운 표정으로 이야기하자 가람이도 손가락을 꼽아가며 작은 목소리로 중얼거렸습니다.

나와 가람이는 피타고라스가 대단한 사람처럼 느껴졌습니다. 생각해 보세요. 네 나라에서 유학을 하려면 네 나라의 언어를 모두 알아야 하잖아요. 더군다나 수학이나 천문학을 배웠다니요! 그것만 해도 정말 천재인 것 같아요.

피타고라스는 교과서에도 나오는 사람이라 이름은 알고 있었습니다. 하지만 사람들이 철학과 수학을 이야기하면서 왜 그렇게 피타고라스 이야기를 많이 하는지는 몰랐습니다. 피타고라스는 왜 그렇게 많은 나라를 오가며 공부를 했을까요? 대체 뭐가 알고 싶어서 그랬던 걸까요? 그 당시는 교통도 불편했을 텐데 말이에요.

"이집트에서 이란까지 가는 데 얼마나 오래 걸렸어?"

가람이가 내 마음속에 들어왔다 나간 것처럼 궁금증을 콕 집어 물었습니다.

"글쎄, 그 당시에는 어떤 교통수단으로 이동했을까?"

이모가 되묻자 가람이는 곰곰이 생각하더니 대답했습니다.

"낙타? 아니면 말? 빠르다는 비행기를 타고 오는 것도 이렇게 지루하고 답답한데, 피타고라스는 정말 대단해."

나도 가람이의 말에 고개를 끄덕였습니다. 이모는 그런 우리를 보며 씽긋 웃었습니다.

—《피타고라스가 들려주는 수 이야기》 중에서

나 줄넘기 대회를 마친 후 선생님께서 성적을 발표하였습니다. 철수네 모둠이 우수 모둠으로 뽑혔고, 연희와 몇몇 친구들이 상을 받았습니다, 그리고 선생님께서 '성실한 어린이' 를 발표하셨습니다.

"영길이는 줄넘기 운동에서 가장 많은 발전을 보였습니다. 그래서 몸이 약한데도 불구하고 꾸준히 노력한 영길이를 '성실한 어린이' 로 뽑기로 하였습니다. 아이들은 모두 깜짝 놀랐습니다. 왜냐하면, 줄넘기를 가장 잘 한 사람은 혜영이이기 때문입니다. 그러나 아이들은 곧, 모두 고개를 끄덕이며 손뼉을 쳤습니다. 혜영이도 자신의 일처럼 축하해 주었습니다.

교실로 들어오면서 동수가 영길이에게 물었습니다.

"영길아, 어떻게 해서 그렇게 줄넘기를 잘 할 수 있게 되었니?"

"응, 아침 저녁으로 시간을 정해 놓고 매일 연습했어."

"나도 그렇게 해 보려고 했지만, 잘 안되더라. 너는 아침에 일찍 일어나기가 싫거나 꾀를 부리고 싶은 때가 없었니?"

"나도 귀찮거나 꾀를 부리고 싶은 때가 많았어. 그렇지만 해야 할 일을 부지런히, 그리고 꾸준히 하지 않으면 아무 일도 이룰 수 없을 것 같아 인내심을 가지고 열심히 노력한 거야."

동수는 영길이에게서 배울 점이 많다고 생각하였습니다.

— 초등학교 6, 《도덕》 중에서

다 쉬는 시간마다 4학년 종석이는 운동장 한 구석에서 줄넘기 연습을 했다. 비가 오는 날이면 창고 추녀 아래에서라도 연습을 했다. 나는 종석이를 볼 때마다 뭐라고 말할 수 없는 슬픔이 밀려왔다. 화상 치료를 제대로 받지 못해서 팔은 점점 굳어 가는 듯했다. 과수원에서 머슴살이를 하는 종석이 아버지에게는 돈이 없었다. 어린 아들을 위해서 그 분이 할 수 있는 일이란 면소재지에 가서 소독약과 연고를 사다가 정성껏 발라주는 것뿐이었다. 그러나 종석이의 팔은 어린 내가 보아도 이미 정상으로 돌아오기는 어려워 보였다.

눈이 내렸다. 11월의 눈 같지 않게 한겨울 눈처럼 아주 펑펑 내리고 있었다. 종석이는 그날도 운동장 한 구석에서 줄넘기 연습을 했다. 또래의 안타까운 모습을 보며 연민의 감정을 어떻게 표현할 줄 몰랐던 우리들은, 놀리는 것으로 그 안타까움을 대신하는 경우가 많았다. 그러나 종석이는 당당하게 운동장 한 구석에서 줄넘기 연습을 했다. 나는 어떤 식으로든 종석이에게 말을 걸어 보고 싶었다. 그러나 종석이는 늘 일정한 거리 바깥에 있었다. 나는 사실 무슨 말을 붙여 볼 명분도 그럴 만한 친분도 없었다. 다만 병신으로 손가락질 받고 놀림 받는 우리 큰형의 얼굴을, 종석이에게서 가끔 발견할 뿐이었다.

겨울 방학을 며칠 앞두고 난로에 넣을 조개탄을 받으러 창고에 가던 날이었다. 6학년 난로 당번이었던 나는 창고 앞에서 4학년 난로 당번이었던 종석이를 만났다. 그때 학년별로 조개탄을 퍼 주시던 소사 아저씨가 종석이에게 물었다.

"가져갈 수 있겠니? 들어다 줄까?"

"예? 아니 왜요?"

참 이상한 일이었다. 종석이의 그 '왜요?' 라는 말은 그 옆의 우리를 부끄럽게 만들었다. 우리가 부끄러울 이유는 없었다. 그런데 말을 건네신 소사 아저씨도 조개탄을 받으려고 서 있던 나도 알 수 없는 부끄러움이 밀려왔다. 우리는 누구도 말하지 않았지만, 종석이의 그 당당한 '왜요?' 앞에서 한없는 부끄러움을 공유하고 있었다. 서로 눈빛으로 부끄러워 한다는 사실을 충분히 느낄 수 있었다.

종석이가 당당하게 조개탄 양동이를 들고 교실로 들어간 후로 소사 아저씨가 조용히 말했다.

"내가 왜 들어다 준다고 했지?"

"그, 글쎄요."

"저 녀석 차암. 나는 그냥 지나가는 말로 한건데……."

"뭐가요?"

"줄넘기 말이다. 나는 그냥 지나가는 말로 줄넘기를 하루에 만 번씩 하면 팔이 펴진다고 했거든. 그랬더니 저렇게 지난 봄부터 지금까지 하루도 빠지지 않고 연습했다더구나."

소사 아저씨는 여전히 그 부끄러움을 얼굴에 담은 채 종석이의 뒷모습을 끝까지 쳐다보았다.

종석이는 그렇게 말했다. 나와 당신들이 뭐가 다르냐고? 나는 단 한 번도 종석이의 '왜요' 만큼 당당하게 말해 본 적이 없다. 나는 당당한 '왜요' 가 왜 그렇게 어려운 걸까?

— 이봉선, 《그 사람은 그렇게 말했지》 중에서

생각 쓰기

생각 쓰기

case 3 다음 글을 읽고 주어진 조건에 따라 논술하시오 .

가 "피타고라스학파의 몰락은 그 내부에서 시작되었어. 공동체 사람들이 점점 많아지면서 피타고라스에 대한 거짓들이 하나씩 알려지기 시작했지. 피타고라스는 학파 사람들을 속여 왔던 거야."

이모의 말에 우리는 깜짝 놀랐습니다. 그렇게 인품이 훌륭하다고 존경받던 피타고라스가 사실은 한가족 같은 사람들마저 속일 정도로 감쪽같이 사기를 쳐 왔다는 게 믿어지지 않았습니다.

"피타고라스가 사기꾼이었다고?"

"피타고라스의 사상 자체가 거짓은 아니야. 하지만 그가 사람들을 속여 왔다는 것 또한 명백한 사실로 드러난 거지."

"그럼 피타고라스가 행했던 기적도 다 거짓이었던 거야? 마술사들이 눈속임을 하는 것처럼?"

"응. 마술사들은 즐거움을 주기 위해 눈속임을 하지만, 피타고라스는 다른 이유였지. 그래서 흔들리지 않을 것만 같던 피타고라스의 공동체도 변하기 시작했어. 피타고라스의 모든 행동을 믿고 따랐던 사람들이 피타고라스를 의심하기 시작한 거야. 그 모든 것들이 거짓일 수도 있다고 말이야. 겉으로는 조용하고 화목한 가족처럼 보이는 피타고라스 공동체는 그 속에서부터 조화와 질서에 금이 가고 있었던 거야."

"피타고라스도 그걸 알았어?"

"알았지. 그는 위협을 느꼈을 거야."

"그래서 어떻게 했어?"

"결단을 내렸지."

"어떤 결단?"

가람이는 계속 조급하게 물었습니다.

"민주주의에 대항해 자신들의 귀족주의를 지키겠다고 선언했어."

이모가 안타깝다는 표정으로 말했습니다.

"피타고라스는 피타고라스학파 외의 사람들을 교육시킨다는 목적으로, 자신의 공동체에 속하지 않은 사람들을 무참하게 죽이고 도시에 불을 질렀어."

"뭐라고?"

"세상에! 뭐 그런 나쁜 사람이 다 있어?"

가람이와 난 너무 놀라서 벌떡 일어섰습니다. 우린 너무 흥분해서 피타고라스가 앞에 있으면 따지기라도 할 것처럼 애꿎은 이모에게 따졌습니다. 사람들을 죽이고 도시에 불을 질렀다니, 이건 완전 독재 아닌가요? 너무 충격이었습니다!

"도저히 이해가 안 돼!"

"피타고라스는 자기 무덤을 판 거야!"

우린 화가 났습니다. 피타고라스가 왜 그런 짓을 했는지 도무지 이해되지 않았습니다.

"바로 그거야, 유민아. 피타고라스는 공동체 사람들이 자신을 도와주리라고 믿었어. 하지만 공동체 사람들 중에 피타고라스를 싫어하던 사람들이 있었는데, 그 사람들이 피타고라스를 배신하고 공동체에 불을 지르면서 서로 싸우게 된 거지."

"그래서 피타고라스는 그때 죽은 거야? 사람들에게 쫓기다가 콩밭에서?"

흥분한 가람이의 목소리가 높아졌습니다.

"피타고라스의 죽음에 대해서는 여러 가지 설이 있어. 콩밭에서 죽었다는 건 그중에 하나일 뿐이지. 아무도 피타고라스가 어떻게 죽었는지 몰라."

— 《피타고라스가 들려주는 수 이야기》 중에서

나 재호네 동네에 살던 구두쇠 할아버지가 세상을 떠났습니다. 할아버지는 언제나 허름한 작업복을 입고 시장 어귀에서 빈 병이나 빈 통조림을 주워 모았습니다. 그런데 구두쇠 할아버지가 세상을 떠난 뒤에, 많은 돈이 예금된 통장이 장롱 밑에서 발견되었습니다.

(……)

동네 사람들은 모두 놀라며 할아버지를 칭찬했습니다. 그러나 또 한편으로는 비웃기도 했습니다.

"아끼는 것도 좋지만, 제대로 쓸 줄도 알아야지. 한평생 맛있는 것 한 번 사 먹지 않고, 좋은 옷 한 번 입어 보지 않으려면 무엇 때문에 돈을 모으지?"

"그 할아버지는 돈을 모으는 재미로 사셨으니까, 인생의 목적은 이룬 셈이지."

그런데 얼마 후 동네 사람들은 또 한 번 놀랐습니다. 구두쇠 할아버지의 유언장이 공개되었는데, 거기에는 자기가 모든 돈 전부를 어느 대학에 장학금으로 기부하겠다는 뜻이 들어 있었기 때문입니다.

"구두쇠 할아버지가 그렇게 훌륭한 뜻을 품고 계셨는지 정말 몰랐어요."

"구두쇠라고 비웃었던 제가 오히려 부끄럽습니다."

동네 사람들은 저마다 구두쇠 할아버지를 칭찬했습니다.

— 초등학교 5, 《도덕》 중에서

다 우리 중에는 전쟁으로 어머니를 잃고 아버지와 어린 동생 둘과 함께 사는 중학교 3학년짜리 아이가 있었다. 이 아이는 항상 누런 얼굴로 골목에 나와 있었는데, 누가 쉴 때에 잠시 우리 놀이에 끼어들 수 있었다. 그렇지만 농구공을 잡는 것도 힘겨워 보일 정도로 힘이 없어 보였기에, 누구도 한패가 되는 것을 꺼려하였다. 그런데 이 아이가 언제부터인지 모르는 사이에 농구를 잘하게 되어 우리를 놀라게 하였다. 어느 날 저녁, 우리는 두 패로 갈라서 건빵 내기 농구 경기를 하였는데, 이 아이의 활약으로 그 팀이 이기게 되었다. 모두 놀랐다. 그 후로도 며칠 동안 이 아이가 속한 팀이 꼭 이기는 것이었다.

그러던 어느 날 밤, 경기가 끝나고 뿔뿔이 집으로 돌아갈 때였다. 이 아이는 윗동네 산꼭대기에 있는 움막 같은 판자촌에 살고 있어서 윗길로 가야 하는데, 나를 따라 내려오고 있었다. 우리 집 쪽으로 나를 따라오느냐고 물었지만, 그는 그냥 웃기만 했다. 집에 들어오니, 시골에서 친척 한 분이 올라와 있었다. 친척에게 몇 푼의 용돈을 탄 나는 군고구마를 사러 다시 골목길로 나갔다. 그런데 어두운 골목 끝 카바이드 등불이 출렁거리고 있는 군고구마 통 옆에 그 아이가 아저씨와 다정하게 앉아 있는 것이 보였다. 이튿날, 골목에서 그 아이를 만났을 때 사연을 들을 수 있었다. 아저씨가 밤이면 팔다 남은 군고구마를 주고, 또 학비도 도와준다는 것이었다. 그래서 그 아이는 배고픔을 잊게 되었고, 힘이 솟아 농구를 잘 할 수 있게 된 것이었다. 나는 이 사연을 친구들에게 퍼뜨렸고, 우리는 건빵 내기 대신에 군고구마 내기를 하게 되었다. 군고구마 장수 아저씨는 가난한 동네 아이 둘을 이렇게 돕고 있었다.

아저씨는 봄이 될 무렵, 다른 장사를 해야 한다며 우리 곁을 떠났지만, 그 후에도 아이를 도와주는 일은 멈추지 않았다.

가난하지만 마음씨 착했던 군고구마 장수 아저씨가 우리와 한패가 되어 놀면서, 어질고 착하게 자라기를 빌던 아름다운 마음을 지금도 기억하고 있다. 아이들과 함께 놀아 주던 아저씨의 그런 따뜻한 정이 지금은 왜 사라지고 없을까?

어제 내가 아파트 문을 나설 때, 아이들이 골목에서 공차기를 하고 있었는데, 공이 내 앞으로 굴러왔다. 얼른 발로 아이들에게 차 주자, 아이들이 '와' 하고 소리를 질러서 얼마나 좋았는지 모른다. 나는 공을 한 번 차 주는 것만으로도 좋아하는 아이들과 친하게 지내고 싶다.

— 중학교 3-2, 《국어》 중에서

1. (가)와 (나)에 제시된 인물의 행동에 대해 각각 비판적인 입장에서 자신의 생각을 논하시오. (400자 내외)

2. (나)와 (다)에서 언급한 구두쇠 할아버지와 군고구마 장수 아저씨의 삶이 의미하는 것은 무엇인지 공통점을 설명하고, 이러한 입장에서 (가)의 피타고라스와 같은 위기 상황에서 문제를 해결할 수 있는 방안은 무엇인지 논술하시오. (700~800자)

생각 쓰기

생각 쓰기

실전 논술

예시 답안

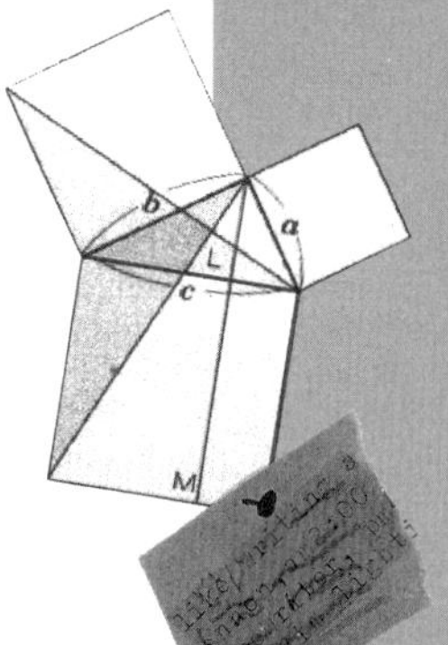

case 1

곱셈에서 0이 이기적인 수라면, 1은 가장 겸손한 수라 할 수 있습니다. 0은 어떤 수를 곱하더라도 모두 자신과 같은 0이 되지만, 1에는 어떤 수를 곱하더라도 원래의 수를 지켜 주기 때문입니다.

(가)에서 제시한 '1은 모든 자연수의 약수이다' 라는 말도 이와 같은 맥락에서 살펴볼 수 있습니다. 1은 모든 자연수에 포함된 약수입니다. 1은 다른 자연수와 조화를 지켜 나가는 수라고 할 수 있는 것입니다.

(나)는 무분별한 벌채로 자연환경이 파괴되어 가는 문제를 제기하고 있습니다. 인간의 이기심 때문에 다양한 생물이 위기에 처한 것입니다. 이것은 모든 것을 자기 중심으로 바꿔 버리는 0의 이기심과 같은 것이라 할 수 있습니다. 주변 환경과 조화를 이루지 못하고 자신의 삶만 중요하게 여긴다면 결국 자기 자신도 살아가기 어려울 것입니다. 이러한 문제는 (다)에 제시된 피타고라스의 수에 대한 철학에서 해결 방안을 찾아볼 수 있을 것입니다. 피타고라스는 이 세상 모든 것이 수의 비율에 따라 조화를 이룬다고 생각했습니다. 눈에 보이는 자연현상뿐만 아니라 인간관계까지도 수의 조화가 중요하다는 것입니다.

자연수 1처럼 다른 대상의 원래 가치를 존중하면서 함께 조화를 이루어 갈 때, 우리 삶은 안정되고 진정한 행복을 누릴 수 있습니다. 인간의 필요에 의해 우리 주변 환경을 무분별하게 개발할 때 당장은 이익이 될지 모르지만, 결국에는 모두 어려워질 수밖에 없습니다. 아마존 강 열대우림과 같은 '생태계의 보고' 가 사라진다면 우리 삶의 터전도 위협받는 상황에 직면하는 것입니다. 오늘날 우리 인류가 처한 각종 환경문제는 매우 심각한 상황입니다. 당장 우리나라만 해도 대기오염, 수질오염 등으로 위협받고 있습니다. 공기청정기나 정수기를 우리 주변에서 흔히 볼 수 있다는 것은 그만큼 우리의 자연환경이 어려워지고 있다는 사실을 보여 주고 있습니다. 환경문제는 먼 미래의 문제가 아닙니다. 바로 지금 당장 시급히 해결해야 할 문제입니다. 이를 위해서는 수의 비율에 따른 조화를 강조한 피타고라스의 생각처럼, 우리도 주변 환경과의 조화를 통해 여러 가지 환경문제를 해결해 나가야 할 것입니다.

case 2

제시문은 모두 성실한 삶의 자세에 대해 이야기하고 있습니다.

(가)에서는, 피타고라스가 여러 나라에 유학하는 이야기를 통해 그가 얼마나 많은 노력을 했는지에 대한 일화를 보여 주고 있습니다. 피타고라스는 훌륭한 업적을 많이 남겼는데, 그 바탕에는 끊임없이 연구하고 먼 길로 유학을 떠나는 고생도 마다하지 않았던 성실한 모습을 이야기하고 있습니다.

(나)에서는, 줄넘기를 가장 잘한 사람은 혜영이인데도 선생님께서는 동수에게 성실한 어린이상을 주었습니다. 이것은 결과도 중요하지만 자신의 부족한 점을 깨닫고 꾸준히 연습한 성실한 자세를 높이 평가하고 있는 것입니다.

(다)에서는, 몸은 불편하지만 이에 굴하지 않고 당당하고 성실하게 살아가는 종석이 모습에 대해 이야기하고 있습니다. 종석이는 자신의 팔을 치료받지 못해

점점 몸이 굳어 가고 있습니다. 그것을 극복하기 위해 피나는 노력을 하는 종석이의 모습을 통해 성실한 삶의 모습을 보여 주고 있습니다.

사람들은 성공한 사람의 결과만을 높이 평가하는 경우가 있습니다. 그러나 아무리 뛰어난 천재라 하더라도 노력을 게을리한다면 큰 성과를 이루기는 어려울 것입니다. 피타고라스가 이룬 업적과 동수나 종식이가 노력했던 결과가 같을 수는 없을 것입니다. 문제는 그 결과가 아니라 자신이 목표한 삶을 향해 얼마나 꾸준히 노력하고 있는가가 중요합니다. 좋은 성적보다 더 중요한 것은 바로 성실하게 노력하는 자세입니다.

물론 결과가 나쁘면 그 과정까지 제대로 평가받지 못하는 경우가 많습니다. 예를 들어 올림픽에 출전하기 위해 아무리 피나는 노력을 했어도 금메달을 따지 못하면 그 선수에 대해 높은 평가를 하지 않는 것처럼 말입니다.

하지만 그렇다고 해서 결과가 좋지 못한 사람의 과정까지 함부로 평가해서는 안 됩니다. 결과만 중시하고 과정은 중시하지 않는 사회는 건강하지 못한 사회입니다. 이런 사회는 목적만 이루면 된다는 생각에서 온갖 방법을 다 써서 좋은 결과만 서로 차지하려고 할 것입니다. 자신이 정한 삶의 목표를 향해 꾸준하게 노력하는 성실한 삶이야말로 그 자체가 가장 의미있는 삶이라 할 수 있습니다.

case 3

1. (가)의 피타고라스나 (나)의 구두쇠 할아버지는 모두 주변 사람을 배려하지 못했습니다. 물론 구두쇠 할아버지는 돌아가신 후에 자신의 재산을 장학금으로 기부하였지만, 살아서는 주변 사람을 크게 배려하지 못한 것은 비판을 받는 부분입니다. '개똥 밭에 굴러도 이승이 좋다' 라는 말이 있습니다. 죽은 후에 아무리 좋은 일을 해도 살아서 주변의 사람들을 도우며 사는 것만은 못하다고 볼 수 있습니다.

피타고라스는 자신의 이익을 위해 주변 사람들의 목숨을 빼앗기까지 했습니다. 이것은 그의 사상이나 학문적 업적이 아무리 뛰어나다 하더라도 비판받을 부분입니다. 사람은 자신의 삶을 지키기 위해 많은 희생을 감수하면서 살아갑니다. 그러나 그것은 어디까지나 다른 사람의 희생을 강요하면서 이루어져서는 안 될 것입니다.

2. (나)의 구두쇠 할아버지와 (다)의 군고구마 장수 아저씨는 함께 살아가는 삶의 가치를 실천한 분들입니다. (나)의 구두쇠 할아버지는 살아 있을 때 주변 사람을 살피지 못한 점은 아쉽지만, 결과적으로는 자신만을 위한 절약이 아니라 주변 사람을 함께 생각한 검소한 생활이었습니다. 군고구마 장수 아저씨의 행동은 이보다 더 높이 평가할 만합니다. 군고구마를 구워서 팔아야 하는 아저씨의 삶도 어려운 점이 많았을 것입니다. 그렇지만 어려운 학생을 도왔습니다. 또 어른으로서 경제적으로만 도운 것이 아니라 함께 어울리며 나누었던 따뜻한 정은 가장 아름다

운 정신으로 평가할 수 있습니다.

이처럼 이웃과 함께 더불어 사는 삶의 가치를 알았더라면 피타고라스는 비극적인 죽음을 맞지는 않았을 것입니다. 학문적인 업적은 뛰어났다 하더라도 그것은 결국 우리 모두의 공동체 삶을 위한 것이어야 합니다. 어느 특정 집단의 이익을 위한 학문이나, 특정 계층만이 소유할 수 있는 지식은 상황에 따라서는 우리 사회를 혼란시키는 발단이 될 수도 있습니다. 피타고라스가 자신과 그 제자들을 위한 학문이 아니라, 모든 사람을 위한 학문을 연구하고 함께 공유했다면 훨씬 더 다양하고 깊이 있는 학문적 성과를 이루었을 것입니다. 또한 피타고라스는 학문적인 업적뿐만 아니라 인간적인 삶의 스승으로서 평가를 받았을 것입니다. 함께 살아가는 삶의 가치는 사회의 지식인들이나 권력을 가진 사람들이 가장 먼저 생각해야 할 중요한 덕목입니다.

Abitur

철학자가 들려주는 철학이야기 087

카시러가 들려주는 상징 이야기

저자_**이봉선**

중앙대에서 문예창작을 전공했습니다. 1998년과 2004년에 신춘문예 단편소설로 등단하였습니다. 현재 대학에서 소설 창작을 강의하며 소설을 쓰고 있습니다. 효원이, 태준이의 아빠로서 아이들에게 좋은 책을 많이 읽어 주기 위해 노력하고 있습니다. 학생들에게 국어와 논술을 가르치면서 가장 소중한 삶의 가치가 무엇인지 늘 고민하고 있습니다.

배경 지식 넓히기

Ernst Cassirer

카시러와 '상징'

카시러 주요 개념

1. 카시러를 만나다

1) 카시러는 누구인가

에른스트 카시러(Ernst Cassirer, 1874~1945)는 1874년 7월 28일 폴란드 브레슬라우에서 출생하였으며, 카시러의 아버지는 상업으로 크게 성공한 유대인이었습니다. 카시러는 1892년에 베를린 대학교에서 법학 공부를 시작으로, 철학 · 문학 · 역사 등을 전공하였습니다.

그리고 1906년에 《근대 철학과 학문에서의 인식 문제》라는 첫 번째 책을 출간합니다. 1923년에서부터 1929년까지는 《상징 형식의 철학》 세 권을 출간하고, 그 사이인 1927년에는 《르네상스 철학에서의 개인과 우주》를 출간합니다.

그러나 유대인에 대한 나치스의 박해 때문에 카시러는 영국과 스웨덴을 전전하다가 1935년 스웨덴 예테보리 대학의 교수가 되고, 1939년 스웨덴 시민권을 취득하게 됩니다. 1941년에 확대되는 전쟁을 피해 미국으로 간 카시러는 예일 대학과 컬럼비아 대학 교수를 역임합니다. 1944년에는 《인간론》을 출간하여 사람들로부터 많은 관심을 받게 되지만, 1945년 5월 30일 2차 세계대전의 종전을 앞두고 세상을 떠납니다.

카시러는 신칸트학파인 마르부르크 학파의 일원으로서, 인간에 대한 본질적인 탐색을 통해 인간 정신의 '상징 기능'에서 독창적인 업적을 남겼습니다. 카시러는 독일의 나치즘이 위세를 떨치던 시기에 유대인이라는 이유로 고국에서 살지 못하고 여러 나라를 옮겨 다녀야 하였지만 그런 고난 속에서도 연구를 게을리 하지 않았습니다. 카시러의 문화에 대한 연구와 그 안에서 이뤄지는 다양한 상징체계에 대한 연구는 앞으로도 탁월한 업적으로 평가를 받을 것입니다.

2) 카시러의 사상

① 상징— 인간의 정신과 자연 대상물의 연결 고리

카시러에 의하면 인간은 상징을 통하여 문화를 만들어 내는 상징적 동물이라고 합니다. 그러면 여기서 상징이란 어떤 의미일까요? 상징은 감각으로 느낄 수 없는 추상적인 개념을 감각으로 느낄 수 있는 구체적인 사물로 나타내는 것을 말합니다. '비둘기'를 '평화'의 상징이라고 하는 이유를 생각해 보면 좀 더 이해하기 쉽겠지요. '평화'라는 추상적인 개념을, '비둘기'라는 구체적인 새를 통해 나타내기 때문에, 비둘기를 평화의 상징이라 부르는 것입니다.

인간은 이러한 의미를 만들고 전달하기 때문에, 인간과 관계된 모든 활동이 상징과 연결되어 있다고 볼 수 있습니다. 인간은 구체적인 자연 대상물을 보면서 그 의미를 생각하는데, 그것이 바로 인간과 자연 사이에 존재하는 상징입니다. 자, 다음 그림을 보면서 다시 한 번 생각해 볼까요?

길을 지나가던 한 소년이 문득 네 잎 클로버를 발견했습니다. 소년은 매우 기분이 좋았습니다. 그것은 네 잎 클로버가 상징하는 의미가 있기 때문이지요. 그렇습니다. 네 잎 클로버라는 구체적인 자연 대상물은 인간의 상징체계 속에서 '행운'을 의미합니다.

상징 세계는 인간과 자연 사이에 실제로 존재하는 것은 아닙니다. 그러나 네 잎 클로버와 인간은 일단 존재하지요. 그리고 그 사이에 상징으로 남아있는 행운은 그냥 우리 마음속의 생각일 뿐 실제로는 없는 것입니다. 그런데 카시러는 그 보이지 않는 상징도 독립적인 존재 가치가 있는 것으로 보았습니다.

카시러가 말하는 상징은 인간과 자연 대상을 연결하는 매개체입니다. 인간은 상징을 통해서 구체적인 자연 대상물의 의미를 이해하지요. 또한 상징을 통해 세계를 이해합니다.

상징은 상징적 기능과 형식에 의해 만들어집니다. 상징적 기능이란 인간이 실제로 경험한 내용을 종합하는 것이고, 상징적 형식은 이러한 상징적 기능에 의해 만들어진 결과물입니다. 신화나 언어, 예술 등이 바로 그런 것들이지요.

② 상징을 통해 본 인간의 의미—인간이란 무엇인가?

카시러는 인간에게서만 '상징 계통'을 볼 수 있다고 했습니다. 동물에게는 이런 것이 없다고 하네요. 물론 이것은 어디까지나 카시러의 생각이기 때문에 '동물에게는 반드시 상징 계통이 없다'고 생각할 필요는 없습니다. 단, 카시러가 왜 그렇게 생각했는지 함께 생각해 봅시다.

인간은 상징 계통으로 인해 눈에 보이는 실제 세계뿐만 아니라, 상징적 공간도 인식하며 살 수 있습니다. 상징적 공간이란 구체적으로 존재하지는 않지만 인간이라면 생각할 수 있는 신화의 세계 같은 것을 의미합니다. 또 미술 작품을 보면서 우리는 그것이 아름답다고 생각하기도 하지요. 그러므로 예술도 우리가 생각할 수 있는 상징의 공간이 됩니다. 특히 이러한 모든 것이 가장 체계화된 상징 공간은 바로 종교입니다. 종교적 믿음이 깊은 사람들은 천당이나 지옥, 극락세계, 저승 같은 공간을 생각할 것입니다. 물론 그러한 세계는 살아 있을 때 누구나 경험할 수 있는 공간은 아닙니다. 그러나 인간이라면 그러한 상징적 공간을 충분히 생각할 수 있겠지요.

그런데 인간만이 죽음 이후를 생각할까요? 물론 우리가 동물이나 식물 같은 것이 되어 보지 않았기 때문에 이들의 생각은 알 수가 없지요. 어쩌면 겨울을 굴속에서 보내기 위해 가을에 먹이를 모아 두는 다람쥐 같은 경우에는, 겨울을 죽음과 같은 무서운 세계로 인식하고 준비할지도 모릅니다. 또 외부적인 환경이 나빠져서 말라 죽기 직전의 식물들은 모든 힘을 꽃 피우고 열매 맺는 일에 쓴다고 하는데, 그렇다면 동식물도 죽음 이후를 생각하는 것은 아닐까요? 물론 이것은 생각이 아닌 그냥 타고난 본능이라고 할 수도 있을 것입니다. 그렇다고 인간만 바로 그런 죽음 이후 같은 상징적인 공간을 생각한다고 하기에는 약간 의심스런 부분도 있어요.

그렇다면 오직 인간만이 갖고 있는 가장 상징적인 체계는 무엇일까요? 그것은 바로 언어입니다. 카시러는 인간이 무엇인지 알기 위한 상징으로 언어를 중요하게 다루었습니다. 언어는 한 사람이 느끼는 주관적인 생각을 누구나 느낄 수 있는 것으로 객관화시켜 줍니다. 예를 들어, 더운 여름에 나무 그늘에서 느끼는 '시원하다' 는 느낌과, 고통에 시달리다가 그것에서 벗어난 느낌의 '시원하다' 는 다른 것이지만, '시원함' 이라는 생각으로 일반화되는 것입니다.

카시러에 의하면 언어는 인간이 만들어낸 문화의 기본 바탕입니다. 여기서 잠깐! 그럼 인간 문화의 기본이 되는 예술과 언어의 차이점은 무엇인지 생각해 볼까요? 예술은 '관찰→ 느낌' 의 직접적인 관계가 가능합니다. 조각상을 보고 아름답다고 느낄 때, 그것이 왜 아름다운지 구구절절 말로 굳이 설명하지 않아도 다른 사람들도 공감할 수 있기 때문입니다. 이것을 직관이라고 합니다. 그러나 언어는 '관찰→기호 체계→느낌' 의 과정이 필요합니다. 조금 어렵게 느껴지나요? 간단하게 이렇게 생각해 보세요. 내가 정말로 짝사랑하는 사람은 그 사람의 사진만 봐도 그냥 좋지요. 하지만 사랑을 고백한다고 해서 상대방이 말한 그대로 이해하지는 않지요. 바로 기호체계라는 공통된 약속에 따라서 설명해야 하고 그것을 또 자신의 것으로 이해하는 과정이 필요하기 때문입니다. 사진 한 장을 통해서는 바로 사랑을 느낄 수 있지만, 언어를 통해서는 그 중간에 약속된 상징 기호가 필요한 것이지요. 카시러는 이런 관점에서 언어를 중요한 상징으로 인식하고, 이것이 인간을 이해하는 중요한 단서라고 생각했습니다.

이처럼 카시러에게 상징적 개념은 인간이라면 누구나 느낄 수 있는 보편적인 개념을 의미합니다. 종교나 언어 같은 상징체계들은 개별적인 인간이 각자 느낀 것을 객관화하는 것이고, 이것은 다시 다양한 형태의 상징적 의미와 표현으로 나타나는 것입니다.

카시러는 '인간이란 무엇인가?' 라는 물음에 '인간은 상징적 동물' 이라고 대답합니다. 인간에 대한 이해를 인간이 이룩한 문화에서 찾고자 하는 것이 카시러의 생각입니다. 인간이 만들어낸 종교, 신화, 언어, 예술 등의 문화를 통해 인간을 이해하고 인간 삶의 방식을 해석한 것입니다. 인간이란 무엇일까요? 카시러에게 인간은 문화를 통해 자신의 생각을 보편화하는 상징체계를 이루는 대상입니다.

상징(象徵)

상징은 눈에 보이지 않는 추상적인 개념을 구체적으로 느낄 수 있는 구체적인 사물로 나타내는 것을 말합니다. 이것은 일차적으로 기호의 형태로 나타나지만, 기호와 상징은 또 약간의 차이가 있습니다.

기호는 직접적으로 특정 대상을 지시하지만, 상징은 그것을 통해 다른 것을 알게 하는 작용을 합니다.

상징을 가장 잘 나타낼 수 있는 것이 언어입니다. 언어는 인간만이 표현할 수 있는 가장 높은 체계의 상징 수단입니다.

상징은 원형적 상징, 관습적 상징, 창조적 상징 등이 있습니다. 원형적 상징은 인간이면 누구나 느낄 수 있는 상징입니다. 특정 민족이나 시대를 초월한 상징으로 물은 생명, 불은 죽음 등의 상징이 있습니다.

관습적 상징은 특정한 문화나 사회적 관습 속에서 자연스럽게 만들어진 상징입니다. 우리나라에서 달은 충만함을 상징하지만, 서구에서는 죽음이나 불길함을 뜻한다고 볼 수 있습니다. 또 대나무는 우리에게는 지조와 절개를 의미하지만, 다른 문화권에서는 그냥 단순한 나무일 수 있습니다.

창조적 상징은 개인적 상징으로 한 개인의 체험이나 생각으로 만들어진 상징입니다. 지우개를 보고 어머니라고 한다면 그것은 그렇게 만든 사람의 경험에서 우러난 상징으로 볼 수 있는 것입니다.

2. 교과서에서 만난 카시러

① 인간다운 삶

인간다운 삶이란, 정신적인 것을 중요하게 여기면서 그것을 얻고자 노력하는 삶이다. 물질적인 것만이 아니라 정신적인 것을 얻고자 노력할 때, 사람으로서의 진정한 아름다움을 느낄 수 있기 때문이다.

물론, 물질이 있어야 더욱 편하고 풍요로운 생활을 할 수 있다. 그러나 물질적으로 풍요해야 한다는 것은 인간다운 삶을 위한 한 부분이고 조건일 뿐이다. 영국의 사상가 밀은 "배부른 돼지가 되기보다는 배고픈 인간이 되는 것이 바람직하다"라고 했다. 이것은 인간의 삶에 있어서 물질적인 것보다 정신적인 것이 더욱 중요하며, 정신적인 것을 얻으려고 할 때 인간의 삶이 더욱 아름답다는 것을 강조한 것이다.

중학교 1, 《도덕》, 〈인간다운 삶〉 중에서

카시러는 인간이란 무엇인가를 끊임없이 고민한 철학자입니다. 인간은 다른 동물들과 달리 먹고사는 문제로만 끝나는 생물학적인 존재가 아닙니다. 인간은 그 이상의 가치를 추구합니다. 물론 물질적인 가치를 떠나서 인간의 삶을 생각할 수는 없습니다.

그러나 인간 삶의 고귀함을 정신적 가치가 있기에 가능합니다. 어떻게 사는 것이 가장 바람직한 삶인가는 우리 교과 과정에서도 가장 중요한 문제입니다. 삶의 가치에 대한 생각은 가치관을 형성하는 청소년들에게 가장 절실하고 중요한 문제이기 때문입니다. 이러한 인간다운 삶의 문제는 도덕 교과서 등에서 가장 직접적으로 다뤄지고, 조금 더 폭을 넓히면 사회와 국어 교과서의 다양한 문학작품 등에서도 끊임없이 제기되는 가장 중요한 문제입니다.

② 창조적인 문학 체험

독자는 저마다 다른 경험, 가치관, 신념, 목적, 배경 지식 등을 가지고 작품을 읽기 때문에 문학작품에 대한 반응과 이해는 독자마다 다를 수밖에 없다. 작품을 읽은 독자의 수만큼 작품 감상의 수가 존재하는 것이다.

예를 들어, '토끼전'을 읽은 뒤의 반응은 사람마다 다를 수 있다. 독자의 가치관에 따라 토끼와 자라에 대한 평가가 달라진다. 어떤 독자는 어려운 상황에서 지혜를 발휘하는 토끼를 매력적인 인물로 생각할 수도 있을 것이고, 또 어떤 독자는 목숨까지도 기꺼이 버리는 자라의 우직한 충성심을 더 높이 평가할 수도 있을 것이다.

또, 독자는 자신의 경험을 가지고 문학작품을 감상하기 때문에 경험의 차이에 따라 관심을 두는 인물이나 사건이 각자 다를 수 있다. 어려운 상황에서 묘안이 없어 고민해 본 경험이 있는 사람은 토끼의 지혜에 더 관심을 가질 것이다. 그러나 꾀를 잘 내는 사람에게 속아 본 사람은 토끼의 간교함보다는 자라의 충직함에 매료될 수도 있을 것이다.

문학작품을 창조적으로 수용한다는 것은 자신의 경험, 배경 지식, 가치관, 상상력 등을 총동원하여 문학작품과 끊임없이 상호 작용하면서 의미를 재구성하는 적극적인 활동을 의미한다. 그러므로 독자는 작품 속의 활자를 아무 생각 없이 읽어 나가거나, 작품을 읽고 그 내용만을 단순히 받아들여서는 안 된다. 자신의 경험과 상상력을 토대로 작품을 읽어가면서 질문을 던지고, 의문을 가지면서 창조적인 의미를 재구성해야 한다. 다시 말해, 독자는 문학작품과 적극적으로 대화하면서 의미를 재구성해 내는 능동적인 창조자여야 한다.

창조적인 독자는 다른 사람들의 다양한 생각과 해석을 인정할 수 있어야 한다. 문학작품에 대한 다른 사람의 생각이나 해석을 들으면 자신이 알지 못했던 새로운 사실을 발견할 수 있으며, 다른 사람과 의견을 교환하는 과정에서 독서의 수준도 높일 수 있고 사고의 폭도 넓힐 수 있다.

자신의 경험과 가치관, 상상력 등을 동원해서 문학을 체험하고, 작품에 대하여 다른 사람과 생각과 느낌을 나누는 창조적 수용 태도는 문학작품을 감상하는 능력을 길러 줄 뿐만 아니라, 자아실현의 기회를 제공하며, 인간의 총체적인 삶을 이해하는 데 도움이 될 것이다.

– 중학교 3-2, 《국어》, 〈창조적인 문학 체험〉 중에서

문학은 인간의 생각을 가장 상징적으로 보여 주는 형식입니다. 상징과 관계된 부분은 국어 교과 과정에서 다양하게 다뤄지고 있습니다. 작가가 말하고자 하는 바를 찾아보는 것, 어떤 글에서 시적 화자가 의미하는 것이 무엇인지 등이 상징과 연계되는 부분입니다.

문학은 자신의 경험과 상상을 통해 다른 사람이 상징하는 의미를 찾아보는 것입니다. 문학이 어렵다는 학생들의 공통적인 특징은 바로 이러한 상징체계를 서로 공유하지 못할 때 일어납니다. 상징을 올바르게 이해한다면, 표면적으로 보이는 부분만이 아니라 그 너머에 감춰진 작가의 진정한 의도를 보다 더 쉽게 이해할 수 있을 것입니다.

3. 기출 문제에서 만난 인간의 정체성과 상징

카시러의 '인간이란 무엇인가'라는 철학적 관점에서 보자면, 이와 같은 논제는 논술의 가장 기본적인 주제라 할 수 있습니다.

이와 가장 직접적인 연관성이 있는 주제는 2004년 성균관대 정시에서

'나는 누구인가? 인간이란 어떤 존재인가' 가 '자아 정체성' 과 연관되어 출제되었습니다. 자아 정체성의 측면에서 스스로 자기 자신의 의미는 무엇이고 여기에서 확장된 인간의 의미는 무엇인지를 묻는 문제였습니다.

2004년 서강대 정시에서는 인간의 기본권인 자유라는 개념과 관련지어, 블로그 문화 확산과 소설의 음란성 논란에 대한 문제가 출제되었습니다.

2006년 한양대 정시에서는 '미래 사회에 새롭게 설정될 인간의 정체성 및 인간과 기계의 상호 관계' 에 대해 묻는 문제가 출제되었습니다. 인간이란 대체 무엇인가에 대한 정체성 문제는 카시러의 인간에 대한 고찰과 가장 직접적으로 연결되는 문제라고 할 수 있을 것입니다.

이외에도 과학 기술 발전에 따른 인간의 실존 및 관계의 새로운 모습을 다룬 2006년 서강대 정시 문제와 무한 복제가 가능한 현대 사회에서 개인의 실존과 인생의 의미를 생각하게 하는 2002년 이화여대 모의 논제도 이와 같은 맥락에서 생각해 볼 수 있습니다. 2001년 서울대 정시에서 선한 의지와 인간다움에 기반한 삶의 태도가 현대사회에서 가지는 의미도 인간의 본질적 가치에 대해 고민한 카시러의 인간 탐구와 같은 의미에서 생각해 볼 수 있습니다.

상징과 연계된 문제로는 2003년 연세대 정시 문제에서 '이미지는 현실을 표현하는가, 은폐 왜곡하는가, 서로 무관한가' 에 대한 생각을 요구하는 문제가 있습니다. 이미지와 상징, 비유 등의 체계는 서로 비슷한 점도 있고 차이점도 있습니다. 어떤 대상이 의미하는 이미지를 통해 그것의 본질적인 상징체계를 찾아가는 것은 매우 중요한 의미를 갖습니다.

실전 논술

논술 문제

case 1 다음 글을 읽고 주어진 조건에 따라 논술하시오.

가 (앞의 내용) 태양신 헬리오스의 아들 파에톤은 태양신의 아들이라는 것을 증명하기 위해 욕심을 부리다가 우주에 재앙을 불러온다. 제우스는 우주의 질서와 안전을 위해 파에톤에게 벼락을 내리려고 한다.

제우스는 천궁의 지붕 꼭대기로 올라갔다. 천궁 꼭대기는 그가 대지 위로 구름을 펼 때와 천둥이나 벼락을 던질 때마다 올라가는 곳이었다. 그러나 천궁 꼭대기에는 대지 위에 펼 구름도, 대지에 쏟을 비도 남아 있지 않았다. 그는 벼락을 하나 집어, 오른쪽 귀 위까지 들어 올렸다가 태양 마차의 마부 석을 향해 힘껏 던졌다.

벼락 하나에 파에톤은 마차를 잃고, 이승을 하직했다. 파에톤은 자신이 불덩어리가 됨으로써 우주의 불길을 잡은 것이다. 천마는 벼락 소리에 몹시 놀라 길길이 뛰다가 멍에에서 풀려나고 고삐에서 풀려나 뿔뿔이 흩어졌다. 마구와 마차의 바퀴, 굴대, 뼈대, 바퀴살의 파편이 사방으로 날았다. 아주 먼 곳까지 날아가는 파편도 있었다.

— 중학교 3-2, 《국어》, 〈길 잃은 태양마차〉 중에서

나 단군왕검은 우리 겨레가 처음으로 세운 나라인 '고조선'의 임금을 일컫는 말이다. 단군왕검의 '고조선' 건국에 대한 이야기는 '삼국유사'에 전해지고 있다.

'삼국유사'에 의하면, 하느님의 아들인 환웅이 인간을 널리 이롭게 하기 위해

우리나라의 태백산에 내려와 농사, 기후, 질병 등 인간 세상의 여러 가지 일을 다스렸다. 환웅은 동굴에서 100일 동안 쑥과 마늘만 먹고 사람이 된 웅녀와 결혼하여 아들을 낳았는데, 그가 고조선을 세운 단군왕검이다.

— **초등학교 5-2, 《사회》 중에서**

다 인간이 자신의 느낌이나 경험을 객관화하려고 한다는 것은 이해할 수 있지만 이것이 과연 신화나 상징과 무슨 관련이 있을까요?

"아직 모르겠다는 표정이구나. 내 말은 인간이 자신의 감정을 객관화하여 신화를 만들어낸다는 얘기야. 사실은 카시러가 한 말이지만."

"카시러가요?"

"그래, 인간은 호기심이 많은 존재야. 그 호기심 때문에 연구를 하고 세상을 발전시키기도 하지만 위기에 빠지기도 하지. 인간의 호기심이 때로는 위험할 수도 있다는 생각을 객관화시킨 것이 바로 판도라의 상자나 에로스와 프시케 신화야."

"아, 그래서 신화가 우리의 생각과 삶을 상징화하여 표현된 이야기란다."

"그렇지. 카시러는 상징 형식이 맨 처음 나타난 것을 신화라고 했단다. 신화가 사실은 아니야. 하지만 어떤 구체적인 것을 대신해서 표현하는 상징 형식이라는 거야."

"그럼 신화는 오늘날 우리들에게도 큰 의미가 있겠네요."

"그렇고말고, 신화가 나타내고 있는 내용은 인간이면 누구나 생각하고 경험할 수 있는 것이기 때문에 우리에게 교훈을 주지. 또 카시러는 신화가 고대뿐만 아니라 현대에도 여전히 만들어진다고 주장했어."

"신화는 아주 오랜 옛날에 만들어진 거잖아요. 현대에 만들어진 것도 신화라고 할 수 있나요?"

"상징이 가능하다면 신화도 만들어낼 수 있지 않겠니? 예를 들어 어떤 사람이 사업을 해서 놀라운 성공을 이루었다고 가정해 보자. 그 사람의 사업 방식이나 태도, 신념 등이 이야기로 탄생해 신화가 되는 거지."

"그렇구나. 하긴 저도 'OOO의 성공 신화', '신화를 창조한 OOO' 이런 책 제목을 얼핏 본 것 같아요."

"카시러는 현대에 탄생한 신화들, 특히 정치적 신화들은 매우 비판했다고 알려져 있어. 현대의 잘못된 정치적 신화들이 얼마나 위험한 것인지 직접 체험하면서 살았으니까 말이야."

사진작가 누나는 카시러가 비판한 현대의 신화들에 대해서 이야기해 주었습니다. 카시러는 현대의 잘못된 정치적 신화들이 국가의 삶의 바탕이 되어 합리적인 원칙들을 무시할 때 국가는 전체주의(개인의 모든 활동은 민족이나 국가와 같은 전체의 발전만을 위해 존재해야 한다는 이념 아래 개인의 자유를 억압하는 사상. 이탈리아의 파시즘과 독일의 나치즘이 대표적임)와 독재주의(국민의 합의에 의한 민주적인 절차를 무시하고 단독의 지배자가 절대적인 권력을 행사하는 정치사상) 경향에 빠질 수 있다고 지적했대요.

카시러는 이러한 신화에 대해서 경각심을 불러일으키고 인간의 자기 해방을 가능하게 해 줄 수 있는 것이 철학이라고 했습니다.

—《카시러가 들려주는 상징 이야기》 중에서

1. 제시문 (다)에 나타난 카시러의 견해를 참고로 하여, (가)의 파에톤과 (나)의 환웅의 신화가 갖는 상징적인 의미를 설명하시오. (300자 내외)

2. (다)의 카시러가 제기한 '현대의 잘못된 정치적 신화' 문제를 (가)와 연관지어 설명하고, 이러한 문제를 (나)의 환웅이 갖는 생각을 참고하여 해결 방안을 논술하시오. (600자 내외)

생각 쓰기

생각 쓰기

case 2 다음 글을 읽고, (가)와 (나)에서 제시하는 '인간이란 무엇인가' 의 의미를 설명하고, (가)의 입장을 바탕으로 (나)에서 이솝이 말한 '사람다운 사람' 은 무엇인지 자신의 생각을 논술하시오. (500자 내외)

가 "이번 전시회는 '인간이란 무엇인가' 라는 주제로 그린 그림들을 모아 놓은 거야. 주제만 들으면 대단히 어려운 것처럼 들리지? 그러나 '인간이란 무엇인가' 라는 것은 결국 우리 자신에 대한 이야기니까 작가의 생각을 이해할 수 있을 거야."

삼촌을 따라 들어간 전시실에는 사람들이 꽤 있었습니다. 사람들은 삼촌의 안내를 받고 있는 나를 궁금하다는 듯 쳐다보았습니다. 그도 그럴 것이 직원에게 혼자 안내를 받고 있으니 궁금하기도 하겠지요. 나는 어쩐지 특별 대우를 받는 것 같아 기분이 좋았습니다.

"이 그림들은 같은 화가가 그린 거예요?"

나는 일부러 삼촌이라고 부르지 않고 질문을 했습니다.

"응, 사람이 태어나서 죽을 때까지의 중요한 순간들을 그린 그림들이야. 사람이라면 누구나 다 이 그림 속의 모습들처럼 살아가지만 특이한 점은 그림의 시작과 끝이 어디인지 알기가 힘들다는 거지. 삶과 죽음이 반복되면서 이어져, 어디까지가 한 사람의 인생인지 파악하기가 어려워."

"참 평범하면서도 신기한 그림이네요."

나는 이 그림 속에 몇 사람의 인생이 있을까 세어 보려고 노력했습니다. 하지만 세다 보면 자꾸 헷갈려서 그냥 다음 그림을 보기로 했어요.

“와, 이 그림에는 사람이 아니라 돼지가 있네요. 옷도 말끔하게 차려 입고 표정도 아주 점잖게 보이는데 얼굴만 돼지예요.”

“이 그림은 인간의 속마음을 비판한 작품이란다. 사람들은 겉으로는 점잖은 척, 품위 있는 척하면서 속으로는 자신의 욕심을 채우기 바쁘지.”

“돼지가 욕심이 많은 사람을 상징한다는 말은 들었는데 돼지가 이 사실을 알면 기분이 나쁠 거 같아요.”

“그럴지도 모르겠구나. 돼지가 살집이 많아서 그렇지 의외로 깨끗하고 예민한 동물인데 말이야.”

나는 온통 돼지 머리를 한 사람들이 있는 그림을 살펴보았습니다. 어떤 그림에는 화려한 옷차림을 한 돼지 여자가 장미꽃 한 송이를 들고 있고, 또 다른 그림에는 ‘반대’ 나 ‘투쟁’ 등의 단어가 쓰여진 띠를 두른 돼지 사람들이 있었습니다.

“인간과 동물은 어떤 차이점이 있을까요?”

“글쎄다. 인간은 동물과 달리 이성이나 자유의지가 있다는 것이 큰 차이점 아니겠니?”

“책에서 읽은 적이 있는데요, 인간과 동물의 차이는 질적인 것이 아니라 단지 양적인 차이래요. 인간이 복잡한 신경세포를 갖고 있기 때문에 다른 동물과 차이가 나는 것이지 이성이나 자유의지가 있기 때문은 아니래요.”

“전에 말했던 ‘에른스트 카시러’ 라는 사람 기억나니? 카시러는 인간이 자기반성을 할 줄 아는 유일한 존재라고 주장했단다. 인간은 자기반성을 하면서 상징을 만들어내는 것이지."

"인간이 상징을 만들어내는 것도 모두 신경세포가 복잡하기 때문에 가능한 것이 아닐까요? 만일, 개나 원숭이의 신경세포가 인간의 것만큼 복잡하다면 개나 원숭이도 상징을 만들 수 있을지도 모르잖아요."

"카시러는 인간의 신경세포 작용이 단순하게 기계적으로 움직이는 게 아니라고 했어. 인간의 신경세포는 스스로 계속 새로운 것을 생각해내는 능력을 가졌다고 생각했어. 즉 인간의 신경세포 작용은 본능적인 작용이 아니라 자기반성이나 사유를 가능하게 하는 질적인 작용이라는 거야. 이 그림들을 좀 보렴."

―《카시러가 들려주는 상징 이야기》 중에서

나 우리는 어른들께서 "사람이면 다 사람이냐, 사람다워야 사람이지"라고 이야기하시는 것을 가끔 듣게 된다. 때로는 꽤 유명한 사람들에 대해서도 "그 사람은 못된 사람이야"라고 말씀하시는 것을 듣기도 한다. 이런 이야기들은 우리들로 하여금 어떤 사람이 사람다운 사람인지, 그리고 어떻게 사는 것이 사람답게 사는 것인지 곰곰이 생각하게 만든다. 다음 이야기는 사람다운 사람의 한 모습을 보여 주고 있다.

이솝이 어렸을 때의 일이다. 하루는 주인이 이솝에게 심부름을 시켰다.

"얘, 이솝아. 너 공중목욕탕에 가서 사람들이 얼마나 많은지 보고 오너라."

이솝은 목욕탕으로 갔다. 그런데 목욕탕 문 앞에는 뾰족한 큰 돌이 땅속에 박혀 있었다. 그래서 목욕하러 들어가던 사람이나 목욕하고 나오는 사람 모두가 그 돌에 걸려 넘어질 뻔하였다. 어떤 사람은 발을 다치기도 하고, 어떤 사람은 넘어져 코를 다칠 뻔하였다.

"에잇, 재수 없어!"

사람들은 화를 내면서 돌에다 대고 욕을 하였다. 그러면서도 누구 하나 돌을 치우는 사람이 없었다.

"한심한 사람들이야. 누가 저 돌을 치우는지 지켜봐야지."

이솝은 목욕탕 앞에서 지켜보고 있었다.

"에잇, 몹쓸 놈의 돌!"

여전히 사람들은 돌에 걸려 넘어질 뻔한 것에 대해 욕을 퍼부으며 지나갔다.

얼마 후에 한 사나이가 목욕을 하러 왔다. 그 사나이도 돌에 걸려 넘어질 뻔하였다. 그러나 그 사나이는 단숨에 돌을 뽑아냈다. 그리고는 손을 툭툭 털더니 목욕탕 안으로 들어갔다. 이솝은 그제야 일어나 목욕탕 안에 들어가 보지도 않고 그냥 집으로 달려왔다.

"주인님, 목욕탕에 사람은 한 명밖에 없습니다."

"그래? 참 잘됐구나. 너, 나하고 목욕이나 하러 가자."

이솝은 주인과 함께 목욕탕에 갔다. 그런데 목욕탕 안에는 사람들이 북적북적, 발 들여 놓을 틈도 없었다.

"이 녀석아, 목욕탕에 사람이 한 명밖에 없다고? 너, 왜 거짓말을 했느냐?"

주인이 화를 내며 말했다.

"주인님, 제 말을 들어 보십시오. 목욕탕 문 앞에 뾰족한 돌이 땅속에 박혀 있어 사람들이 걸려 넘어지고 다칠 뻔하였는데 저마다 불평만 할 뿐 그 돌을 치우는 사람이 없었습니다. 그런데 단 한 사람, 그 돌을 뽑아 치우고 들어가는 사람이 있었는데, 제 눈에는 그 사람만이 사람다운 사람으로 보였을 뿐입니다."

"어허, 그랬구나!"

주인은 껄껄 웃을 수밖에 없었다.

이 이야기에서 이솝은 공중목욕탕 앞에 있는 돌을 치운 사람만을 진정한 사람으로 보았다. 즉, 사람이라고 해서 모두 사람은 아니라고 보았던 것이다.

— 중학교 1, 《도덕》, 〈인간다운 삶의 가치〉 중에서

생각 쓰기

case 3 다음 글을 읽고 주어진 조건에 따라 논술하시오.

가 인간의 삶은 다른 동물들의 삶과 비슷한 점이 있긴 해도 질적으로 다른 점이 있답니다. 그것은 무엇일까요? 한마디로 말해서 인간은 다른 동물들과 다르게 문화를 즐기며 살아가는 존재이지요.

짐승들은 오직 본능에 따라 태어나서 살다가 죽어요. 하지만 인간은 앎과 느낌, 의식 활동을 활발히 하면서 온갖 상징을 사용하고 문화를 새롭게 만들어요.

최근에 많은 사람들이 다음처럼 주장해요.

"확실히 인간은 신비스런 존재임이 틀림없어. 어떤 사람은 인간의 특징을 정밀한 기계에 비유하지만 절대로 인간은 기계가 아니야. 인간에게는 분명히 자유로운 의지가 있어. 그렇기 때문에 인간은 온갖 비유, 곧 은유와 상징 등을 이용해서 문화를 창조하고 그것을 누리는 거야."

"맞아! 네 생각하고 내 생각이 어쩌면 그렇게 똑같을 수 있지? 현대사회에서 제아무리 ㉠인간을 기계론적인 그리고 물질 만능적인 입장으로 해석할지라도 인간은 역시 정신적으로 자신의 삶을 창조하는 자유로운 존재야!"

그렇습니다. 이 세상에서 오직 인간만이 역사와 종교, 기술과 예술, 언어를 가지고 있어요. 특히 사람들은 언어를 가진 인간을 가리켜서 '말하는 존재다' 라고 해요. 앵무새도 인간이 하는 말을 한다고요? 앵무새는 말하는 것이 아니에요. 인간이 하는 말을 소리로 흉내내는 것이죠.

— 《카시러가 들려주는 상징 이야기》 중에서

나 인간다운 삶이란, 정신적인 것을 중요하게 여기면서 그것을 얻고자 노력하는 삶이다. 물질적인 것만이 아니라 정신적인 것을 얻고자 노력할 때, 사람으로서의 진정한 아름다움을 느낄 수 있기 때문이다.

물론, 물질이 있어야 더욱 편하고 풍요로운 생활을 할 수 있다. 그러나 물질적으로 풍요해야 한다는 것은 인간다운 삶을 위한 한 부분이고 조건일 뿐이다. 영국의 사상가 밀은 "배부른 돼지가 되기보다는 배고픈 인간이 되는 것이 바람직하다"라고 했다. 이것은 인간의 삶에 있어서 ㉡물질적인 것보다 정신적인 것이 더욱 중요하며, 정신적인 것을 얻으려고 할 때 인간의 삶이 더욱 아름답다는 것을 강조한 것이다.

— 중학교 1, 《도덕》 중에서

다 한 정신지체아를 치료하던 의사는 이런 말을 하였습니다.

"이 아이는 아무리 애써 치료해도 2년이나 3년 안에 죽을 겁니다. 나의 노력이 의미 없다고 할지 모르지만, 그렇다고 해서 이 아이의 생명이 의미 없는 것은 아닙니다. 그래서 나는 최선을 다해 치료합니다."

그 의사의 헌신적인 치료 때문인지, 숨도 잘 못 쉬던 아이는 얼마 후 스스로 숨을 쉬고 눈도 깜빡이게 되었습니다.

처음 한국인 의사들이 우즈베키스탄에서 의료 봉사 활동을 시작했을 때, 그곳 사람들은 무슨 속셈으로 저러는 걸까 하고 의아하게 생각했습니다. 그러나 이제는 그들을 '우즈베키스탄의 천사들' 이라고 부르며 고마워합니다.

이 세상에는 이렇게 아무런 조건 없이 오직 생명을 보호하는 것을 자신의 사명으로 알고 헌신하는 사람들이 많습니다.

— 초등학교 6, 《도덕》, 〈생명의 수호천사들〉 중에서

1. 제시문 (가), (나), (다)에서 말하는 내용의 공통점을 설명하시오. (300자 내외)

2. 제시문 (가)와 (나)의 밑줄 친 ㉠, ㉡의 공통된 내용을 제시한 후, 그와 같은 내용을 강조했을 때 어떤 긍정적 의미가 있는지 구체적인 사례와 함께 제시하시오. (500자 내외)

생각 쓰기

생각 쓰기

생각 쓰기

실전 논술

예시 답안

case 1

1. 신화는 인간이 만들어낸 상징이다. 신화 속에는 그 민족이나 집단이 생각하는 의식이 담겨 있다. (가)의 파에톤은 신의 세계까지 넘나드는 그리스, 로마인들의 도전 정신을 드러낸다. 이에 비해 (나)의 환웅은 많은 사람들을 배려하는 따듯한 인간애를 나타내고 있다. 이러한 신화의 상징은 호전적인 그리스, 로마 문화의 농경을 바탕으로 한 고조선의 문화가 갖는 차이점과 비슷하다. 이것은 한 민족이나 집단이 갖고 있는 개별적이고 구체적인 경험을 바탕으로 보편적이고 객관적인 의미를 이끌어내는 신화의 상징성을 잘 보여주고 있다.

2. 카시러가 문제 삼고 있는 '현대의 잘못된 정치적 신화' 란, 전체주의와 독재주의 등을 말한다. 이러한 집단에서는 국가의 이익이나 특정인의 목적을 달성하기 위해서 마치 그것이 반드시 해야 할 것처럼 개인을 억압한다.

(가)에서 파에톤은 태양신의 아들이라는 오만함으로 세상을 혼란에 빠뜨린다. 이러한 권력을 바탕으로 자신만을 위해 사는 것이 바로 독재체제나 전체주의이다. 이러한 독재나 전체주의는 일시적으로 특정 집단이나 특정 세력에게는 이익이 되는 것처럼 보인다. 자신들이 이루고자 하는 목적을 달성하기 위해 부정부패를 일삼으며, 경제적 이익을 추구하고 권력을 유지하기 위해 폭압적인 형태를 보이기도 한다. 그러나 이러한 체제 아래에서 구성원들의 삶은 어려워질 수밖에 없다. 자신의 분수를 모르고 욕심을 부리던 파에톤으로 인해 세상이 혼란에 빠지고 어려워진 것과 같은 맥락이다.

그리고 이러한 체제는 결국 권력자들에게도 비참한 결과를 초래한다. 국민들에 의해 선출된 민주적인 정부도 잘못이 있으면 물러날 수밖에 없는데, 대다수 구성원들을 억압하는 체제는 결코 영원할 수가 없기 때문이다. 이것은 태양 마차를 타고 인간의 본분을 넘어서려 했던 파에톤이 결국에는 제우스의 벼락에 의해 산산조각이 나서 흩어지는 모습과 같은 것이다.

독재체재나 전체주의와 같은 잘못된 정치가 등장하는 이유는 인간에 대한 이해와 배려가 부족하기 때문이다. 권력이나 물질에 대한 욕심은 인간의 어쩔 수 없는 욕망이라고 할 수 있다. 그러나 다른 사람을 배려하지 않는 욕심은 모두의 불행을 초래할 뿐이다. (나)의 환웅은 인간을 널리 이롭게 하겠다는 뜻을 갖고 인간 세계로 내려왔다. 하늘에서 아무런 부족함 없이 살고 있던 환웅이 인간 세계로 내려왔다는 것은 어떤 상징적 의미가 있을까? 이것은 바로 인간이 하늘과 통한다는 고조선의 건국이념을 잘 보여준다. 이러한 건국이념은 바로 우리 민족의 인간에 대한 이해와 평등사상을 의미하는 것이라 할 수 있다. 인간에 비해 절대적인 힘을 가진 하느님의 아들이 인간에게 도움을 주기 위해 인간 세계로 내려왔다는 것은 권력을 가진 사람들이 백성을 위한 정치를 해야 한다는 상징적 의미로 이해할 수 있을 것이다.

case 2

(가)와 (나)에서 공통적으로 제시하는 인간은 자유의지와 이성을 갖는 존재이다. 따라서 인간은 물질로 이루어진 기계도 아니고 동물적 본능만을 갖는 존재도 아니다.

(가)에서 삼촌은 인간의 의미가 자유의지와 이성을 통한 상징 행위에 있음을 주장한다. 이런 관점에서 (나)의 이솝이 말하는 사람다운 사람은 자신의 자유의지와 이성을 통해 남을 배려할 줄 아는 사람이다. 목욕탕에 오가는 많은 사람들 역시 외형적으로는 모두 동일한 사람이라고 할 수 있다. 그러나 그들은 자신들의 신체적 불편함을 이야기하는 것에만 관심을 가졌다. 여기서 이솝이 말하는 사람다운 사람은 자신이 겪은 불편이 다른 사람들에게도 똑같이 불편할 수 있음을 깨닫고 돌을 치웠다. 이것은 자신의 마음속 배려와 사랑을 다른 사람을 위해 실현할 줄 아는 사람이 진정한 사람이라는 의미이다. 사람은 누구나 본능적으로 자신에게 귀찮고 불편한 상황을 피하려고 한다. 그러나 단순히 피하려고만 한다면 그것은 동물과 다를 바가 없다. 사람다운 사람은 자신에게 귀찮고 불편한 상황이 다른 사람에게도 귀찮고 불편한 상황이라는 것을 깨닫고 그 상황을 개선하려고 하는 사람이다.

case 3

1. 제시문들은 공통적으로 인간이 주어진 환경에 수동적으로 적응하는 동물이나 기계와 같은 존재가 아니라 말한다. 오히려 인간은 자신

의 이성과 의지를 능동적으로 활용하여 정신적 가치를 추구하는 존재라고 설명한다. (가)에서는 인간이 이성과 의지를 통해서 다른 기계나 동물과는 다르게 언어, 종교 등의 문화와 가치를 만들어 가며 살고 있음을 말한다. (나)에서는 배부른 돼지와 배고픈 인간의 비교를 통해 정신적 가치의 추구 행위가 인간적임을 강조한다. (다)에서는 우즈베키스탄에서의 의료 봉사 활동 일화를 통해 이 의사들이 생명의 가치를 중시하고 있음을 보여준다.

2. 밑줄 친 ㉠, ㉡은 공통적으로 물질 중심적 관점을 갖는다. 우리 삶에서 물질은 없어서는 안 될 기본 조건이다. 그리고 인간의 신체 역시 물질로 구성되어 있다. 따라서 물질에 대한 이해와 관심은 우리 삶의 환경을 발전시키는 데 크게 기여하였다. 그 중 인간을 비롯한 동물을 기계와 같은 존재로 보는 견해로부터 동물들을 통한 질병 연구 결과를 인간 질병에 응용하면서 의학 발전과 생물학, 물리학, 화학 등 기초 과학의 발전이 이루어졌다. 또 지금의 최첨단 과학과 편리한 생활환경도 물질에 대한 관심에서 비롯되었다. 이런 물질 중심적 관점은 우리가 건강하게 자신들의 꿈을 실현시키며 살 수 있고, 사람들로 하여금 자신들의 삶을 보다 더 나은 상태로 발전시키려는 동기를 갖게 한다. 그리고 그 결과 사람들은 자신의 능력을 개발하려는 노력을 하고, 이런 노력들은 사회 발전의 기초가 되는 것이다.

철학자가 들려주는 철학이야기 088

김시습이 들려주는 유불도 이야기

저자_**이봉선**

중앙대에서 문예창작을 전공했습니다. 1998년과 2004년에 신춘문예 단편소설로 등단하였습니다. 현재 대학에서 소설 창작을 강의하며 소설을 쓰고 있습니다. 효원이 태준이의 아빠로서 좋은 책을 많이 읽어주려 노력하고 있습니다. 학생들에게 국어와 논술을 가르치면서 가장 소중한 삶의 가치가 무엇인지도 늘 고민하고 있습니다.

배경 지식 넓히기

金時習

김시습과 '유불도'

김시습 주요 개념

1. 김시습을 만나다

1) 김시습은 누구인가

김시습은 우리 나라 최초의 한문 소설집인 《금오신화(金鰲新話)》를 비롯하여 2,180여 수의 시를 남긴 인물입니다. 그는 뛰어난 문학 작품뿐만 아니라 상식을 뛰어넘는 기이한 행동과 천재성으로 현재까지도 많은 사람들의 관심을 끌고 있습니다.

김시습은 1435년(세종 17년)에 서울의 성균관 북쪽 마을(지금의 서울 종로구 명륜동)에서 부친 김일성과 모친 장씨 사이에서 태어났습니다. 1439년(세종 21년) 이계전에게 《중용(中庸)》과 《대학(大學)》을 배웠으며, 어린 나이에도 불구하고 능히 시를 지어 신동이라 불렸습니다.

1449년에는 모친을 잃고 외가에 몸을 의탁했으나, 3년이 채 못 되어 외숙모도 별세하여 다시 서울로 상경하여 1954년 훈련원 도정을 지낸 남효례의 딸과 결혼을 하게 됩니다. 하지만 그의 생활은 불행의 연속이었습니다. 1455년(세조 즉위년) 삼각산 중흥사에서 글공부를 하던 중 수양대군이 단종을 축출하고 왕위에 오른 사건이 일어나자 3일 동안 통곡하다가 머리를 깎고 중의 행색을 하게 됩니다. 그러면서 1458년에는 관서 지방을 유람하며 《탕유관서록후지》를, 1460년에는 관동 지방을 유람하며 《탕유관동록후지》를 그리고 1463년에는 호남 지방을 유람하며 《탕유호남녹후지》를 창작합니다.

이후 1465년 경주 금오산(남산의 용장사 자리)에 집을 짓고 다시 정착 생활을 하게 되는데, 바로 여기서 우리 문학사의 최초의 한문 소설인 《금오신화》가 탄생하게 됩니다.

1471년에는 친구의 권유로 상경해서 이듬해 서울 동북쪽에 있는 수락산 기슭에 거처를 정하고 '폭천정사'를 세웁니다. 그리고 1475년 《십현담요해》, 1480년에는 《계인설》을 비롯한 많은 설(說, 문학의 한 종류로 현대의 수필과 유사)을 남겼습니다.

1481년 환속을 하고 조부와 부친께 제문을 지어 이 사실을 고했으며, 다시 안씨와 결혼을 하였지만 이내 사별을 하게 됩니다. 1483년 주변에서 벼슬하기를 권했으나 응하지 않고, 자신이 처한 현실을 슬퍼하며 이 해에 다시 출가하여 관동으로 떠납니다. 그러다가 1493년(성종 24년, 59세) 충청도 홍산현(현 충남 부여군 외산면) 무량사에서 2월에 생을 마치게 됩니다.

김시습은 끝까지 절개를 지키고, 유교와 불교의 정신을 함께 살려서 뛰어난 글을 남긴 인물로 평가를 받으며 1782년(정조 6년) 이조판서에 추증,

영월의 육신사에 모셔지게 되었습니다.

2) 시대를 잘못 만난 슬픈 운명

김시습의 활동 시기는 안정되었던 조선 사회가 그 모순을 드러내기 시작한 15세기 후반입니다. 조정은 혼란을 거듭하는 과정에서 여러 어려움을 겪었고, 지배계층은 농사 지을 땅을 확대해 나갔습니다. 이로 인해 농민들의 생활은 점점 어려워져 갔습니다. 김시습의 시 〈농부의 말을 적노라〉에는 이러한 사정이 잘 나타나 있습니다.

> 굶주려 우는 아낙과 아이들 길바닥에 쓰러지고
> 길가던 나그네는 한숨만 짓고 가네
> (……)
> 발가숭이 어린 자식 옆에서 울부짖어
> 밥 달라 날 조르나 듣고도 못 들은 척

또한 왕실 내부의 권력 쟁탈전으로 지배계층 자체 내의 모순도 심화되었습니다. 이것이 폭발된 사건이 바로 세조가 어린 단종의 왕위를 빼앗은 사건입니다. 이로 말미암아 봉건적 명분은 땅에 떨어지고 사회적 혼란과 부패는 날로 심해갔습니다. 가히 혼란의 시대, 폭력의 시대였다고 할 수 있습니다. 김시습은 피비린내 나는 왕위 쟁탈전의 시대를 살았던 것입니다.

김시습의 집안은 볼품없는 무관의 집안이었습니다. 하지만 김시습은 생후 8개월부터 글을 알았을 정도로 매우 뛰어난 재주를 지니고 있었습니다. 그의 이름인 시습(時習)도 이런 까닭으로 지어졌습니다. 이런 그의 특징은 왕실에까지 알려져 세종은 도승지 박이창을 시켜 김시습의 글재주를 시험하기도 했습니다. 박이창이 먼저 "동자의 학문이 흰 학이 푸른 소나무 끝에서 춤추는 것과 같도다" 하자, 김시습이 서슴지 않고 "임금님의 덕은 누런 용이 푸른 바다 가운데서 꿈틀거리는 것 같습니다" 라고 대꾸했다고 합니다. 감탄한 세종은 김시습에게 나이가 들어 학문이 이루어지면 불러다 크게 쓰겠노라고 약속하고, 세자(문종), 세손(단종)을 가리키면서 "저 두 사람이 너의 임금이 될 것이다. 잘 기억해 두어라" 고 일렀다고 합니다. 하지만 이러한 영광은 오래가지 못했습니다. 13세에 어머니가 세상을 떠나고 김시습의 아버지는 병으로 집안을 돌볼 수 없었습니다. 더욱이 세조의 반정으로 인해 벼슬길에 올라 자신의 능력을 펼칠 기회조차 버려야 했습니다.

3) 고독한 낭만주의자

김시습은 세조가 단종으로부터 왕위를 빼앗자 절개를 지키며 끝까지 단종을 따랐던 인물로서 원호(元昊), 이맹전(李孟專), 조려(趙旅), 성담수(成聃壽), 남효온(南孝溫)과 더불어 생육신(生六臣)이라고 합니다. 정찬손, 거정, 신숙주, 김수온 등이 세조의 공신으로 높은 벼슬에 앉아 있을 때, 김시습은 거지 행색을 하고 백주대로에서 이들을 꾸짖었습니다. 또한 사육신이 노량진에서 처형당했을 때 아무도 나서지 못하는데, 홀로 나서서 그들의 시체를 묻어 주었습니다.

김시습의 행동은 여기서 그치지 않았습니다. 산속에서 홀로 거처하며 나무를 희게 깎아 시를 쓰고, 읊조리다가 갑자기 통곡하며 그것을 꺾어 버리기도 했고, 달 밝은 밤이면 흐르는 시냇가에 앉아 수천 장의 종이에 시를 쓰고 그것을 물에 띄어 보내며 목 놓아 울기도 했습니다. 혹은 나무를 다듬어 농부의 형상을 조각하여 책상 곁에 죽 늘여 놓고 물끄러미 바라보다가 또다시 통곡하며 불살라 버리기도 하였고, 자신이 농사지은 조가 무성하여 이삭이 팬 것을 술을 먹고 들어와 낫을 휘둘러 모조리 땅에 베어 넘기고 통곡을 했다고도 전해집니다.

김시습은 세상과 타협하지 않는 강직한 선비의 기품을 지니고 있었지만 달밤이면 눈물을 흘리며 시를 쓰는 여린 감성을 동시에 지니고 있었습니다. 달과 매화를 지극히 좋아해 달 밝은 밤이면 소상강에 몸을 던진 초나라 충신 굴원의 〈이소경〉을 외우며 눈물을 흘리기도 했다고 합니다. 〈금오신화를 지으면서〉라는 글에서 보면 "작은 집 푸른 담요에 따뜻함이 넘치는데, 창에 가득 매화 그림자 달이 밝아오는 때라"는 구절이 나오는데 이를 통해 김시습이 매월(梅月)을 호로 취한 연유를 짐작해 볼 수 있습니다. 달이 떠오를 무렵 달빛을 받아 창문에 아른거리는 매화의 그림자를 보며 고독한 자신의 모습과 비유해 그것을 호로 삼은 것은 참으로 절묘합니다.

김시습은 스스로 자신이 세상과 어긋난다고 생각했습니다. 가난한 집안 출신이 그렇고, 세조의 쿠데타로 인해서 여지없이 무너진 출세의 꿈이 그렇다고 여겼습니다. 잘못된 세상은 바로 잡혀야 된다고 여겼지만 김시습 개인의 힘으로는 불가능한 일이었습니다. 그래서 김시습은 끊임없이 갈등해야만 했습니다. 자신을 세상에 맞추기에는 지조가 허락하지 않았고 세상을 개조하기에는 역부족이었기 때문입니다. 그래서 그는 출가를 하고 유랑생활을 하게 됩니다.

율곡은 김시습의 전(本傳 : 선조의 명을 받아 지은 것)에서 "시대를 슬퍼 말고 세속을 분개하여 심기가 답답하고 편안치 못하매 스스로 세상을 따라 오르고 내릴 수 없음을 헤아린 나머지 드디어 그 몸을 내던져 세상 밖에서 놀았다"라고 기술하고 있습니다. 김시습은 끝없는 방랑, 그 고통과 슬픔의 세월을 살면서 역사의 횡포에 맞섰던 것입니다. 그래서 후대의 선비들은 김시습을 "백이의 마음이요, 태백의 행적이다"라고 언급하고 있습니다. 세종에 대한 충성심 때문에 세상과의 타협을 거부하고, 미친 체하며 돌아다녔기 때문입니다. 이런 의미에서 본다면 김시습은 명분과 의리를 강조한 인물이라 할 수 있습니다.

김시습은 〈명분설〉에서 "천자, 제후, 공경, 대부, 사, 서인은 명(名)이고,

상하, 귀천, 존비는 분(分)이니 이는 넘어설 수 없다"라고 말하고 있습니다. 이는 임금은 임금답고 신하는 신하다워야 함을 강조한 것으로 덕에 의한 바람직한 왕도정치가 이루어지길 원하고 있었던 것으로 보입니다. 하지만 40년 가까이 떠돌아다니면서, 그 고통과 슬픔의 세월 속에서 누구보다도 봉건적 모순을 철저하게 인식했고 작품을 통해 이를 벗어나려 노력하였습니다. 그러기에 그의 작품은 낭만적인 꿈으로 채색되어 있는 것입니다.

"밤은 언제 새려는가? 이 밤도 기어이 동터 오는가? / 뭇별은 빛을 잃고 칠성만 남았네"라고 동이 터오는 새벽을 알렸지만, 그의 인생은 이와는 너무 대조적이었습니다. 김시습은 아내도 없고 가정도 없이, 친구도 없고 동지도 없이 철저히 거대한 역사의 횡포에 홀로 맞섰던 고독한 낭만주의자라고 할 수 있습니다.

사육신(死六臣)

집현전 학사로서 세종의 신임을 받고, 문종에게서 나이 어린 세자(단종)를 잘 보필하여 달라는 명을 받은 사람들 가운데 단종 복위를 주장하다 처형을 당한 충신 성삼문, 박팽년, 하위지, 이개, 유성원, 유응부와 김문기를 말합니다.

단종의 숙부 수양대군이 1453년(단종 1년)의 계유정난을 통하여 안평대군과 황보인 · 김종서 등 3공을 숙청하여 권력을 독차지한 끝에 1455년에 단종을 몰아내고 왕위를 찬탈했습니다. 사육신은 동조자를 규합하여 단종을 다시 왕위에 앉힐 것을 결의를 했습니다. 그러다 이들은 1456년 6월 본국으로 떠나는 명나라 사신의 환송연에서 성삼문의 아버지 성승과 유응부가 국왕 양쪽으로 칼을 들고 지켜서는 운검이란 것을 하게 됨을 기화로 세조(수양대군) 일파를 처치하기로 결정하였습니다. 하지만 이 사실이 사전에 누설되어 계획은 좌절되었습니다. 이들의 계획이 일단 좌절되자 같은 동지이며 집현전 출신인 김질 등은 뒷일이 두려워 세조에게 단종 복위 음모의 전모를 밀고하여 세조는 연루자를 모두 잡아들여 스스로 이들을 문초하였습니다.

성삼문은 시뻘겋게 달군 쇠로 다리를 꿰이고 팔이 잘리는 잔학한 고문에도 굴하지 않고 세조를 '전하'라 하지 않고 '나리'라 불러 왕으로 대하지 않았으며, 나머지 사람들도 진상을 자백하면 용서한다는 말을 거부하고 형벌을 당했습니다. 성삼문, 박팽년, 유응부, 이개는 작형(灼刑 : 단근질)을 당하였고, 후에 거열형을 당하였습니다. 하위지는 참살 당하였으며, 유성원은 잡히기 전에 자기 집에서 아내와 함께 자살하였습니다.

또한 사육신의 가족으로 남자일 경우 모두 살해당하였고, 여자일 경우에는 남의 노비로 끌려갔으며, 사육신 외에도 권자신 등 70여 명이 모반 혐의로 화를 입었습니다. 사육신은 1691년(숙종 17년) 숙종에 의해 관직이 복귀되었고, 민절이라는 사액이 내려짐에 따라 노량진 동산의 묘소 아래 민절서원을 세워 신위를 모시고 제사를 지내게 되었습니다.

생육신(生六臣)

1456년(세조 2년) 단종의 복위를 도모하다가 죽은 사육신(死六臣)에 대칭하여 살아남았던 신하를 뜻하며 김시습(金時習), 원호(元昊), 이맹전(李孟專), 조려(趙旅), 성담수(成聃壽), 남효온(南孝溫)을 말합니다. 이들은 세조 즉위 후 관직을 그만두거나 아예 관직에 나아가지 않고 세조의 즉위를 부도덕한 찬탈 행위로 규정하고 비난하며 지내다 죽었습니다. 중종반정 후 사림파가 등장하여, 사육신에 대한 새로운 평가가 나오게 되면서 이들의 절의 또한 새로운 평가를 받게 되었고 그 뒤 조정에서 시호를 내려 주는 등 크게 추앙받았습니다.

2. 교과서에서 만난 유불도

① 전통도덕의 기본 정신

유교는 불교와 더불어 삼국 시대 우리나라에 전래되어, 고려를 거쳐 조선 시대에 이르기까지 2천여 년 동안 조상들의 생활에 큰 영향을 주었다. 유교에서는 끊임없는 자기 노력과 수양을 통하여 욕심을 없애려는 수기와 그것이 더 넓은 의미로 확대되어 다른 사람을 도덕적으로 가르쳐야 하는 치인이 있어야만 성인의 경지에 도달할 수 있다고 하였다. 또한 '수신제가치국평천하(修身齊家治國平天下)' 라고 하여, 사람은 자신을 올바르게 수양하면 가정을 잘 이끌 수 있고, 가정을 잘 이끌어 갈 수 있으면 나라를 바르게 다스릴 수 있으며, 나아가 세상을 평화롭게 만들 수 있다고 하였다. 결국, 자신의 몸과 마음을 올바르게 닦아 인간의 착한 본성을 깨닫는 일이 모든 것의 바탕이 된다고 본 것이다. 또 유교에서는 이상적인 사회를 이룩하기 위하여 사람들이 지켜야 할 것으로 '오륜(五倫)' 을 강조하고 있다. 오륜은 우리가 살아가면서 맺게 되는 인간관계의 덕목을 다섯 가지로 집약해 놓은 것이다. 즉, 부모와 자식 사이에는 사랑과 공경(부자유친, 父子有親), 임금과 신하 사이에는 정의와 합리(군신유의, 君臣有義), 그리고 부부 사이에는 상호존중과 책임 이행(부부유별, 夫婦有別), 어른과 아이 사이에는 양보와 질서(장유유서, 長幼有序), 친구 사이에는 믿음(붕우유신, 朋友有信)을 말한다. 이중에서 임금과 신하 사이를 오늘날의 실정에 맞도록 국가와 국민 사이로 생각한다면, 오륜은 오늘날에도 여전히 우리가 본받아야 할 가치가 있다고 하겠다.

도교는 귀족 중심으로 전래되었던 불교나 유교와는 달리, 서민들의 일상생활 속에 자연스럽게 스며들면서 많은 부분에서 삶의 지침으로서의 역할을 하였다. 이렇게 도교가 자연스럽게 모든 사람들의 생활 속에 스며들 수 있었던 것은, 모든 생활을 자연스럽게 조화를 유지하면서 살아갈 것을 강조한 근본정신에 있다. 세상을 살아가되 억지로 무엇을 하려고 하지 말고, 주어진 인간 본연의 모습대로 자연스럽게 세상을 살아가라는 도교의 정신은 많은 사람들에게 커다란 부담 없이 받아들여질 수 있는 삶의 지침이었다. 그리고 이러한 정신으로 살아갈 때, 그것은 자연과의 조화를 이루는 삶, 다른 사람과의 조화를 이루는 삶이 되었다.

도교에서는 세상 모든 문제가 자신만이 옳다는 편견을 가지고 다른 사람이나 사물과 어울리지 못하는 데서 생긴다고 보았다. 따라서 사람들에게 무엇보다도 편견을 극복하고 모든 사람이나 사물을 차별하지 말 것을 강조하는데, 자연과 인간을 동등한 위치에 놓는 것도 이러한 정신에서 나타난 것이다. 이러한 정신이 우리 조상들의 삶 속에 스며들어, 자신만의 생각과 생활을 고집하기보다는 다른 사람의 생활을 인정하고 서로 어울리는 조화로운 삶의 전통을 형성하였다. 그리고 이러한 조화는 인간관계의 범위에서 더 나아가 자연과의 조화로 이어졌으며, 이것을 바탕으로 자연을 소중하게 여기는 생활을 하게 되었다.

— 중학교 2학년 《도덕》 중에서

유불도는 엄밀한 의미에서 볼 때는 우리의 전통 도덕이 아니라 외래 종교라 할 수 있습니다. 그런데 이러한 외래 사상이 우리 민족의 삶에 깊은 영향을 끼친 이유는 무엇일까요? 그것은 바로 이러한 유불도의 가르침이 있기 이전에 우리 민족은 이미 이웃에 대한 배려나 사랑이 내재하고 있었기 때문입니다.

유교는 어느 한 사람이 제창한 것이 아니라 오랜 세월 동안 수많은 학자들에 의해 만들어진 사회윤리 사상입니다. 유교는 인간이 지켜야 할 현실적인 사회규범이지요. 그리고 불교는 깨달음을 통한 사후 세계의 삶을 생각하는 종교이며, 도교는 종교적인 색채와 실천윤리와 같은 규범의 의미가 함께하고 있습니다.

이처럼 겉으로 드러나는 모습은 조금씩 다르지만, 인간과 인간의 조화, 인간과 자연의 조화를 바탕으로 한 바른 삶의 가치는 우리 민족의 전통 사상과 연계되어 우리의 도덕적인 가르침으로 자리 잡았습니다. 그리고 그것은 곧 우리의 올바른 삶의 덕목이 된 것입니다.

② 인간과 생명에 대한 사랑

유학에서는 인간 사회의 도덕적인 문제에 대하여 많은 관심을 가지고 자연마저도 도덕적으로 해석하려는 경향을 보였다. 반면에, 불교에서는 이와는 다른 자연관을 가지고 있었다. 불교에 의하면, 세상에 있는 생명체들은 모두 불성을 지니고 있기 때문에, 어느 것이든지 그 자체로 소중하기가 이를 데 없다. 이러한 맥락을 통해 볼 때, 유학에서 말하는 사랑이 인간 중심적인 사랑이라면, 불교의 자비는 생명 중심적인 사랑이라 할 수 있을 것이다.

— 고등학교 《전통윤리》 중에서

불교 사상에서는 현실적인 인간을 육체가 있어 눈 · 귀 · 코 · 입 · 몸 등의 감각 기관으로 느끼는 존재일 뿐만 아니라, 정신적으로 표상하고, 의지하며, 인식하는 등 다섯 가지의 요소로 이루어진 존재로 본다. 이것은 인간이 육체적인 존재인 동시에 생각하는 능력을 지닌 존재임을 의미한다. 그런데 물질적인 육체는 언제나 생 · 로 · 병 · 사의 무상함을 벗어날 수 없다. 그러나 불교 사상에서는 인간이 본래 불성을 지니고 있다고 본다. 불성이란 '부처가 될 수 있는 가능성'이다. 우리의 마음이 겉으로 보기에는 불완전한 모습을 하고 있지만, 그 깊은 곳에는 불성이 있다는 것이다. 이 불성은 심오하고 참된 법으로, 더 생기지도 않고 없어지지도 않는 본래의 마음이다.

— 고등학교 《전통윤리》 중에서

유교에서 말하는 인간 중심의 사랑, 불교에서 말하는 생명 중심의 사랑은 곧 오늘날의 관점에서 보면, 인간 중심의 사고, 생명 중심의 사고, 생태 중심의 사고 등으로 바꾸어 쓸 수 있을 것입니다. 유교에서 말하는 인간 중심이란 이 세계의 중심에 인간을 두고, 인간이 현실에서 지켜야 할 도리를 강조하는 것입니다. 불교와 연관된 생명 중심은 인간뿐만 아니라 이 세상에 존재하는 모든 생명체를 중시하는 것이며, 아무리 작은 생명이라도 그 가치를 존중해야 하고 지켜야 한다는 가르침을 줍니다. 그렇다면 생태 중심적 사고와 관계된 것은 어느 쪽에 속하는 것일까요? 이를 위해 '생태 중심' 이라는 말의 의미를 먼저 살펴볼 필요가 있습니다. 생태 중심이라는 말에는 인간도 중요하고 생명도 중요한데 그러한 것들을 인간이 인위적으로 간섭하지 말고 원래 자연의 상태로 유지하라는 뜻이 담겨 있습니다. 예를 들어, 산속에서 상처 입은 토끼 한 마리를 발견하였다면, 인간 중심의 사고 방식에서는 그 토끼를 잡아서 배고픈 인간이 먹도록 할 것입니다. 그러나 생명 중심적 사고에서는 인간이나 토끼 모두 소중한 존재이므로 인간이 함부로 그 토끼를 잡으면 안 되고, 상처 입은 토끼를 치료해 주어야 합니다. 그런데 이것이 생태 중심으로 오면 또 달라집니다. 상처 입은 토끼도 하나의 자연적인 현상이므로 인간이 관여하지 말고 토끼는 그냥 그대로 두라고 말합니다. 이런 면에서 생태 중심적 사고는 무위자연을 강조한 도교의 흐름과 통한다고 말할 수 있겠지요.

이러한 유불도의 사상을 어렵게만 생각하지 말고, 왜 우리 선조들은 이러한 생각을 중시했는지 살펴보아야 합니다. 우리 주변에서 이와 같은 사상과 윤리 덕목을 실천할 수 있는 방법은 무엇인지 살펴보는 것은 큰 의미가 있을 것입니다.

여기 배고픈 여우가 있습니다. 닭장 안으로 살금살금 들어가고 있네요. 이 광경을 지켜보고 있는 여러분은 과연 어떤 행동을 보일까요?

3. 기출 문제에서 만난 김시습

2006년 서울대학교 주최 제4회 논술 경시 대회에서 김시습과 관련한 논제가 출제되었습니다. 김시습은 많은 문학 작품을 남긴 동시에 끝까지 자신의 신념을 지킨 인물입니다. 논술에 있어 김시습과 관련된 문제는 크게 작품과 관련된 문제와 삶의 방식에 관련된 문제에서 출제될 가능성이 높습니다.

우선 작품에 관한 문제는 김시습이 왜 그러한 작품을 창작했으며 그것을 통해서 나타내는 바가 무엇인가에 대하여 생각해 보아야 할 문제들이 많습니다. 그리고 삶의 방식에 관한 문제에 있어서는 현실과 타협하지 않는 자세의 옳고 그름에 대해서 학생 스스로 판단하여 논하는 문제들이 많습니다.

다음에 적힌 김시습의 시는 2006년 서울대학교 주최 제4회 논술 경시 대회에서 언급된 〈자신에게 준다〉라는 작품입니다. 논제는 이 시와 윤동주의 〈자화상〉, 서정주의 〈자화상〉 중 하나를 선택하여 시를 읽는 이유에 관해서 논술하라는 것이었습니다.

처사(處士)[1]는 본디 한아(閑雅)하여서
어릴 적부터 큰 도(道)를 좋아했더니
품은 뜻과 세상 일이 서로 어긋나
홍진(紅塵)[2]에 발길이 씃은 것 같네.
어려서부터 이름난 산에 놀면서
어리석은 속인(俗人)과는 사귀지 않았네.
만년에는 폭포 가에서 살아가면서
청계(淸溪)의 늙은이 되려 했더니
세상 사람 어찌 이 뜻 알겠는가?
보통은 신세 망쳤다 이르네.
처사(處士)도 또한 시기하지 아니하고
언제나 바람과 꽃에 번뇌 당하네.
숨었다 나타났다 함은 혹시 때 없어도
봉래도(蓬萊島)[3]로 갈 것을 기약하노라.

(1) 처사(處士) : 도덕이 높으면서도 세상에 나대지 아니하고 산림(山林) 간에 들어앉아 세상과 경쟁하지 아니하니 한가하고 아담하다는 말.

(2) 홍진(紅塵) : 속세의 티끌 번거롭고 속된 세상.

(3) 봉래도(蓬萊島) : 중국에서 가상적으로 이름 지은 삼신산(三神山)의 하나. 동쪽 바다 가운데에 있어서 신선이 살고, 불로초와 불사약이 있다는 영산(靈山).

이 논제를 올바르게 접근하기 위해서는 이 시를 통해서 김시습이 무엇을 나타내고자 했는가를 중점으로 우리에게 의미하는 바가 무엇인지 먼저 접근해 봐야 할 것입니다. 김시습은 왜 속세를 떠나서 자연과 더불어 살아가야 했을까요? 그리고 이것이 우리에게 주는 교훈은 무엇일까요?

김시습은 당시 단조의 왕위를 빼앗은 세조를 군왕으로 인정하지 않았습니다. 그리고 그것을 잘못된 행위로 여기고 있었기에 세상과 타협하지 않았던 것이지요. 여기에서 우리는 김시습의 신념과 가치관을 엿볼 수 있습니다. 그러면 이러한 김시습이 우리에게 주는 교훈은 무엇일까요?

현대사회는 물질 문명화 · 산업화되면서 남보다는 나를 위하고, 정신적인 면보다는 물질적인 면을 추구하는 경향이 짙어졌습니다. 우리는 김시습의 삶을 통해서 이러한 태도를 반성할 수 있고, 올바른 가치관을 정립해 나갈 수 있겠지요. 이는 우리가 시를 읽는 이유가 될 수 있을 것입니다. 물론 윤동주의 〈자화상〉이나 서정주의 〈자화상〉 또한 나름대로의 의미를 지니고 있습니다. 여러분들 스스로 어떠한 작품이 더 우리에게 의미를 줄 수 있는지 파악하여 논제대로 하나의 작품을 선택하여 답안을 작성해 나간다면 훌륭한 답안이 될 것입니다.

실전 논술

논술 문제

case 1 다음 글을 읽고 주어진 조건에 따라 논술하시오.

가 "동수야, 너 혹시 금오신화 이야기가 어떻게 만들어졌는지 아니?"

아저씨의 갑작스런 질문에 나는 조금 당황하였습니다.

"뭐…… 김시습이라는 사람이 썼는데…… 불교랑 도교 사상이 나타난 글로서…… 그러니까 세조가 단종을 귀양 보내 죽이고……."

뭔가 정리가 될 듯하면서도, 알 것 같으면서도 이야기를 하려니 말이 잘 되지 않았습니다.

"그래, 동수가 잘 알고 있구나. 네가 말한 대로 김시습은 세조가 단종을 귀양 보내 죽이고 왕위를 빼앗자, 과거시험도 포기하고 머리도 깎고 세상도 등지고 살았던 인물이야. 바른 도리가 아니면 벼슬도 마다하고 두 임금을 섬기지 않는 지조 있는 선비였지."

"소설 같은 문학 작품엔 그 당시 사회에서 일어난 일들이나 작가의 인생이 들어가 있다던데, 김시습도 그런 역사적 사실을 소설로 쓰고 싶었던 거예요?"

나는 아저씨가 김시습이란 인물에 대해 설명하시자, 아저씨의 의도를 알 것 같았습니다.

"그렇단다. 처녀를 죽인 왜적은 세조를 상징하고 처녀는 죽은 단종이며 양생은 김시습 자신이라고 할 수 있지. 양생이 죽은 처녀의 혼령과 혼인했지만, 끝까지 그 처녀를 위해 복을 빌고 나중에는 결혼도 하지 않고 지리산에 들어가 약초를 캐며 살다가 죽은 것은 바로 김시습 자신이 단종이 그리워서 한 행동 때문이었겠지. 그런데…….”

아저씨는 거기까지 말씀하시고는 한숨을 내쉬더니 한참동안 말씀을 잇지 못했습니다.

“그런데, 지금 우리의 모습은 어떠니? 과거의 세조처럼 불법으로 정권을 잡은 권력자에게 지조 없이 아부하며 사는 정치가들이 넘치지. 게다가 이상한 논리로 학설을 만들어서 권력에 빌붙는 학자들, 자신의 이익이라면 남의 아픔은 아랑곳하지 않는 지금 우리들의 모습 말이야. 아직도 억울하고 힘들게 살아가는 사람들이 많은데, 죽어서도 죽지 못하는 사람들이 얼마나 많은데…….”

아저씨는 또 말을 잇지 못하셨습니다.

—《김시습이 들려주는 유불도 이야기》 중에서

나 옛날 어느 나라에 지혜롭고 용맹한 왕이 있었습니다. 당시 사람들은 그를 ‘왕 중의 왕’ 이라고 불렀습니다.

어느 날 아침, 왕은 사냥을 하기 위해 말을 타고 숲으로 향했습니다. 많은 신하들과 함께 나선 사냥은 즐거웠고, 숲은 웃음소리로 가득 찼습니다.

왕의 팔뚝에는 그가 사랑하는 매가 앉아 있었습니다. 그 매는 사냥을 위해 훈련되어 있어서, 주인이 말 한마디만 하면 하늘 높이 날아가서 사냥감을 찾았습니다. 그리고 사슴이나 토끼를 보면 쏜살같이 내려와 덮쳤습니다.

이 날도 왕의 일행은 숲을 뒤졌습니다. 그러나 기대했던 것만큼 사냥감을 찾지는 못했습니다. 저녁 무렵, 그들은 궁궐로 향했습니다. 왕은 숲을 자주 다녔기 때문에 길을 잘 알고 있어서 골짜기를 따라갔습니다.

날씨가 무더워 왕은 목이 말랐습니다. 언젠가 이 길 근처에서 맑은 샘물을 보았기 때문에 왕은 천천히 말을 몰았습니다. 마침내 그는 바위 절벽에서 조금씩 떨어지는 물을 발견했습니다. 위쪽에 있는 샘에서 흘러나온 물이 틀림없었습니다.

왕은 말에서 뛰어내렸습니다. 왕의 매도 하늘 높이 날아올랐습니다. 왕은 사냥주머니에서 작은 잔을 꺼내어 천천히 떨어지는 물을 받아 모았습니다. 오랜 시간이 걸려 물이 채워졌습니다. 왕은 잔을 들어 물을 마시려고 하였습니다.

그런데 갑자기 매가 바람처럼 날아와 잔을 덮쳐 떨어뜨렸습니다. 물이 땅에 쏟아졌습니다. 몹시 목이 말랐던 왕은 다시 잔에 물을 받아서 마시려고 하였습니다. 그러자 또 매가 잔을 덮쳐 떨어뜨렸습니다.

왕은 화가 나서 칼을 빼어 들었습니다. 다시 한 번 잔을 덮치면 죽이려고 하였습니다. 그리고 다시 잔에 물을 받아 마시려 하자, 이번에도 매는 어김없이 잔을 덮쳐 떨어뜨렸습니다. 왕은 칼을 휘둘러 매의 목을 베어 버렸습니다. 불쌍한 매는 주인의 발밑에서 피를 흘리며 죽어 갔습니다.

왕은 신하를 시켜 샘을 찾도록 하였습니다. 신하가 험한 절벽을 기어올라 보니, 그 곳에 샘이 있었습니다. 그 샘 속에는 커다란 독뱀이 죽어 있었습니다.

왕은 자신의 잔을 덮친 매를 생각했습니다.

"아! 네가 나의 목숨을 구했구나. 이를 어찌하면 좋단 말인가. 너는 진정한 내 친구였는데, 너를 죽이다니…….”

절벽을 내려온 왕은 죽은 매를 조심스럽게 들어서 사냥 주머니에 넣었습니다. 그는 말을 타고 궁궐을 향해 달리면서 슬픈 목소리로 중얼거렸습니다.

“나는 오늘 좋은 교훈을 얻었다. 화가 났을 때에는 다시 한 번 생각해 보라는…….”

– 초등학교 5, 《도덕》 중에서

1. (가)와 (나)에서 공통적으로 강조하고 있는 내용은 무엇인지 설명하시오. (400자 내외)

2. (가)의 김시습과 (나)의 ‘매’를 긍정적인 입장과 비판적인 입장에서 각각 분석하고, 이에 대한 자신의 생각을 논술하시오. (1,000자 내외)

생각 쓰기

생각 쓰기

case 2 제시문 (가)와 (나)에서 이끌어낼 수 있는 공통점은 무엇인지 설명하고, 이를 바탕으로 자신이 생각하는 삶의 자세는 어떠해야 하는지 논술하시오. (1,000자 내외)

가 옛사람들은 김시습을 '마음은 유학자, 겉모습은 스님' 이라고 부르거나 '모양은 스님이나 행동은 유학자' 라고 일컬었습니다. 이것은 그의 사상에 유교와 불교적인 요소가 섞여 있음을 대변해 주는 것이기도 하지만, 마음이나 행동이 유학자라는 데에서 그의 참모습은 유학에서 찾을 수밖에 없음을 말해 주기도 합니다.

물론 그가 공부한 유학이란 성리학입니다. 성리학의 가장 중요한 생각은 '인간의 성품이 곧 천리(性卽理)' 라는 점입니다. 김시습도 성리는 하늘이 명한 것으로 사람이 하늘로부터 받아서 실제적인 리(理)가 내 마음에 갖추어져 있는 것이라고 이해하였습니다. 그도 확실한 성리학자인 셈이지요.

그런데 이같이 '인간의 성품이 곧 천리' 라고 해서 성리학자들의 견해가 모두 일치하는 것은 아닙니다. 우주의 발생 순서나 원인, 즉 이 세상 근원의 문제 등에서 조금씩 차이를 보이기도 합니다. 주자의 경우 태극이 곧 리라고 보는데, 그것은 음과 양의 기(氣)보다 리가 먼저 있다는 점을 말하는 것입니다. 그는 태극이 먼저 있은 후 음양의 기와 만물이 순차적으로 생겨나는 것이라 생각했기 때문입니다.

그런데 김시습은 "태극(리)이 음양(기)이며 음양은 태극이다. 음양 밖에 따로 태극이 있다면 음양이 될 수 없으며 태극 안에 따로 음양이 있다면 태극이라 할 수 없다"고 주장하며, 리와 기가 분리되지 않고 있음을 말합니다. 가령 효도라는 이치가 있을 때, 애초에 태극과 음양이 따로 있다고 하는 주자의 주장대로라면, 부모와 자식의 관계를 떠나서도 효도의 이치가 어딘가에 있다고 하는 것이 됩니다. 하지만 태극이 곧 음양이라는 김시습의 견해를 따르면, 부모와 자식이라는 구체적인 인물 관계를 떠나서는 효도의 이치가 따로 있을 수 없습니다.

그래서 그는 더 명백하게 말합니다. "일찍이 듣건대 세상의 리(理)란 하나뿐이다. 하나란 무엇인가? 둘이 없다는 말이다. 리란 무엇인가? 성(性)일 뿐이다. 성이란 무엇인가? 하늘이 명령한 것이다. 하늘이 음양(陰陽)과 오행(五行)을 가지고 만물을 변화시켜 생기게 하는데, 이때 기(氣)로써 형체를 이루고 리 또한 주었다. 이른바 리라고 하는 것은 일상생활에 있어서 각각의 조리를 말한다. 말하자면 아비와 자식 사이에는 친함을 극진히 하고, 임금과 신하 사이에는 의리를 돈독히 하고, 부부와 친구 사이에 있어서도 각기 응당 행해야 할 도리가 있는 법이다. 이것이 이른바 도라는 것으로 리가 우리의 마음에 갖추어진 것이다."

— 김시습, 〈남염부주지〉, 《금오신화》 중에서

이렇듯 김시습은 성리학적 세계관을 통해 자연현상을 기로써, 만물의 탄생과 소멸을 기의 모임과 흩어짐으로써 설명하였습니다. 그리하여 불교의 극락·지옥설, 인과응보설, 귀신이 복을 주고 화를 준다는 각종 종교적 미신을 반대하였습니다.

— 《김시습이 들려주는 유불도 이야기》 중에서

나 서울에 살면서 원효로 4가 근처에서 만 50년을 살았다. 아버지는 한강 가 원효로를 좋아해서 다른 곳으로 이사 갈 마음도 먹지 않았다. 세 번 이사를 했지만 원효로 4가 근처에만 살았기 때문에, 근처에 오래 산 사람들은 모르는 이가 없을 정도였다. 또 단독주택에만 있어서 골목길에 대문을 맞대고 있는 이들과는 자연스럽게 인사를 하고 지냈다. 우리는 이웃과 함께하며 살았다.

우리가 자랄 때, 학교에 기성회비를 가져갈 날이 되어 아침에 어머니에게 손을 내밀면, 어머니는 아무 말도 없이 밖으로 나갔다가 돌아와 우리 손에 돈을 쥐어 주었다. 옆집 기승이네 집이나 앞집 원철이네 집에 가서 빌려 왔으리란 것을 쉽게 알 수 있었다. 이렇게 한 곳에 오래 사는 동안 친하게 된 이웃 중에 잊혀지지 않는 한 아저씨가 있다.

내가 고등학교에 다닐 때였다. 어머니가 학교에서 돌아오는 길에, 시청 뒤에 있는 이모네 가게에 들러서 돈 봉투를 전해 주고 오라고 했다. 빌린 돈을 갚는 것이었다. 그 당시에는 꽤 큰돈이어서 어머니는 몇 번이고 조심해서 가져다주라고 당부했다.

학교가 광화문 근처에 있어서 학교가 파한 후 걸어서 시청 뒤 이모네 가게로 갔다. 가게 문 앞에 서서 가방을 열어 보니 봉투가 보이지 않았다. 학교에서 나올 때는 분명 가방 안에 있었다. 생각해 보니, 학교에서 나와 광화문으로 오는 길에 서점에서 참고서를 한 권 사느라고 가방을 열었다. 그때 나는 선생님이 말한 참고서가 무엇인지를 알려고 가방을 열고 노트를 꺼낸 적이 있었다. 노트를 꺼낼 때에 봉투가 붙어 나오지 않았나 하는 생각이 들었다.

아무리 뒤져도 봉투가 없었다. 할 수 없이 뒤돌아 원효로행 버스를 탔다. 동네에 왔지만 집으로 갈 수가 없었다. 골목 어귀에 있는 구멍가게로 갔다. 구멍가게에는 아이들이 와서 앉을 수 있는 나무로 된 의자가 있었다. 나는 거기에 혼자 앉아 있었다. 귀신이 곡할 노릇이었다. 풀이 죽어 밤이 되도록 나무 의자에 앉아 있었다. 용기가 나지 않았다.

밤이 깊었을 때였다. 부지런히 손님을 맞이하고 배달을 하느라고 부산스럽던 아저씨가 나에게 다가오더니,

"너, 무슨 일이 있니?" 하고 물었다. 나는 솔직하게 다 말했다. 그러자 아저씨는 이모네 집으로 전화를 해서, 어머니의 심부름을 맡았는데 얼마를 가져다 드려야 하는지를 묻더니, 안으로 들어가 이모네 집에 가져다주어야 할 만큼의 돈을 흰 봉투에 넣고 내 손에 쥐어 주면서 "이모에게 가져다 드려라. 그리고 네가 어머니에게 말할 수 있게 되어 어머니가 다시 주시거든 나에게 갚아라." 하는 것이었다.

그날 밤, 나는 어머니에게 야단을 맞지 않았다. 그러나 아저씨에게 갚을 것이 문제였다. 한 달 가까이 나는 아저씨네 가게를 피해서 다녔다.

그러던 어느 날, 버스 안에서 아저씨를 만났다. 아저씨는 웃으며 "아직 말씀을 못 드렸지? 천천히 해라. 실수는 누구나 하는 거야. 가게에 놀러 오너라." 하는 것이었다. 아저씨를 보기가 민망해서 고개를 숙였다.

곰곰이 생각해 보니 어머니께 말씀드리는 것이 훨씬 마음이 편할 것 같았다. 그

날 밤, 어머니에게 사실을 털어놓았고, 어머니는 "얼마나 마음고생을 했니? 잃어버렸다고 하지 그랬어?" 하고 나를 다독거려 주셨다. 다음 날 어머니는 아저씨에게 가져다 드리라고 흰 봉투를 나에게 주셨다.

이 아저씨는 이웃에 살면서 어린 우리를 껴안고 사람 되는 법을 일러 주며 어려운 짐을 함께 져 주던 멋진 이웃이었다.

— 중학교 3-2, 《국어》 중에서

생각 쓰기

생각 쓰기

case 3 제시문 (가)를 통해 유교와 불교의 차이점과 공통점을 설명하고, 이를 바탕으로 제시문 (나)에 나타난 '싯다르타'의 행동이 의미하는 것이 무엇인지 논술하시오. (1,000자 내외)

가 김시습은 주로 승려들과 함께 절에 살면서 불교에 대하여 깊은 탐구를 하였습니다. 율곡 이이는 "재능이 탁월하여 깨달은 것이 있어 이리저리 말해도 유교의 핵심을 잃지 않았고, 불교와 도교에 대해서도 그 큰 뜻을 알았으니, 비록 불교와 도교에 대하여 학문이 깊은 사람이라 해도 그를 당해낼 수 없었다" 고 평했습니다.

그가 죽을 때도 불교식으로 화장하지 말라고 하여 삼 년 뒤에나 화장하려고 관을 열어보았다고 합니다. 그랬더니 얼굴의 모습이 살아 있는 때와 같았다고 하여, 좌우에 있던 스님들이 그를 부처라고 여겼다는 말이 전해집니다. 이 이야기를 들어 보더라도 그는 불교에 대해 상당한 경지를 터득했던 것으로 보입니다.

그러나 《금오신화》의 전편에 걸쳐 불교에 관한 그의 사상을 종합해 보면, 비록 불교적인 소재와 방법을 취하고 있기는 하지만 오히려 유학자의 입장에서 그것을 비판하고 있는 내용으로 일관하고 있다는 것을 알 수 있습니다. 가령 귀신이나 환생이란 소재도 작품의 주제를 나타내기 위한 방편으로 쓰일 뿐, 그는 철저하게 '천당지옥설' 이니 '인과응보설' 등의 불교 교리를 믿지 않고 배척합니다.

《남염부주지》를 보면, 하루는 박생이 스님 때문에 천당과 지옥에 관한 것을 묻고 또 다시 의심하기를 '하늘과 땅은 하나의 음기(陰氣)와 양기(陽氣)일 뿐이니, 어찌 이 세상 밖에 또 다른 세상이 있단 말인가? 이는 반드시 잘못된 말이다' 라고 생각합니다. 스님에게 되물어 보았더니 스님 역시 명확한 답변을 하지 못하고, 다만 이승에서 쌓은 죄와 선한 일이 저승에서 보답을 받게 된다는 말로 대답할 뿐입니다. 주인공 박생은 아무래도 그 말을 인정하지 못하는데, 그러한 점이 김시습의 유교적 입장을 잘 드러내 줍니다.

또 박생이 "제가 언젠가 불교 신자들에게서 들었는데, 천당과 지옥은 과연 있는지요? 또 죽은 사람을 위하여 절에서 예물을 바쳐 불공을 드리면 죄를 용서받는다고 하는데 사실입니까?"라고 하니 스님은 "그것은 내가 들은 것이 아니오. 이 세계 밖에 또 다른 세계가 있단 말인가? 사람이 죽으면 육체와 정신이 흩어져 천지에 퍼져서 본래대로 돌아가는 것이거늘, 알지 못하는 어떤 곳에 그 무엇이 남아 있다고 할 수 있겠는가?"라고 합니다. 또 "윤회가 계속되어 사람이 이 세상에서 죽으면 딴 세상에서 다시 태어난다는 것은 무슨 말인지 묻겠습니다"라고 하니, "정기(精氣)의 신령함이 미처 사라지기 전에는 윤회하는 듯이 생각할 수 있으나, 시간이 오래 되면 마침내 흩어지고 사라져 버릴 뿐이오"라고 말한 데에서도 같은 점을 발견할 수 있습니다.

그러나 김시습의 불교 비판은 불교의 미신적인 측면에 있을 뿐, 불교가 본래 갖고 있던 인민을 바른 데로 이끄는 점에 대해서 그는 긍정적인 입장입니다. 아래 〈남염부주지〉의 내용이 그것입니다.

"주공과 공자는 중국의 문물이 번성하던 시대의 성인이고, 석가모니는 서역에 간사하고 흉악한 무리들로 어지러운 세상에 나타난 성인이오. 주공과 공자의 가르침은 바른 이치로 간사한 것을 바로잡는 것이었고, 석가모니는 간사한 것을 설정하여 간사한 것을 없애도록 한 것이었소. 그래서 바른 이치로 간사한 것을 바로잡는 말은 정직하며 간사한 것을 가지고 간사한 것을 없애도록 하였기 때문에 황당할 수밖에 없지. 그러므로 정직한 것은 군자들이 따르기 쉽고 황당한 것은 소인들이 믿기 쉽소. 그러나 두 종교의 목적은 모두 군자와 소인이 마침내 바른길로 돌아가도록 하는 것이요, 세상을 속여 백성을 어리석게 만들어 이상한 도리로 그릇된 길로 빠지게 하려는 것이 아니었소."

—《김시습이 들려주는 유불도 이야기》 중에서

나 소년들이 놀고 있는 동산 위로 기러기 떼가 허공을 가로질러 날아가고 있었습니다. 한 소년이 기러기를 향해 활을 쏘았습니다. 그러자 다른 소년들도 활을 쏘기 시작했습니다. 화살이 허공을 갈랐습니다. 그러나 모두 기러기에는 미치지 못했습니다. 그것을 보고 마음을 놓는 한 소년이 있었습니다. 싯다르타였습니다. 그는 활을 쏠까 말까 망설였습니다. 옆에서 활을 쏘고 있던 친구 데바닷타가 싯다르타에게 말했습니다.

"너는 왜 안 쏘니?"

"나는 힘이 없어서 못 맞힐 것 같아서 그래."

"그것도 못 맞히니? 나는 꼭 기러기를 잡아서 사람들에게 뽐낼 거야."

데바닷타는 다시 화살을 메겨 힘껏 활을 당겼습니다.

싯다르타는 활을 쏘기 싫어서 궁궐로 돌아왔습니다. 기러기가 화살에 맞지 않기를 바랐습니다. 아이들에게, '기러기가 불쌍하지도 않니? 우리, 그만두자' 라고 말하지 않은 것이 후회가 되었습니다. 마음을 가라앉히려고 정원을 거닐었습니다.

그때, 싯다르타는 하늘에서 무엇인가가 정원 쪽으로 떨어지는 것을 보았습니다. 가까이 다가가 살펴보니, 화살을 맞은 기러기였습니다. 아직 숨이 끊어지지 않은 채, 가쁜 숨을 몰아쉬고 있었습니다.

"불쌍하기도 해라. 걱정 마라, 내가 돌보아 줄 테니!"

싯다르타는 화살에 맞은 기러기를 조심스럽게 안고 궁궐로 들어가 깃털과 살을 뚫은 화살을 조심스럽게 뽑았습니다. 그러자 화살을 뽑은 자리에서 피가 흘러내렸습니다. 싯다르타는 피를 멎게 하는 가루약을 상처에 뿌리고 붕대를 감아 주었습니다.

그 기러기는 데바닷타의 화살을 맞고 쓰러진 것이었습니다. 한편, 데바닷타는 기러기가 궁궐에 떨어졌다는 말을 듣고, 하인을 보내 기러기를 달라고 하였습니다. 그러나 싯다르타는 데바닷타의 하인에게 이렇게 말했습니다.

"그 기러기는 상처가 심해서 내가 돌보는 중이다. 데바닷타가 기러기를 어디에 쓰려고 하는지 내가 너무 잘 알고 있으니, 죽어 가는 기러기를 돌려줄 수가 없구나. 가서 그렇게 전해라."

— 초등학교 6, 《도덕》 중에서

생각 쓰기

생각 쓰기

실전 논술

예시 답안

case 1

1. (가)의 '김시습'과 (나)에 나타난 '매'의 행동은, 자신이 옳다고 생각한 일을 위해 최선을 다한 행동이라 할 수 있습니다. 김시습은 현실적인 이익에 연연하지 않고, 자신의 신념을 지킨 사람입니다. 단종에 대한 지조와 절개를 지키기 위해 평생 동안 벼슬도 하지 않고, 세상을 등지고 살았습니다. 김시습처럼 뛰어난 사람이었다면 과거시험을 통해 성공할 수도 있었을 것입니다. 그러나 자신이 옳다고 생각한 일을 위해 어떤 희생도 감수했던 것입니다.

(나)에 나타난 '매'의 행동도 김시습과 같다고 할 수 있습니다. 자신을 아껴 주는 왕을 위해 위험을 무릅쓰고 충성을 다하고 있습니다. 이러한 목숨을 건 충성심은 김시습과 왕의 매에서 모두 발견할 수 있는 지조와 절개라고 할 수 있을 것입니다.

2. 김시습은 삼촌 세조가 조카 단종을 쫓아낸 후에는, 벼슬도 하지 않고 세상을 떠돌았습니다. 이러한 김시습의 삶은 세상의 부귀영화를 추구하지 않고, 자신이 옳다고 생각하는 신념을 지켰다고 평가할 수 있습니다. 하지만 김시습의 행동은 사육신의 삶과 비교해 봤을 때, 현실도피적인 모습으로 평가할 수밖에 없는 부분도 있습니다. 사육신은 단종을 다시 왕으로 모시기 위해 죽음도 마다하지 않고 적극적으로 행동했습니다. 그러나 김시습은 세상을 등지고 떠돌아다니며 옳지 않은 세상을 냉소적으로 바라보았습니다. 이것은 구한말에 우리나라가 일본에 나라를 빼앗겼을 때, 적극적으로 나서서 의병을 일으킨 사람과, 자살로 생을 마감한 사

람, 그리고 벼슬을 버리고 시골로 낙향하거나 일제에 붙어 친일을 일삼은 사람들의 모습들로 생각해 볼 수 있습니다. 김시습은 친일을 한 사람들처럼 부정적인 삶을 살지는 않았지만 목숨을 바쳐 항일독립운동을 한 사람들과 비교한다면 매우 소극적이고 어떤 면에서는 현실도피적인 비겁한 모습을 보였다는 것으로 평가할 수 있을 것입니다.

(나)의 '매'도 자신을 아껴 주는 왕을 위해 목숨을 바친 충성심은 높이 평가할 만합니다. 하지만 왕의 물 잔을 떨어뜨리는 행동은 상황에 따라서는 왕의 권위에 도전하는 것으로 오해받을 수 있는 행동입니다. 물론 말이 통하지 않는 동물과 사람 사이에서 이 정도의 적극적인 행동은 분명 긍정적인 측면이 있습니다. 그렇지만, 샘에 독뱀이 죽어 있는 것을 보고 왕의 물 잔을 떨어뜨릴 정도의 지적인 수준이라면, 샘에 빠진 독사를 물어 와서 왕에게 보여 줌으로써 위험을 경고할 수도 있었을 것입니다.

김시습과 매의 행동은 자신의 이익만 돌보지 않고 끝까지 충성을 다한 측면에서는 높이 평가할 만합니다. 하지만 보다 더 적극적으로 행동하지 못한 부분에서는 비판받을 점이 있습니다. 자신의 신념을 지키는 일은 매우 중요한 일입니다. 그런데 여기에 더하여 그 신념을 지키기 위한 적극적인 행동은 더욱 의미 있는 일이라 할 수 있습니다.

case 2 제시문 (가)와 (나)에서는 사람 사이의 바람직한 관계와 이에 따른 인간의 도리가 무엇인지를 생각해볼 수 있습니다.

유교나 불교는 표면적으로 주는 가르침에서 차이가 있지만, 궁극적으로는 인간의 바른 도리가 무엇인지를 가르치고 있습니다. 임금과 신하 간의 도리, 부모와 자식 간의 도리, 부부 간의 도리, 친구 간의 도리 등은 유교의 가르침만은 아닙니다. 불교도 바로 이러한 인간과 인간의 도리에 대해 어떻게 사는 것이 올바른 것인가를 보여 주고 있습니다. 충성은 임금과 신하 간의 덕목이지만, 이것은 부모 자식 간의 도리로 가면 효도와 자애가 되겠지요. 부부 간의 예우와 친구 간의 믿음도 사람 사이의 형태만 다를 뿐 다 같은 것입니다.

(나)의 '골목길 가게 아저씨' 도 이러한 사람 사이의 도리가 무엇인지를 보여 주고 있습니다. 우리는 원하건 원하지 않건 간에 어려움을 당할 때가 많습니다. 경제적인 능력이 있고 권력이 있는 사람이라면 스스로 헤쳐나갈 수 있겠지만, 아직 나이가 어리거나 가난하고 힘없는 사람들은 감당하기 어려운 경우가 많습니다. 골목길 아저씨는 이런 어려움에 처한 사람에게 아무런 대가도 바라지 않고 도움을 주고 있습니다. 어려운 이웃에게 손을 내밀고 '사람 사는 도리가 바로 이런 것이다' 라는 것을 보여 주는 어른들이 많다면 우리 사회는 훨씬 더 아름다운 사회가 될 것입니다.

우리는 흔히 물질적 가치보다는 정신적 가치가 더 소중하다고 말을 합니다. 또한 우리는 자신의 이익보다는 다른 사람을 배려하는 삶을 살아야 한다고 강조합니다. 그러나 막상 우리의 현실적인 삶에서는 물질에 대한 욕심을 버릴 수가 없고, 자신의 편안함을 추구하는 것이 평범한 사람들의 일반적인 모습입니다. 그런데 조금만 더 생각을 넓혀 보면 남을 위하는 것이 진정 자신을 위하는 것이라는 것을 알 수 있습니다. 자신을 희생해서 남을 위하는 일은 쉽지 않은 일입니다. 하지만 타인에 대한 배려는 우리 사회를 더욱 건강하게 만들고 이러한 건강하고 아름다운 사회는 우리 모두의 삶을 보다 더 행복하게 해 줄 수 있습니다.

case 3

유교는 현실에서의 실천 덕목을 중시합니다. 나라와 부모에 충성하고 사람들 사이에서 어질고 바르게 살 것을 가르칩니다. 그러한 바른 삶이 바로 인간이 지켜야 할 도리이기 때문입니다. 그런데 이러한 가르침은 지나치게 상하관계를 중시하거나 평등한 인간관계를 저해하는 경직된 사회가 될 수 있습니다.

이에 비해서 불교는 현실에서 옳은 일을 행하면, 죽어서 극락세계에 갈 수 있다는 내세관을 갖고 있습니다. 또한 이러한 생각을 바탕으로 윤회 사상을 중시합니다. 현실의 고통은 전생의 업보이고, 현실을 어떻게 사느냐에 따라 다음 세상에서 행복하게 될 수도 불행하게 될 수도 있다는 점을 강조합니다. 이러한 가르침은 현실보다는 사후 세계를 더 강조하여 자칫하면 자신만의 행복을 기원하는 기복 신앙이나 미신으로 빠질 위험성도 있습니다.

유교와 불교는 이처럼 차이가 있지만, '바른 이치로 간사한 것을 바로잡는 것'이라는 공통점이 있습니다. 현실을 중시하건 다음 세상을 중시하건 간에 인간은 바로 지금 사람들 사이에서 다양한 관계를 맺고 살아갑니다. 이러한 인간관계가 복잡해질수록 사람들은 자신의 이익이나 자신이 속한 집단만의 이익을 위해 서로 시지하고 싸우게 됩니다. 간사한 것은 자기만 생각하는 이기적인 마음입니다. 당장 눈앞의 이익만을 위해 수단과 방법을 가리지 않는 사람들이 많습니다. 이런 사람들에게 석가모니와 공자의 가르침 같은 불교와 유교의 바른 가르침은, 바른 삶을 살 수 있도록 이끌어 주는 등불과 같습니다.

(나)에서 '싯다르타' 는 친구들과 사냥을 하다가, 다른 생명체의 소중한 가치를 생각하게 됩니다. 그러나 다른 사람들에게 말은 하지 못하고 혼자서 반성을 하면서 상처 입은 기러기를 보살펴 줍니다. 이런 싯다르타의 생각은 생명에 대한 소중한 가치가 무엇인지를 보여 주고 있습니다. 생명이 있는 것은 아무리 작은 것이라 하더라도 우리가 꼭 지켜 주어야 할 가치가 있습니다. 이러한 마음이 바로 사랑이며 배려입니다. 유교나 불교의 가르침은 바로 이러한 삶의 자세를 보여 주고 있습니다.

철학자가 들려주는 철학이야기 089

버클리가 들려주는 관념 이야기

저자_**이봉선**

중앙대에서 문예창작을 전공했습니다. 1998년과 2004년에 신춘문예 단편소설로 등단하였습니다. 현재 대학에서 소설 창작을 강의하며 소설을 쓰고 있습니다. 효원이, 태준이의 아빠로서 아이들에게 좋은 책을 많이 읽어 주기 위해 노력하고 있습니다. 학생들에게 국어와 논술을 가르치면서 가장 소중한 삶의 가치가 무엇인지 늘 고민하고 있습니다.

배경 지식 넓히기

Berkeley, George

버클리와 '관념'

버클리 주요 개념

1. 버클리를 만나다

1) 버클리는 누구인가 - 시대와 생애

조지 버클리 (Berkeley, George, 1685~1753)는 1685년 3월 12일 아일랜드에서 태어났습니다. 그는 1696년 킬케니 칼리지에서 학업을 시작하여, 15세가 되던 1700년 신학 공부를 시작합니다. 1704년 더블린의 트리니티 칼리지를 졸업한 후, 1707년에 이 학교의 연구원이 되었습니다.

24세가 되는 1709년에는 부제서품을 받고 본격적인 성직자의 길로 들어서면서, 《새로운 시각론에 대한 시론》이라는 책을 쓰게 됩니다. 1710년 25세가 되던 해에는 《인간지식의 원리론》을 저술합니다. 1713년 28세가 되던 해에는 《하일라스와 필로누스의 세 대화》를 집필하여 학자로서 그의 입지를 확실하게 다지는 계기가 됩니다. 1721년 36세가 되던 해 신학 박사 학위를 받고 《운동론》을 출간합니다.

1729년에는 미국으로 건너가서 철학 학회를 설립하고, 1732년에는 《알키프론》을 집필합니다. 1734년에는 남아일랜드 클로인의 주교로 부임하게 됩니다. 1744년 《씨리스》를 집필하고, 1752년 부인과 함께 옥스퍼드에 정착합니다. 그 후 1753년 1월 14일 옥스퍼드에서 60세의 나이로 사망하게 됩니다.

버클리는 뛰어난 능력으로 젊은 나이부터 그 재능을 인정 받았습니다. 그런데 이것은 타고난 명석함도 있었지만, 끊임없이 연구하고 노력한 덕분이었습니다. 이십 대의 나이에 중요한 학문적 기반을 이룰 수 있었던 것은 그의 성실한 자세가 바탕이 있었기 때문에 가능한 일이었습니다.

버클리는 시각을 통한 심리학 연구 등에 탁월한 업적을 남겼고, 과학에 몰두하여 과학의 원리 또한 잘 이해하고 있었습니다. 그러나 그는 신학자로서의 사명을 가장 중요하게 생각하였습니다. 평생 학문 연구에 몰두한 학자였고, 시대에 당면한 사회문제를 해결하기 위해 노력한 행동주의자였으며, 신의 말씀과 섭리를 전달하는 성직자였습니다.

2) 버클리의 사상

① 관념론 : 감각을 통한 느낌과 존재의 실체

버클리 철학의 핵심은 다음과 같은 그의 말에 잘 나타나 있습니다.

"대상의 존재는 지각되는 것이며, 주체의 존재는 지각하는 것이다."

이 세상에 무엇인가가 존재한다면 그것은 감각을 통해 느낄 수 있으며, 사람과 같은 주체가 구체적인 감각으로 느낀다는 것은 관념이 있기 때문에 가능하다는 것입니다. 너무도 당연한 말 같은데 이 말이 왜 그리 중요하게 여겨지고 있을까요? 여기서 우리는 버클리가 생각한 물질과 관념에 대해서 생각해 볼 수 있습니다.

버클리는 물질 자체는 독립적으로 존재하는 것이 아니라, 감각을 통해 느끼는 것일 뿐이라고 생각했습니다. 물질은 감각적 속성이나 감각적 속성의 결합일 뿐, 다른 그 무엇도 아니라는 것입니다. 인간이 머릿속에서 생각하고 느끼는 것이 존재하는 것이라고 말했습니다.

예를 들어 아름다운 풍경을 보고 아름답다고 느끼는 것은, 그 멋진 풍경 자체가 존재하는 것이 아니라, 그것을 아름답다고 느끼는 인간의 마음 속에 그 사물의 관념이 존재한다는 것입니다.

이런 경우를 한번 생각해 볼까요.

전쟁이 나서 피난을 가던 배고픈 임금님이 어느 시골에 가서 생선을 먹게 되었답니다. 적군에게 쫓기는 신세로서 제대로 먹지 못하다가 모처럼 만에 먹는 음식이라서 그 생선은 이 세상에서 가장 맛있게 느껴졌습니다. 임금님이 말했습니다.

"어허! 이 물고기는 지금까지 먹어 본 것 중에 가장 맛이 좋구나? 이 생선의 이름은 무엇이냐?"

그러자 그 시골 사람이 대답했습니다.

"예, 임금님 그것은 '묵' 이라고 하옵니다."

"아니 이렇게 맛 좋은 생선의 이름이 어찌 그러냐?"

"예, 저희들은 예전부터 그렇게 불러왔을 뿐입니다."

"어허, 아니다. 이렇게 훌륭한 맛을 가진 물고기는 그에 따른 이름이 있어야 할 것이다. 으음, 이 생선은 금은보화 같은 것이니 앞으로 이 생선의 이름은 '은어' 라고 하여라."

그래서 생선의 이름은 '은어' 로 부르게 되었습니다.

전쟁이 끝나고 궁궐로 다시 돌아온 임금님은 그 생선을 다시 먹게 되었는데 예전과 같은 그 맛이 아니었습니다.

"여봐라. 이 물고기가 예전에 피난을 가서 먹었던 그 생선이 맞느냐?"

"예, 임금님께서 이름을 지어 주신 바로 그 은어입니다."

"으음, 어쩐지 맛이 없구나. 이 물고기는 예전의 그 이름처럼 도로 '묵' 이라고 해라."

그래서 물고기는 은어가 아니라 원래 이름인 '묵' 으로 돌아왔습니다. 그 생선은 도로 '묵' 이 되었다고 해서 '도루묵' 이라는 이름을 갖게 되었다고 합니다. 물론 이것은 재미로 지어낸 말일 수도 있습니다.

하지만 똑같은 생선인데 그 이름과 맛이 달라졌을까요? 그렇습니다. 생선이라는 대상은 임금님이 생각하는 바에 따라 달라진 것입니다. 물고기의 실체는 임금님의 눈을 통해 느끼고 맛은 임금님의 입을 통해 느꼈겠지요. '여기 물고기가 있다. 이 물고기는 맛이 있다' 라는 것은 바로 감각을 통해 느끼고 그것은 바로 임금님의 마음속에 있는 것이지요.

그렇다면 정말로 존재한다는 것과 지각된다는 의미는 별개일까요? 그렇습니다. 임금님이 느끼고 생각했기 때문에, '묵' 이 되었든 '은어' 가 되었든 물고기가 존재하는 것이지, 생각하지 않았다면 그것은 실제로 존재하지 않는다는 것이 버클리의 철학입니다.

'존재' 란 한 대상이 인간이나 동물에 의해 느껴진다는 의미입니다. 존재란 사물과 같은 대상 자체의 성질이 아니라 인간이 느낄 수 있는 관념인 것입니다. 버클리는 인간의 관념 바깥에 사물이 존재한다는 '외재성(外在性)' 은 거짓이라고 주장합니다.

이렇게 실제 물질로서의 대상을 부정하고, 감각으로 느끼는 생각이 실제한다는 것을 관념론 혹은 유심론이라고 합니다. 우리가 직접 지각하는 것만이 실재하는 것이고, 직접 지각된 것은 관념이며, 관념은 오로지 마음속에만 존재한다는 것입니다.

다음 버클리의 말은 어떤 의미인지 한번 곰곰이 생각해 볼까요?

"어떤 사람이 나무나 책을 상상하면서, '그것들을 곁에서 지각하는 어느 누구도' 상상하지 않는다면 그 사람은 전체 상황을 파악하지 못하고 있다. 즉, 그는 지각하는 자를 '빠뜨리고' 있는 것이다. 왜냐하면 상상된 나무나 책은 지각될 수 있어야만 반드시 상상되기 때문이다."

'나무나 책' 같은 사물은 '지각하는 자'가 있어야, 다시 말해 느끼고 생각할 때만 그 대상의 가치가 있다는 것입니다.

우리는 여기서 버클리의 생각을 조심스럽게 살펴 볼 필요가 있습니다. 버클리는 '감각으로 지각하는 어떤 것의 존재도 의심하지 않는다'고 말했습니다. 버클리는 감각을 통해 느끼는 대상 자체를 부정한 것은 아닙니다. 다만 감각을 통한 관념이 있을 때 그 외부적인 것도 인정할 수 있다는 것입니다. 관념과 별개의 사실이 존재하는 것이 아니라, 모든 것은 관념 속에서 존재한다는 것입니다.

데카르트와 버클리의 관념론

데카르트는 '나는 생각한다. 그러므로 나는 존재한다'는 말을 했습니다. 생각하지 않는다면 나 자신마저도 존재할 수가 없다는 말입니다. 데카르트의 관념론은 우리 생각의 바깥에 있는 대상들의 존재를 의심하고 증명할 수 없는 것이라고 말하고 있습니다.

이에 비해 버클리의 관념론은 우리 생각 바깥에 있는 것은 아예 존재하지 않는 것이며 불가능하다고 설명합니다. 이것은 만물과 함께 공간 자체도 불가능한 것이고, 따라서 그 공간 안에 있는 사물도 공상(空想)에 불과하다고 말하고 있습니다.

두 사람의 사상에는 관념을 중시한다는 공통점이 있지만 차이점도 있습니다. 데카르트는 생각 바깥에 존재하는 대상은 실제로 있는지 증명하기 어렵다는 것이고, 버클리는 여기에서 더 나아가 생각 바깥에 있는 것은 아무 것도 없다는 것입니다.

② 유신론 : 신에 대한 절대적 믿음

버클리는 성직자였습니다. 1709년에는 부제가 되었고 1710년에는 사제

서품을 받았습니다. 버클리에게는 성직자로서의 사명이 중요한 것이었습니다. 알렉산데르 교황은 그에게 지상의 모든 덕을 갖춘 인물이라고 칭송하였습니다.

버클리는 깊이 있는 철학적 지식과 체계적인 과학적 연구를 통해, 신의 가치를 깎아내리려는 유물론자들을 반박합니다. 1734년에 버클리는 《분석가 : 신을 믿지 않는 수학자에게 보내는 글》을 출간합니다. 여기에서 버클리는 수학의 미분을 제대로 이해할 수 있는 사람은 신의 존재와 신성한 가치에 대해서 의심할 필요가 없다고 주장합니다. 바로 수학과 같은 자연과학을 제대로 이해할 수 있다면 신에 대해서도 이해할 수 있을 것이라는 겁니다. 1735년에는 《수학에서 자유 사상에 대한 옹호》라는 책을 통해 자연 과학자들의 신성성에 대한 도전을 비판하고 있습니다.

유신론과 유물론

유신론은 신은 존재하지 않는다고 주장하는 무신론에 대립되는 개념입니다. 또한 신의 존재는 인정하더라도, 인간의 이성으로는 그것을 파악할 수 없다고 하는 불가지론과도 대립됩니다. 유신론에서 신은 절대자로서 존재하며, 신은 우주의 창조자입니다. 신은 존재하는 모든 것의 근원이라는 생각입니다.

유물론은 물질이 근원이고 관념은 그 다음이라는 생각입니다. 물질적으로 확인할 수 없는 정신적 현상들, 예를 들어 철학이나 종교적 관념의 문제 등은 구체적인 고찰을 통해 해결해야 한다고 주장합니다. 이것은 만물의 근원을 물질로 보고 있는 것입니다. 유물론에서는 모든 관념의 정신 현상도 물질의 작용이나 그 산물로 파악하고 있습니다.

2. 교과서에서 만난 관념 이야기

① 물질과 정신

관념론과 유물론

관념론적 사회사상은 인간의 정신적 생활 및 의식을 중심으로 사회현상을 설명하는 사상이고, 유물론적 사회사상은 인간의 물질적 삶 및 생산 활동을 중심으로 사회현상을 설명하는 사상이다.

관념론적 사회사상은 인간의 역사를 문화, 종교, 철학과 같은 추상적 원리의 전개로 설명한다. 한편, 유물론적 사회사상은 인간의 역사를 추상적 원리 대신에 사회의 경제적 토대 또는 사회 계급 간의 갈등으로 설명한다.

근대 합리주의 사상의 창시자인 데카르트가 "나는 생각한다. 그러므로 나는 존재한다."라고 말했을 때, 그의 관념론적인 입장을 드러낸 것이다. 마찬가지로 근대 서양 사상의 발전 과정을 계몽주의, 합리주의, 낭만주의 등의 용어를 통해 파악하는 입장은 관념론적 관점에서 역사를 파악하는 것이다.

유물론적 입장을 견지하는 마르크스에 따르면, 인간의 생산 활동이야말로 사회에 기본적인 것이며, 인간의 생산 활동을 해석하고 조직하는 정치적, 철학적, 종교적 관념과 개념은 부차적인 것이라고 하였다.

이러한 구분에 비추어 볼 때, 근대의 주요 사상 가운데 하나인 사회주의는 유물론적 사상을 기초로 하고 있는 데 반해, 자유주의, 보수주의 등은 대체로 관념론적 사상을 기초로 하고 있다.

—고등학교, 《윤리와 사상》 중에서

관념론은 교과서에서도 매우 중요하게 다뤄지고 있습니다. 중학교 이후의 교과과정에서는 삶의 자세나 사고의 과정 등으로 폭넓게 다루고 있습니다. 가장 구체적으로 나온 부분은 고등학교 교과과정의 《윤리와 사상》입니다. 물론 여기에서 버클리의 관념론을 직접적으로 언급하고 있지는 않습니다. 그러나 관념론과 연계된 유신론, 무신론, 유심론이나, 이와 상반된 유물론, 무신론 등은 구체적으로 제시하고 있습니다. 데카르트와 마르크스의 사상을 비교하면서 관념론의 의미와 유물론의 의미를 상반된 관점에서 다루는 것이 가장 큰 특징이라고 할 수 있습니다.

② 정신적 가치

정신적 가치는 '지적 가치', '도덕적 가치', '미적 가치', '종교적 가치'로 나눌 수 있다.

지적 가치는 참된 것, 진리를 말한다. 우리 인간은 참된 것, 진리를 가치 있게 여기고 그것들을 추구한다. 진리를 탐구하는 과정을 통하여 인간은 학문을 발전시키게 되고, 그러한 노력의 결과로 보다 참된 삶을 살 수 있게 된다. 고대 그리스의 수학자 아르키메데스는 목욕을 하다가 부력의 원리를 발견하고 너무 기쁜 나머지 알몸으로 길거리로 뛰쳐나가 "아, 알았다! 아, 알았다!" 라고 외쳤다고 한다. 그가 그렇게 기뻐했던 이유는 무엇일까?

도덕적 가치는 착한 것, 옳은 것, 정당한 것을 말한다. 즉, '자기보다 어려운 사람을 도와 주는 것은 착한 일이다', '남의 물건을 훔치는 것은 옳지 않다', '정당한 행동을 한다' 와 같은 판단은 바로 도덕적 가치에 근거한 것이라고 할 수 있다.

도덕적 가치는 보통 '해야 한다' 와 같이 사람으로서 마땅히 따라야 할 의무로 제시되며, 모든 사람에게 지킬 것이 요구되는 가치로 특성을 지닌다. 따라서, 도덕적 가치는 우리 행동이 선하고 악함, 옳고 그름, 정당성과 그렇지 못함을 판단하는 기준이 되는 것으로, 우리가 올바른 삶을 살 수 있도록 이끌어 준다. 인간은 이와 같은 도덕적 가치를 추구하기 때문에 인간다운 생활을 할 수 있다. 인간이 도덕적 가치를 추구하지 않는다면, 우리 사회는 무질서와 혼란에 빠지게 되어 동물의 세계와 다름없는 약육강식의 세계로 변하게 될 것이다.

미적 가치는 아름다움을 말한다. 넓은 의미의 아름다움에는 고귀함, 사랑스러움등도 포함된다. 꽃을 보고 느끼는 아름다움, 예술을 감상하면서 느끼는 아름다움, 문화 유산 속에 서려 있는 장인 정신의 고귀함, 환하게 웃는 어린아이의 얼굴에서 느끼는 사랑스러움 등이 바로 미적 가치이다. 인간은 아름다움을 지향하며 아름답게 느끼고 생각한 것을 글, 소리, 색채, 형상 등으로 표현하면서 삶을 보다 아름답게 꾸미고 느끼려고 한다. 이와 같이 인간은 미적 가치를 추구하기 때문에 더욱 풍요로운 삶을 살 수 있는 것이다. 우리의 예술과 문화가 발달할 수 있었던 것도 미적 가치 때문이다.

종교적 가치는 경건함과 성스러움 추구의 가치이다. 사람은 세속적인 것에서 벗어나 경건하고 성스러운 것을 추구하고자 한다. 그리하여 어떤 사람은 삶의 유한함을 자각하고 경건한 마음으로 살고자 하며, 인간의 불완전함을 깨닫고 초인간적이며 완전한 신의 존재를 믿고 의지하고자 한다. 이러한 종교적 가치의 추구는 인간으로서의 불완전함을 극복하고 더 높은 차원의 삶을 살아갈 수 있도록 하는 힘이 되기도 한다.

— 중학교 3, 《도덕》 중에서

정신적 가치와 물질적 가치는 특히 《도덕》 교과서에 많이 나와 있습니다. 버클리의 관념론에서 다루는 존재의 의미에 대한 분석이 직접적으로 나와 있지는 않지만 정신과 물질의 가치를 함께 다루면서 각각의 가치를 평가하고 있습니다. 최근 교과 내용에서 중요한 것은 예전처럼 '정신적 가치가 중요하고 물질적 가치는 부차적인 것이다' 라는 일방적인 주장보다는 각각의 중요성을 함께 다루고 있습니다.

3. 기출 문제 속에서 만난 버클리

관념에 대한 문제는 깊이 있는 사고력을 요구하는 논술에서 가장 중요한 영역이라 할 수 있습니다. 어떤 측면에서는 이것은 하나의 주제가 아니라 논술의 본질과 직접적으로 통하는 것이라 할 수도 있을 것입니다. 특히 버클리의 관념론과 유신론 등은 버클리만의 문제가 아니라 철학자들이 언제나 고민하는 화두라 할 수 있을 것입니다. 논술이 철학은 아니지만, 어떤 대상에 대해 연구하고 그것의 진리를 찾아가는 철학적 탐구 자세는 논술의 본질적인 측면과 가장 유사합니다.

'존재' 와 관계된 기출 문제를 살펴 보면, 2007학년도 연세대학교 정시 논술에서 '나 자신이 아닌 다른 존재의 느낌과 생각을 과연 이해할 수 있는가?' 였습니다. 물론 이 논제는 상대적 관점이나 타인에 대한 배려 등으로 파악할 수 있습니다. 그러나 그 본질적인 바탕은 존재의 인식에 대한 깊이가 있을 때 핵심을 파악하는데 유리한 문제였습니다.

서강대학교 2007학년도 수시 2-2 학업우수자 전형 〈문학부〉 논술에서는, 김춘수의 〈꽃〉이 제시 자료로 출제되었습니다. 이 작품은 존재의 본질, 대상과 인식의 관계 등에서 버클리의 사상을 설명할 수 있는 매우 의미 있는 작품입니다. 특히 이 문제에서는 삶을 바라보는 시각과 관계 개념을 분석하라는 것이었습니다. 이것은 버클리가 주장한 시각을 통한 대상의 감각과 본질적 가치에 대한 존재 인식등과 매우 유사한 관점에서 접근해 볼 수 있을 것입니다.

관념과 존재의 본질, 사물의 인식 방법 등은 앞으로도 상당히 폭넓고 다양하게 다뤄질 수 있는 주제들입니다. 이에 대한 개념 정리와 사고 과정의 내면화 등은 깊이 있는 학문을 연구하기 위한 기본이라 할 수 있습니다.

실전 논술

논술 문제

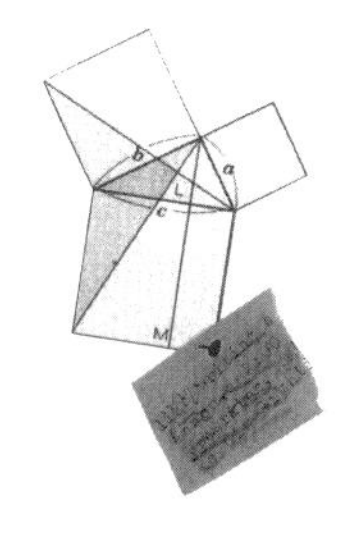

case 1 **제시문 (가)의 논지를 활용하여, (나)에 나타난 버클리의 삶과 그의 생각을 구체적인 예를 들어 평가하시오. (800자 내외)**

가 세상에는 수많은 사람들이 살고 있지만, 똑같은 삶을 사는 것은 아니다. 따라서, 사람들에 대한 평가도 다를 수밖에 없다. 그렇다면 우리는 수많은 사람들 중에서 어떤 사람을 인간답게 사는 사람이라고 평가하는가?

바로 우리의 삶이 바람직한 가치에 뿌리를 두고 있을 때, 인간다운 삶이라고 평가할 수 있다. 가치란, 사람들이 삶에서 귀중하게 생각하는 어떤 것을 말한다, 자신의 돈을 들여서 남을 도와주는 사람은 삶에서 돈보다 봉사가 더 중요하다고 생각하는 사람이다. 남을 속여서라도 돈을 벌려고 하는 사람은 삶에서 믿음보다는 돈이 더 중요하다고 생각하는 사람이다.

사람들은 이렇게 자기가 중요하다고 생각하는 가치를 얻기 위해 노력한다. 그런데 어떤 가치를 얻기 위해 노력하느냐에 따라 삶의 모습이 다르게 평가된다. 즉, 얻기 위해 노력하는 가치에 따라 한 사람의 삶이 인간다운 삶으로 평가받기도 하고 평가받지 못하기도 한다.

— 중학교 1, 《도덕》 중에서

나 버클리는 신이 무한하고 지혜로우며, 자비롭고 전지전능한 정신이라고 이야기하지. 버클리의 말을 한번 들어 볼래?

'신은 초월적이고 무한한 완전함을 가진 존재이다. 따라서 유한한 정신들은 신의 본질을 이해할 수 없다. 그러므로 그 누구도 신과 신의 속성, 작용 방식에 대한 정확한 개념을 안다고 말할 순 없다.'

좀 이상하지? 신이 있다면서 신을 알 수 없다고 말하잖아. 왜 그럴까?

버클리도 말했듯이 정신은 지각하는 존재이지, 지각되는 존재가 아니야. 우리는 관념만을 지각할 수 있을 뿐 다른 인격체의 정신을 직접적으로 지각할 수는 없지. 말하자면 한 인격은 다른 인격을 보지 못한다는 거야.

그럼에도 불구하고 우리는 신이 있다는 걸 간접적으로 알 수 있어. 바로 관념을 통해서 말이야.

버클리는 관념들이 오직 인간의 마음에만 의존하는 게 아니라고 해. 관념들을 통해 우리가 그 전체를 경험으로서 받아들일 수 있는 이유가 뭘까? 그 관념들이 어떻게 일관성을 가질 수 있는 걸까? 그건 모든 관념들을 처음부터 끝까지 쭉 지켜보는 정신이 있기 때문이지. 바로 신이 있기 때문이란다.

우리가 경험하는 모든 것들은 언제나 신이 존재하고 있다는 사실을 증명하고 있는 거야. 너무도 확실하게 말이야.

버클리의 철학은 새로운 형태의 경험주의란다. 그의 관념론은 우리의 인식과 자연 사물을 분리하지 않아. 즉, 자연은 감각적 경험 그 자체라는 거지. 그럼으로써 버클리는 신과 세계를 부정하지 않는 독특한 경험론을 꽃피우게 된 거란다. 오직 관념과 정신의 존재만을 받아들인 철저한 경험주의자로서 말이야.

마지막으로 버클리가 한 말을 들려줄게.

'나는 스스로 새로운 사상을 내세운다고 자랑하지 않는다. 내가 노력하는 것은 다만 이전에 일반 세상 사람들이 가졌던 진리와 철학자들이 가졌던 진리를 통일하고, 이를 보다 더 밝은 빛 속에서 드러내고자 하는 것뿐이다. 첫째는 우리가 직접 지각하는 관념들이 실재한다는 것이요, 둘째는 관념들은 오로지 마음속에만 존재한다는 것이다. 이 두 가지 생각을 합친 것이 내가 내세우려고 하는 주장의 핵심이다.'

— 《버클리가 들려주는 관념 이야기》 중에서

생각 쓰기

생각 쓰기

생각 쓰기

생각 쓰기

case 2 다음 글을 읽고 주어진 조건에 따라 논술하시오

가 퀴리 부부는 노벨 물리학상을 수상한 훌륭한 학자들입니다. 그런데 그들은 노벨상을 수상한 이력보다 더 훌륭한 마음을 가지고 있었습니다.

퀴리 부부가 가난 속에서 어렵게 연구를 하여 라듐 원소를 발견하자, 주위 사람들은 그들에게 특허를 신청하라고 부추겼습니다. 라듐이 암을 치료하는 데에 커다란 효과가 있다는 사실이 밝혀졌기 때문입니다. 미국의 큰 회사들도 라듐 제조법을 팔라고 끊임없이 요구했습니다. 만약, 그때 퀴리 부부가 라듐 제조 특허를 받았다면, 퀴리 부부는 물론 후손들까지 큰 부자가 되었을 것입니다. 수십 년이 지난 오늘날에도 라듐 방식은 암 치료에 사용되고 있으니까요. 그러나 퀴리 부부는 부자가 되고 싶은 유혹을 뿌리쳤습니다. 과학자의 연구 결과는 개인의 명예나 부를 위한 수단으로 이용되어서는 안 된다는 것이 그들의 굳은 생각이었습니다. 그리하여 그들은 라듐의 제조 방법을 아무런 대가 없이 과학계에 발표했습니다.

남편 피에르 퀴리는 노벨상 수상 기념 강연에서 분명히 말했습니다.

"라듐이 범죄자의 손에 들어가면 매우 위험할지 모릅니다. 그래서 사람들은 자연의 비밀을 캐내는 것이 과연 유익한가 하는 의문을 가집니다. 그러나 저는 믿습니다. 인간은 새로운 발견에서 악한 것보다 선한 것을 더 많이 끌어내고자 한다는 것을……."

— 초등학교 5, 《도덕》 중에서

나 인간다운 삶이란, 정신적인 것을 중요하게 여기면서 그것을 얻고자 노력하는 삶이다. 물질적인 것만이 아니라 정신적인 것을 얻고자 노력할 때, 사람으로서의 진정한 아름다움을 느낄 수 있기 때문이다.

물론, 물질이 있어야 더욱 편하고 풍요로운 생활을 할 수 있다. 그러나 물질적으로 풍요해야 한다는 것은 인간다운 삶을 위한 한 부분이고 조건일 뿐이다. 영국의 사상가 밀은 "배부른 돼지가 되기보다는 배고픈 인간이 되는 것이 바람직하다"라고 했다. 이것은 인간의 삶에 있어서 물질적인 것보다 정신적인 것이 더욱 중요하며, 정신적인 것을 얻으려고 할 때 인간 삶이 더욱 아름답다는 것을 강조한 말이다.

— 중학교 1, 《도덕》 중에서

다 "당연하잖아요. 눈에 보이지 않는 걸 어떻게 믿을 수가 있어요?"

성한이가 말하자 아이들이 '우와' 하고 탄성을 질렀어요. 미지도 내심 놀랐지만 새치름하게 앉아서 가만히 듣기만 했어요.

"마음은 눈에 보이지 않지? 그런데 너희들은 마음이 있다고 생각하잖아."

선생님이 차근차근 설명했어요. 그런데도 성한이는 이해가 안 됐나 봐요. 고개를 갸우뚱하는 것이 보였어요.

"하지만 선생님, 마음은 보이지 않지만 느끼곤 하잖아요. 느끼니까 있다고 믿는 거고요."

미지는 자신도 모르게 '아아!' 하고 탄성을 질렀어요. 장난꾸러기 성한이가 어떻게 저런 생각을 했을까요? 미지는 성한이가 달라 보였어요.

"좋은 의견이구나. 느끼긴 하지만 눈에 보이지 않으니까 있는지 없는지 확신할 수는 없어. 하지만 눈에 보이지 않는 것도 있다고 생각한다면 마음도 존재하는 것이 되지."

선생님이 말했어요.

"뭔가를 믿으려면 증명이 필요하잖아요. 아무 증명도 없는데 어떻게 믿어요?"

"그것을 버클리가 증명했단다. 이번 주 철학 시간에는 그것에 관한 이야기를 할 거야. 어때? 너희들은 신이 있다고 믿니?"

아이들은 아무도 대답하지 않았어요. 서로 눈치만 살폈죠. 그때 미지가 손을 번쩍 들었어요.

"그래, 미지야. 말해 보렴."

"신은 있어요!"

미지가 큰 소리로 말했어요. 그러자 앞에 앉아 있던 성한이가 뒤돌아보았어요. 미지는 성한이에게 잠깐 눈길을 주었다가 선생님을 똑바로 쳐다봤어요.

"왜 그렇게 생각하니?"

선생님이 물었어요. 미지는 잠깐 머뭇거렸어요. 그 이유까지는 생각하지 않았거든요.

미지는 당황해서 교실 안을 두리번거렸어요. 그러다가 문득 세상에 정말 많은 것들이 있다는 생각이 들었어요. 그래서 당당하게 말했죠.

"신이 없다면 이 세상을 누가 만들었겠어요?"

"그래? 자연 법칙에 따라 만들어진 것일 수도 있잖아?"

"그 자연 법칙도 신이 만든 것일 수 있잖아요."

"그래, 그렇게 생각할 수도 있겠다. 다른 의견은 없니?"

아이들은 대답이 없었어요. 그러자 선생님이 정리했어요.

"신의 존재를 믿든 믿지 않든 그건 너희들 몫이야. 하지만 한번 생각해 보렴. 그래서 수요일 아침에 좀 더 깊이 있는 대화를 나누었으면 좋겠는데……. 어때?"

—《버클리가 들려주는 관념 이야기》 중에서

1. (가)와 (나)에서 주장하는 내용이 무엇인지 요약하고, 이에 대한 공통점은 무엇인지 설명하시오. (300자 내외)

2. (가)에 제시된 퀴리 부부의 태도를 (나)와 (다)의 입장에서 평가하시오. (600~ 700자)

생각 쓰기

생각 쓰기

case 3 제시문 (가)와 (나)에서 공통적으로 제기하는 문제는 무엇인지 설명하고, 이를 바탕으로 현대사회가 직면한 문제점과 그 해결 방안을 논술하시오. (600자 내외)

가 버클리는 당시의 유행하던 근대 철학과 과학을 비판적인 눈으로 바라보았어요. 그는 뉴턴으로 대표되는 기계론적, 입자론적 세계관이나 데카르트와 로크의 근대 인식론이 세계의 참된 모습을 보려는 우리를 회의주의에 빠뜨린다고 생각했어요. 왜냐하면 이 이론들은 세계가 마치 벽으로 둘러싸여 우리가 알 수 없는 것처럼 생각하게 만들기 때문이죠. 그래서 세계가 과연 실제로 있는지 없는지, 세계의 참된 모습이 무엇인지 판단할 수 없어서 결국 불신하게 만듭니다.

또한 버클리는 이러한 세계관이 사람들로 하여금 신이 있든 없든 세상을 살아가는 데엔 상관없다고 여기게끔 한다고 비판합니다. 즉, 이 이론은 신이 세계를 창조한 창조자 역할만 했을 뿐이라고 주장하는 것이지요. 그리하여 사람들로 하여금 이제 세계는 신의 간섭 없이 기계적 법칙에 의해 움직이며, 인간은 그것을 알고 이용하면 된다고 생각하게 했다는 거예요.

이러한 근대적인 생각은 세계와 신을 서로 분리하여 이 세계만이 절대시하는 것과 같습니다. 버클리는 이를 정확히 읽어 냈습니다. 그는 근대적 세계관이 무신앙, 무신론, 반종교의 믿음을 퍼뜨려서 종교의 몰락을 낳을 거라고 주장했지요. 그리고 이것은 결국 도덕의 타락을 가져오는 악의 원인이 될 거라고 비판했습니다.

— 《버클리가 들려주는 관념 이야기》 중에서

나 질적으로 높은 만족감을 얻기 위해 필요한 것은 무엇일까?

먼저, 인간에게 있어서 가장 기초적인 욕구는 건강의 유지와 생명의 안전이라고 볼 수 있다. 즉, 건강하게 사는 것과 생명의 안전이 사람이 삶을 영위하는 데 무엇보다 중요한 요소가 된다.

다음은 삶의 질을 결정짓는 물리적 요건으로서, 여러 가지 재화와 서비스 등은 쾌적한 삶을 영위하기 위해 반드시 필요하다. 특히, 이러한 물리적 요건은 편리성과 같은 질적인 측면이 고려되어야 한다. 즉, 주택 공급, 교육 및 의료 서비스, 그리고 대중교통 등이 얼마나 편리하게 되어 있는지가 중요한 요소이다.

그리고 인간의 궁극적 만족 목표로서, 삶의 질을 추구하기 위한 정신적 요건은 가장 높은 수준의 욕구라고 할 수 있다. 이러한 정신적 욕구의 충족을 위해 필요한 것이 문화와 여가, 사회참여 등이다. 우리는 한때 기본적인 생존 욕구조차 충족하기 어려운 시기를 겪으면서, 삶의 질을 평가하는 과정에서 물질적이고 객관적인 조건만을 중시하는 풍조를 낳기도 하였다. 그러나 객관적이 조건만으로는 삶의 만족을 얻기에 충분하지 못하다. 경제 발전과 복지 정책으로 어느 정도는 물질적 욕구 충족에 만족하고 있지만, 오늘날 우리가 느끼는 삶의 만족은 그것에만 머무르지 않는다. 자신이 얼마나 높은 수준의 삶을 누리며, 그 속에서 원하는 만큼의 즐거움을 찾느냐 하는 주관적 조건에 더욱 관심을 기울인다. 그동안 물질적 풍요와 생활의 안정을 일차적 관심사로 여기던 사고방식에서 벗어나, 점차 삶의 질의 수준 문제로 관심이 옮겨져 가고 있는 것이다.

— 중학교 2, 《도덕》 중에서

생각 쓰기

생각 쓰기

실전 논술

예시 답안

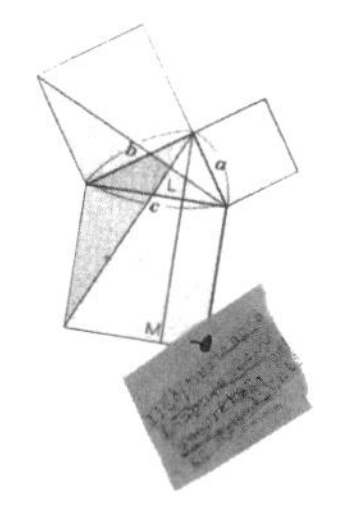

case 1

사람들은 누구나 자신의 삶의 목표를 정하고, 그것을 성취하기 위해 노력한다. 다른 사람들의 입장에서 볼 때는 위험할 수도 있고, 그것이 과연 인생을 걸 만한 가치가 있는가 하는 의문이 들 때도 있을 것이다. 하지만 자신이 의미 있다고 생각하는 일을 성취할 수 있다면 어떤 희생이라도 감수할 수 있는 것이 바로 인간이다. 자신이 가장 중요하다고 생각하는 일을 위해서는 어떤 희생이라도 감수할 수 있는 것이다. 우리는 자신이 좋아하는 연예인을 직접 만나기 위해 밤을 새워 그 집 앞에서 기다리는 경우도 있고, 자신이 정말 좋아하는 취미 생활을 위해서 알뜰하게 모은 용돈을 한꺼번에 다 써 버리기도 한다.

버클리는 신은 초월적이고 무한하며 가장 완전한 존재로 받아들이고 있다. 신은 관념의 근거로 신이 존재하기에 관념도 있는 것이라고 생각하였다. 이러한 신념을 지키기 위해 무신론자나 유물론자들을 비판하고, 평생동안 성직자로서 자신의 본분을 다하였던 것이다.

물론 현대 과학의 입장에서 볼 때 버클리의 생각은 절대적으로 옳다고 평가할 수만은 없다. 관념 없이도 대상 자체는 존재할 수 있는 것이며, 신은 인간이 만들어낸 공상적인 관념일 수도 있기 때문이다. 그러나 어떤 경우에도 우리의 사고 체계를 이루는 관념 없이 대상이 개별적으로 존재하기는 어렵다고 할 것이다. 이런 측면에서 신을 절대적인 존재로 두고, 인간의 삶을 신의 섭리 속에서 접근한 버클리의 사상은 의미가 있다. 이런 자신의 생각과 그것을 실천하기 위한 그의 노력은 높이 평가할 만하다.

case 2

1. (가)에서 퀴리 부인은 라듐 원소 발견을 통해서 엄청난 부를 획득할 수 있었지만, 특허권을 행사하지 않았다. 과학은 돈이나 명예의 수단이 될 수 없다는 이유 때문이다. 이는 돈이나 명예 같은 물질적인 것보다 과학이 많은 사람들에게 도움이 되는 정신적 측면으로 발전해야 함을 강조하고 있는 것이다. 제시문 (나)는 물질은 삶의 한 부분이지 조건이 아니라고 말하고 있다. 그래서 정신적인 것을 추구할 때 인간은 진정한 아름다움을 느낄 수 있다고 주장한다. 즉, (가)와 (나)는 눈에 보이는 물질보다는 정신의 중요성을 강조하고 있다는 공통점이 있다.

2. (가)의 퀴리부인은, 인간은 새로운 발견에서 악한 것보다는 선한 것을 끌어내야 한다는 신념으로 라듐 제조법을 아무런 대가 없이 발표했다. 이는 물질적인 면보다는 정신적이 면을, 보이는 것보다는 보이지 않는 것을 추구하는 행위로 설명될 수 있다.

(나)에서는 정신적인 면이 물질적인 면보다 중요하다고 강조한다. 즉, (가)의 퀴리부인은 명예나 부라는 물질적인 면보다 많은 사람들에게 도움이 되는 정신적인 면을 중시했다. 따라서 (나)의 입장에서 볼 때 퀴리부인은 아름다운 삶을 살았다고 긍정적인 평가를 할 수 있다.

(다)는 눈에 보이지 않는 것은 존재하는지 확신할 수 없지만, 그것이 있다고 생각한다면 존재하게 된다고 말한다. 또한 이러한 사실을 믿고 안 믿고는 전적으로

자신의 몫이라고 설명한다. (가)의 퀴리부인은 가난했지만 끈질긴 연구 끝에 이전까지 존재하지 않았던 라듐이라는 원소를 발견할 수 있었다. 이는 보이지 않던 라듐이라는 물질이 존재한다고 믿고 있었기 때문에 가능한 일이다. 바로 (다)에서 신이 있다고 믿는 미지의 입장과 유사하다. 존재한다고 믿고 있기에, 라듐도 신도 인간의 탐구의 대상이 될 수 있고 발견할 가능성도 있기 마련이다. 따라서 퀴리부인의 과학적 탐구 자세는 우리에게 올바른 방향을 제시해 준다.

case 3 (가)에서 버클리는 근대 인식론이 우리를 회의주의에 빠뜨리고, 근대적 세계관이 도덕적 타락을 가져오는 악의 원인이 될 것이라 비판하고 있다. (나)에서는 현대인들은 물질적 욕구 충족에 만족하고 있지만 우리가 여기에 만족하지 못한다고 보고 있다. 즉, 과학의 발달과 더불어 인간은 여유로운 삶을 영위하게 되었지만, 정신적으로는 이를 따라가지 못한다는 점을 지적하고 있는 것이다.

현대는 환경오염, 지구온난화와 같은 전 지구적인 문제를 비롯해 전쟁, 핵, AIDS, 아프리카 기근 문제 등 지역 국가 차원에서 해결해야 하는 많은 문제점을 가지고 있다. 이는 (가)와 (나)에서 지적했듯이 인간 중심적 사고로 인해 파생된 문제로 우리가 시급히 해결해야 하는 과제이다.

양날의 칼처럼 과학은 인간이 어떻게 사용하느냐에 따라 약이 될 수도 독이 될 수도 있다. 지금까지 우리는 보다 풍요로운 삶을 영위하기 위해 발달이라는 논리에 따라서 정신적 측면에 대해서는 소홀한 경향이 있었다. 이는 과학과 개발이 독이 되는 부분에 대해서는 크게 신경 쓰지 않았음을 의미한다. 따라서 지금부터라도 과학 기술에 대한 올바른 인식을 바탕으로 정신적 측면을 함께 생각할 필요가 있다.

Abitur

철학자가 들려주는 철학이야기 090

아도르노가 들려주는 예술 이야기

저자_**박기호**

고려대에서 교육학 석사를 받았다. 윤리학과 철학에 대해 고민하며 살아오다가 대입 논술을 지도하게 되었다. 그 결과 부엉이 눈으로 논제 분석하기, 매트릭스 법으로 제시문 읽기, 마인드맵으로 개요 짜기, 토피카로 차별화하기 등의 독특한 논술방법론으로 대입 논술과 로스쿨 LEET 논술에서 유명강사가 되었다. 경향신문 대입 논술 출제 집필진으로 활동한 바 있으며, 현재 여러 대입학원과 로스쿨 전문학원에서 논술을 지도하고 있다. 저서로는《아비투어 철학논술 - 맥루한이 들려주는 미디어 이야기(초급)》,《快(쾌) 논술 LEET 시리즈》 전4권,《대학별논술 예상문제집》 전25권,《4개년간 논술기출문제해설》,《논술자세잡기》 등이 있다.

배 경 지 식 넓 히 기

Adorno, Theodor

아도르노와 '예술'

아도르노 주요 개념

1. 아도르노의 생애

아도르노(Adorno, Theodor Wiesengrund, 1903~1969)는 1903년 독일 프랑크푸르트에서 태어났습니다. 그의 부모는 유태계 독일인으로 아버지는 포도주 회사를 경영한 재력가였으며, 어머니는 이름난 성악가였습니다. 예술적 분위기의 집안에서 유복하게 자란 아도르노는 고등학교를 졸업할 때 이미 칸트, 쇼펜하우어를 비롯한 철학자들의 사상을 알고 있었습니다. 또한 괴테, 실러를 위시한 작가들의 문학에 통달해 있었습니다.

1921년 프랑크푸르트 대학에 입학한 아도르노는 철학, 사회학, 심리학, 음악학을 공부했으며, 이때부터 음악 평론을 쓰기 시작했습니다. 1924년 후설의 현상학에 관한 논문으로 박사 학위를 받은 아도르노는 알반 베르크에게 작곡을 배우기도 했습니다. 루카치의 《소설의 이론》과 베냐민의 《독일 비극의 원천》에서 깊은 영향을 받은 아도르노는 비판 이론가와 예술철학자의 면모를 갖추면서 철학과 예술을 접목하고자 했습니다. 1927년에는 호르크하이머 등과 만나 음악과 이데올로기 비판을 연관시키고자 했습니다. 그의 저서를 보면, 호르크하이머와 같이 쓴 《계몽의 변증법》에서 《부정의 변증법》 그리고 《미학 이론》으로 이어집니다. 이는 아도르노의 관심사가 철학에서 출발하여 예술로 귀결되고 있음을 보여 줍니다.

〈키에르케고르에 있어서의 미적인 것의 구성〉이라는 논문으로 교수 자격을 획득하여 프랑크푸르트 대학에서 강사생활을 하던 아도르노는, 1933년 나치스가 강의 자격을 박탈하자 독일을 떠나 영국을 오가다가 1940년대 미국에 체류하게 됩니다. 미국 체류 중 경험한 상업주의와 대중문화는 그의 '문화 산업 비판론'의 근거가 되며, 아도르노는 일생동안 자본주의의 문화 산업을 강력하게 비판했습니다. 그러한 사상이 바탕이 되어 호르크하이머와 함께 펴낸 《계몽의 변증법》은 프랑크푸르트 학파의 사상을 대변하는 고전으로 자리 잡습니다.

《계몽의 변증법》은 나치즘에서 타락의 극치를 보여 준 서구 문명이 이미 원시시대부터 타락의 씨앗을 잉태해 왔다는 역사철학적 성찰을 담고 있습니다. 독일 파시즘의 부상과 집권이 단지 우연이 아니라 필연적인 결과임을 보여 주는 이 책이 출간된 이후, 아도르노는 독일뿐 아니라 유럽 지성계에서 가장 주목받는 철학자가 되었습니다.

아노르노의 모든 활동에서 공통적으로 나타나는 이념은 '부정'과 '비판'이었습니다. 전쟁이 끝나자 아도르노는 라디오, 텔레비전을 포함한 거의 모든 언론 매체에 출연해 자신의 사상을 알리면서 비판 및 계몽철학자의 면모를 보여 주었습니다. 1968년부터 전 유럽을 뒤흔든 학생운동을 지켜보면서 학생들의 폭력 사용에 반대하기도 했던 아도르노는 1969년 학생들과 심한 갈등을 겪은 후 스위스로 휴가를 떠났다가 그곳에서 세상을 떠납니다.

프랑크푸르트 학파

프랑크푸르트 학파란 신마르크스주의자 중에서 독일 프랑크푸르트 대학 부설 사회조사 연구소를 중심으로 변증법적 비판이론을 확립시킨 일련의 사회철학자들의 그룹을 말합니다. 이 학파는 호르크하이머를 정신적 지주로 아도르노, 마르쿠제, 폴록, 하버마스를 포함하여 베냐민, 프롬 같은 철학, 사회학, 심리학, 경제학, 역사학, 문학 등 다방면에 걸친 유명 인사들이 소속되었으며, 이들에 의하여 사회 전체의 이론 구축을 위한 공동의 장이 형성되었습니다.
이 학파의 이론적 경향을 변증법적 '비판 이론'이라고 하는데, 독일 나치스의 파시즘을 낳게 한 독점자본주의적 시민사회가 근대적 과학 기술이나 문화 산업 등의 이데올로기에 의해서 어떻게 유지되는지 날카롭게 파헤쳤습니다. 이 비판 이론에 입각해서 현대사회와 현실의 인식을 분석했으며, 특히 대중문화론은 각종 매체를 통해 널리 알려졌습니다.
비판 이론은 1960년대 및 1970년대 초반에 구미를 휩쓸었던 신좌파운동 및 학생운동에 막대한 영향을 끼쳤으며 정신적 지주이기도 했습니다. 오늘날에도 비판 이론은 학문적 연구의 대상으로 또는 세상을 보는 안목으로 많은 관심을 끌고 있습니다.

2. 아도르노의 사상

1) 근대 이성 비판

아도르노는 동일성이라는 집단 폭력으로부터 개인의 다양성을 지키는 데 한평생을 바친 독일의 사회철학자이자 예술철학자입니다. 집단 폭력에 쫓겨 미국으로 망명했던 그는 호르크하이머와 함께 집단 폭력의 뿌리를 찾는 일에 전념했습니다. 아도르노는 독일의 나치 정권과 그들에 의한 유대인 학살 같은 인류 비극의 뿌리를 근대 이성에서 찾았습니다. '동일성의 원리' 란 개념은 아도르노의 사상을 이해하는 핵심 키워드 중의 하나입니다. 이 동일성의 원리를 이해하기 위해서는 먼저 아도르노가 근대 이성에 대해 어떤 생각을 가졌는지 알아야 합니다.

여러분은 '이성' 하면 어떤 것이 떠오르나요? '인간은 이성적인 동물이다.' 그렇습니다. 우리는 이성이란 인간을 동물과 구별시켜 주는, 인간만이 가진 능력으로 인간을 인간답게 해 주는 것이라고 알고 있습니다. 인간은 이성을 지니고 있으며 그렇기 때문에 다른 동물보다 우월하고 자연을 이용하고 지배할 수 있습니다. 이러한 생각은 근대에 들어 확립되었는데, 아도르노는 근대 이성이 인류를 세계 전쟁과 집단 학살에 몰아넣은 주범이라고 비판했습니다.

아도르노가 최초로 한 문제 제기는 '왜 인류는 진정한 인간적인 상태에 들어서기보다 새로운 종류의 야만에 들어섰는가' 라는 것이었습니다. 이때 아도르노가 문제 삼았던 야만은 자본주의가 필연적으로 낳은 파시즘과 사회주의가 낳은 전체주의를 뜻합니다. 아도르노가 볼 때 특히 파시즘은 단순한 이탈 현상이 역사상 장기간에 걸친 발전 과정의 필연적인 결과였습니다. 역사는 진보 즉, 더 나은 것으로의 발전이 아니라 인간에 의한 자연과 인간의 폭력적인 지배가 커져 가는 부정적인 현상이었습니다.

아도르노가 보기에 불행의 씨앗은 인간이 자연을 지배하려 한 욕심에서 발생했습니다. 인간은 모든 생명체와 마찬가지로 자기를 보존하고자 노력합니다. 그러다 보니 자연과의 대립이 필연적으로 발생했습니다. 인간에게는 자연에 굴복하든가 아니면 자연을 굴복시켜야 한다는 두 가지 가능성만 주어집니다. 인간은 위협적인 자연 지배로부터 벗어나고자 투쟁했는데, 그 결과 인간에 의한 자연 지배가 나타나 인간과 자연의 통일성은 깨지고 나아가 인간의 인간 지배를 낳게 되었습니다.

이렇게 인간이 자연을 지배하게 된 까닭은 동일성의 원리 때문입니다. 동일성의 원리란 주체와 객체가 하나가 되어야 한다는 생각입니다. 예를 들어 지난 2002년 월드컵이 열렸을 때 많은 젊은이들이 거리로 나가 "대한민국" 을 외치며 우리나라 축구팀을 응원했습니다. 모두가 하나되어 붉은 티셔츠를 입고 승리를 기원했습니다. 이런 상황에서는 누구라도 축구를 보지 않거나 관심을 두지 않으면 안 될 것 같아 보입니다. 동일성이 지배하는 곳에서는 차이성이나 예외가 있을 수 없습니다. 쉽게 말해 모두가 자장을 시켰는데 나 혼자 짬뽕을 시킨다면 따돌림 당하기 십상이지요.

근대 이전에 인간은 자연의 일부이자 하나였습니다. 그런데 인간은 자연에게 지배당하느냐 아니면 자연을 정복하느냐 하는 선택에서 자연을 지배하기로 마음먹습니다. 인간에게서 공포를 몰아내고 주인으로 세운다는 목표를 추구한 것이 근대의 계몽 정신이었으며, 그 대표적인 사례로 베이컨의 사상을 들 수 있습니다. '아는 것이 힘이다' 라고 했던 베이컨의 말에는 자연을 인간의 필요에 따라 정복하고 이용하기 위해 자연으로부터 배워야 한다는 뜻이 들어 있습니다. 그리하여 근대 이후 인간은 자연과 대립하며 자연을 자신의 이해에 맞추어 지배하게 되었습니다.

한편 근대 이성은 중세 시대의 신분제도에서 벗어나 귀족의 독점으로부터 문화를 해방시키기도 했습니다. 하지만 평등을 '집단 동일성' 으로 탈바꿈하여 개인의 다양한 자연적인 본성을 억눌렀습니다. 이러한 '뒤집힌' 계몽 이성은 결국 개인의 다양성을 억누르는 획일적인 대중문화로 나타났습니다. 이렇게 획일적인 대중문화를 아도르노는 '문화 산업' 이라고 말합니다. 자본주의사회에서 문화는 예술로 기능하는 게 아니라 상품으로 기능하기 때문입니다.

여기까지가 아도르노의 예술에 관한 생각을 이해하기 위한 출발점입니다. 그렇다면 이렇게 '뒤집힌' 계몽 이성을 다시 뒤집어 동일성의 신화로부터 인간을 해방시키기 위해서는 어떻게 해야 할까요? 근대 이성을 대표하는 것은 바로 과학입니다. 인간은 과학을 통해 자연을 배우고 지배할 수 있었습니다. 그리고 그러한 생각은 사회 또한 지배하여 인류를 전쟁과 학살로 몰아넣었습니다. 따라서 동일성을 본질로 하는 과학이 아니라, 개성(비동일성)을 본질로 하는 예술이 필요합니다. 대중문화의 집단 동일성에 저항하는 예술이야말로 개인의 비판적이고 반성적이며 창의적인 개성을 일깨우는 진정한 계몽의 역할을 할 수 있기 때문입니다.

파시즘
1919년 이탈리아 B.무솔리니가 주장하고 조직한 국수주의적 · 반공적인 사상이자 운동. 파시즘이란 이탈리아어 파쇼(fascio)에서 나온 말로, 원래는 묶음이라는 뜻이었으나 결속 · 단결의 뜻으로 사용됩니다. 파시즘이 대두하게 된 것은 18세기 말부터 누적되어 온 사회적 불안과 제1차 세계대전 후의 만성적 공황 및 전승국 · 패전국을 막론한 정치 · 사회적 불안에서 초래된 각종 혁명적 기운에서 찾아 볼 수 있습니다. 따라서 근대사회의 위기적 양상은 모두 파시즘의 배경이 됩니다. 사회적 위기 상황에서 정치체제의 안정과 균형이 파괴되고, 게다가 기존 정치세력이 사태를 효과적으로 수습할 능력을 상실할 경우, 무정부적 진공상태를 메우기 위하여 파시즘이 등장하게 됩니다.

2) 관리된 사회와 문화 산업

아도르노는 "아우슈비츠 이후 서정시를 쓰는 것은 야만이다"라고 말했습니다. 어려서부터 음악과 문학 등 예술적 분위기 속에서 자란 그는 인간이 인간을 무자비하게 학살하는 당대 사회 현실에서 예술이 사회 속에서 어떤 역할을 해야 하는가 고민했습니다. 앞서 말했듯이 이미 과학은 인간 사회를 바꾸기에 적당하지도 않을 뿐더러 오히려 인간을 퇴보시키는 원인일 뿐이었습니다. 따라서 남은 것은 인간이 지닌 이성이 아닌 감성 즉, 예술이 인간을 해방시키는 것을 기획하는 일이었습니다.

그런데 대중문화의 형태를 띠고 있던 예술 역시 동일성의 원리에 의해 획일화되고 있었습니다. 동일성의 원리는 자본주의사회에서 '물신숭배'로 나타납니다. 자본주의사회는 모든 것을 상품으로 간주하고 등가의 법칙에 따라 교환합니다. 따라서 예술작품 역시 하나의 상품으로 전락하고 말았습니다. 그리고 대중문화는 대중의 기호에 맞추다 보니 사회 비판적인 기능을 하기 보다는 유행에 따라가는 경향이 강했고, 대중문화를 지배하는 것이 자본이다 보니 예술은 더더욱 상업화되어 가고 있었습니다.

이러한 경향은 비단 아도르노가 살았던 시대의 이야기만은 아닙니다. 우리가 살고 있는 지금은 아도르노가 비판했던 대중문화의 상업화와 획일화가 더욱더 커졌습니다. 쉽게 생각해 볼 수 있는 것이 대중음악입니다. 대중음악은 두 가지 측면을 지니고 있습니다. 대중음악은 작곡가와 작사가 그리고 가수에 의해 공연되는 예술이면서 다른 한편으로 자본이 이 사회를 지배하는 도구이기도 합니다. 즉, 대중음악은 우리의 정신을 지배하여 사회에 대한 비판 의식을 무디게 하는 일종의 마약과 같은 기능을 합니다.

평소 즐겨 듣던 대중음악이 우리의 정신을 지배하는 마약이라니, 선뜻 이해가 가지 않지요? 자본주의사회에서 모든 것은 교환될 수 있어야 가치를 지닙니다. 아버지가 직장에서 일을 하고 받는 봉급은 일정한 노동력을 회사에 제공하고 돈으로 교환되는 것입니다. 또 우리는 그 돈으로 마트에 가서 생활에 필요한 여러 가지 물품을 구입하고 소비합니다. 이처럼 자본주의사회는 모든 것이 교환되는 상품으로 이루어져 있습니다. 마찬가지로 대중음악 역시 예술이기 이전에 하나의 상품입니다.

마르크스는 자본주의에서 생산물이 교환가치로 환원되면 본래의 속성은 사라지고 상품이 된다고 말한 바 있습니다. 아도르노 역시 그러한 관점에서 대중문화와 예술작품 역시 상품이라고 보고 이를 '문화 산업'이라고 지칭했습니다. 문화 산업의 영역에 포함되는 것은 영화, 음악, 미술 뿐 아니라 우리 삶을 둘러싸고 있는 모든 문화적 영역을 포괄합니다. 그리고 그것들은 더 이상 예술이 아니라 상품이며 이 사회를 유지하고 정당화하는 이데올로기적 기능을 담당합니다.

예를 들어 대중음악의 가사를 살펴보면 사랑 타령을 하는 것이 대부분입니다. 가사 내용은 거기서 거기에 다 비슷비슷하고, 빠른 비트와 현란한 댄스는 우리가 사회에 대하여 고민하거나 생각해 볼 수 있는 여지를 주지 않습니다. 그러다 보니 곧잘 대중음악의 선정성이 도마 위에 오르곤 합니다. 인터넷 포털 사이트에 올라오는 UCC나 지식 검색을 보면, 어떤 여가수가 섹시한 춤을 췄다든가 수상 자리에서 미니스커트를 입었다든가 하는 내용들이 주를 이룹니다.

대중음악은 깊이 있는 사색보다는 말초적인 감성을 먼저 건드립니다. 왜냐하면 대중음악은 수많은 대중을 만족시켜야 하기 때문에 세속적이고 통속적인 내용을 담기 때문이지요. 대중사회에서 대량생산은 수동적인 대중의 대량 소비를 낳게 됩니다. 그리하여 대중음악은 상투적이 됩니다. 또 물질만능주의가 소비사회를 낳으면서 통속적인 문화를 만듭니다. 이처럼 대중음악은 자체 생산의 논리에 따라 사람들로 하여금 쾌락 추구에만 급급하게 함으로써 진지한 삶에 대한 욕구와 사유를 불가능하게 합니다. 그리고 이러한 대량 소비를 통해 만들어지는 문화 상품은 대중들의 취미를 획일화시키고 규격화시킵니다.

"현대의 대중문화는 현실의 문제를 표현하기보다는 사람들이 돈을 낼 만한 것들을 보여 주고 있어. 이 때문에 많은 사람들의 감성이 다양하지 못하고 비슷하게 변해 가는 거란다. 예슬아, 그렇게 생각하지 않니?"

나는 나도 모르게 고개를 끄덕였습니다. 물론 갑작스러운 질문에 놀라서 그런 것도 아니고, 아빠께 잘 보여서 가수의 꿈을 계속 펼쳐 보이려고 그런 것도 아니에요.

"그래서 아빠는 우리 집에서 텔레비전을 없애기로 결심했다. 요즘 아이들이 텔레비전을 보고 연예인을 무작정 따라한다는 얘기는 들었지만 너도 그럴 거라고는 한 번도 생각하지 않았어."

"아니에요, 아빠. 무작정 연예인들이 좋아 보여서 가수를 하겠다는 생각은 하지 않았어요. 가수들이 멋지고 예쁘게 보여서 그런 것이 아니라 가수들이 부르는 노래가 좋아요."

"정말이니? 가수들이 부르는 노래가 좋아?"

아빠는 이렇게 물으시더니 한동안 말씀이 없으셨습니다. 나는 아빠가 무슨 말씀을 하실지 걱정이 되어 안절부절 못하고 있었어요.

"그렇다면 더 큰 문제구나. 가수들이 부르는 노래를 듣고 무엇을 느꼈니?"

"……"

"아빠는 진정한 음악이란 자신의 정신적인 부분을 소리에 담아내야 한다고 생각한단다. 그런데 요즘 노래는 사랑과 이별만 외치고 있어. 사랑과 이별도 인간에게 중요한 문제이기는 하다만 노래 속에서 그 감정들이 느껴지지 않는 것은 왜일까?"

—《아도르노가 들려주는 예술 이야기》 중에서

여러분은 대중음악을 들으면서 무엇을 느끼고 어떤 생각을 하나요? 연말이 되면 가수들이 모여 불우 이웃을 위한 콘서트를 열기도 하지만, 그 속에서 우리는 진정한 연민이나 연대를 느끼지 않습니다. 다만 현란한 무대와 가수의 퍼포먼스에만 정신을 빼놓지요. 또한 누구나 이어폰을 꽂고 최신 유행하는 대중음악을 들으면서 비슷한 생각과 감성을 가지며 살아갑니다. 그 속에서 개성은 상실되고 유행에 따라 표준화·획일화되고 맙니다.

원래 예술은 돈을 목적으로 하는 게 아니라 소외된 이웃의 고통을 표현하고 고통 받는 이웃을 구원하는 데 목적이 있습니다. 현대사회는 왜 진정한 예술이 사라지고 예술이 상품화되었을까요? 앞에서 말한 것처럼 아도르노는 '도구적 이성' 에 그 원인이 있다고 보았습니다. 원래 이성이란 '왜' 라고 따져 묻는 비판적인 기능을 합니다. 그런데 자본주의사회에 와서 이성은 비판적인 기능을 상실하고 다른 목적을 위한 도구가 되어 버렸습니다.

아도르노는 도구적 이성이 지배하는 사회를 '관리된 사회' 라고 불렀는데, 자본주의사회는 자율적이고 비판적인 사회가 아니라 도구적 이성에 의해 지배되고 문화 산업에 의해 규격화된 대중음악을 강요당하는 사회입니다. 이런 사회에서 우리의 예술적 감성과 풍부한 정신은 획일화되고, 자극적이고 선정적인 것만이 남게 됩니다. 그 속에서 우리는 능동적인 존재가 아니라 수동적인 소비자로 남게 됩니다.

물신숭배

마르크스의 《자본론(資本論)》 첫머리에 상품 세계의 물신적 성격에 관한 기술이 나옴으로써 사회과학 용어로 일반화된 말입니다. 마르크스에 의하면, 자본주의적인 생산 체제 아래에서는 사람과 사람과의 관계가 물건과 물건과의 관계로 나타나고 사회관계가 물상화(物象化)되며, 물상적 의존관계로 변질됩니다. 그래서 본시 인간이 노동에 의해 만들어내는 생산물에 지나지 않는 상품 · 화폐 · 자본 등의 물질이 마치 고유의 힘을 지니고, 그들 배후에 있는 사람과 사람과의 관계에서 떠나 독자적으로 행동하는 것처럼 생각되고, 상품 · 화폐 · 자본 등 인간 노동의 생산물을 신앙 또는 숭배의 대상으로 여겨 이에 무릎을 꿇게 됩니다. 마르크스는 이와 같은 사태를 물신숭배라 하고, 그것이 자본주의사회에 있어서는 일상적 종교가 되어 있다고 말합니다. 아도르노 역시 이러한 관점에 따라, 후기자본주의사회에서는 대중문화 전반이 물상화되었다고 보고 '문화 산업'을 비판했습니다.

3) 고통의 미학

모든 것이 상품화되고 교환이라는 동일성의 원리에 의해서 지배되는 사회에서 주체적인 태도를 가지기는 매우 어렵습니다. 왜냐하면 앞서 말했듯이 '관리된 사회'는 예술의 자율성을 빼앗고 사람들을 수동적인 존재로 만들기 때문입니다. 아도르노는 자본주의사회에서 상업성과 유행만을 따르는 대중 예술을 문화 산업이라고 비판하고, 현실의 고통을 표현함으로써 인간의 영혼을 구원하는 기능을 하는 예술이 필요하다고 주장했습니다.

우리는 아름다움을 표현하는 것을 예술이라고 합니다. 그런데 현실의 고통을 표현하는 예술이라니, 무언가 앞뒤가 맞지 않는 듯하지요? 그런데 진정한 아름다움이 무엇인가 하는 것에 대해서는 철학자들마다 생각이 달랐습니다. 아도르노는 아름다움이 추한 것과 반대되는 것이라고 보지 않은 것이지요. 흔히 아름다움 하면 예쁜 것, 멋진 것, 즐거운 것만을 떠올리게 됩니다. 그러다 보니 보기에 멋있고 자극적인 것들만이 대중문화에 판치게 되었는지도 모릅니다. 그러나 우리는 추한 것 속에서 아름다움을 느낄 수도 있습니다.

예를 들어 발레리나 강수진의 발을 본 적이 있나요? 인터넷 상에서 검색하면 쉽게 찾아볼 수 있지요. 우리는 눈으로 보이는 발레의 모습만을 보며 '아름답구나' 라고 여기지만, 실은 아름다운 발레리나의 발은 몹시도 추하게 생겼습니다. 무수한 연습과 훈련으로 인한 것이지요. 그러나 강수진의 추한 발을 보고 아름답다고 하지 않을 사람이 있을까요? 우리는 강수진의 발을 통해 삶의 진실을 볼 수 있기 때문에 아름다움을 느끼는 것입니다. 예술의 열정과 노력 속에 깃든 아름다움이지요.

마찬가지로 예술은 보기에 좋은 것, 우리의 감각을 즐겁게 하는 것이 아니라 오히려 현실의 고통을 표현함으로써 삶의 진실을 드러낼 때 진정한 예술이라고 할 수 있습니다. 현실의 고통을 표현하고 무엇이 잘못되었는지 진실을 드러냄으로써 예술은 단지 아름다움을 표현하는 것에서 그치지 않고 인간과 사회를 위한 제 몫을 해낸다고 할 수 있지요. 아도르노가 주목한 것은 바로 이러한 예술의 현실 비판적 기능이었습니다.

2002년 월드컵 당시 우리가 거리에 나가 축제의 분위기를 만끽할 때, 우리는 축구공 하나를 만들기 위해 파키스탄의 우리 또래 아이들이 하루 12시간 이상 노동을 한다는 사실을 잊고 있었습니다. 축제, 붉은 악마, 세레모니 등

화려함의 이면에는 이렇게 어둡고 가난하고 불행한 현실이 깃들어 있는 법입니다. 만약 우리가 세상의 즐거움과 아름다움만 보고자하고 더러움과 추한 것을 피하고자 한다면 어떻게 될까요? 이 세상에 고통받는 많은 이들을 외면하는 것과 다르지 않을 것입니다.

처음에 우리는 아도르노가 인간이 가진 이성을 비판했다고 했습니다. 아도르노가 비판했던 것은 이성 그 자체라기보다는 이성을 올바르게 사용하지 않고, 자연을 지배하는 데 사용한다거나 다른 사람을 억압하거나 이용하는 데 사용하는 것을 말합니다. 그리고 그러한 사회에 대하여 눈감고 비판의식을 상실한 인간의 모습을 경고한 것이기도 합니다.

그렇다면 상업성에만 치우친 문화 산업의 비자율적인 예술에서 벗어나 진정한 예술의 길로 나아가는 방법은 무엇일까요? 아도르노는 '잘못된 미메시스' 와 '반성적 미메시스' 를 주장하며 '미메시스' 라는 개념을 제시합니다.

원래 '미메시스' 란 모방이라는 뜻입니다. '잘못된 미메시스' 는 겉으로 드러난 화려한 현실만을 모방하여 인간의 고통을 외면하는 미메시스입니다. 그리고 '반성적 미메시스' 란 현실 속에 숨어 있는 인간의 고통을 모방함으로써 인간의 영혼을 구원하려는 미메시스입니다.

아도르노는 현대 예술이 '반성적 미메시스' 에서 벗어나 '잘못된 미메시스' 로 가는 것을 비판합니다. 관리된 사회에서 영혼이 상실된 현대인의 모습을 비판하고 참된 예술로 가기 위해서는 무엇보다도 '비판적 이성' 이 중요할 것입니다. "왜 그런가?"라고 질문하는 태도가 필요하다는 것입니다.

—《아도르노가 들려주는 예술 이야기》 중에서

자본주의사회에서 대중문화는 상업성과 동일성 혹은 획일성을 띤 문화산업이 되며, 대중문화의 조종자들은 대중매체를 이용하여 자신들의 상업적 이익을 극대화하고 끊임없는 거짓 욕구들을 창출해냅니다. 문화는 산업화됨으로써 즉, 생산자의 미리 짜인 의도에 따라 획일화된 욕구와 사유의 양식을 만들어냄으로써 언제든지 대중을 지배할 수단이 되는 것이지요. 따라서 이러한 상황을 바꾸기 위해서는 비판적인 예술의 역할이 중요합니다. 그것은 이 사회의 현실을, 설령 그것이 아름답지 않고 추한 것이라 할지라도, 예술적으로 형상화함으로써 진실을 드러내는 데 있습니다. 이것이 바로 아도르노의 '고통의 미학' 입니다.

미메시스

미메시스란 모방, 흉내를 의미합니다. B.C. 5세기경 피타고라스는 음악이 수(數)의 미메시스(모방물)라고 했습니다. 그리고 플라톤은 현실의 여러 가지 개체는 개체가 되도록 한 형상(idea)을 흉내낸다고 하여, 현실의 세계보다 절대적인 이념을 중시하였습니다. 플라톤에 따르면 현실 세계는 원형의 모방인 것입니다. 플라톤은 《국가론(國家論)》에서 목수나 화가나 작가 모두가 집을 짓지만, 목수의 집과 비교하면 화가나 작가의 집은 허구이며, 이것을 가상(假象)이라 하여 예술을 소극적으로 평가했습니다. 그러나 이 개념을 플라톤으로부터 이어받은 아리스토텔레스는 《시학(詩學)》에서 오히려 그러한 모방의 예술을 높게 평가했습니다. 아도르노의 미세시스 또한 현실의 모방이라는 의미를 지니는데, 아도르노는 나아가 미메시스를 '잘못된 미메시스'와 '반성적 미메시스'로 나누고 '반성적 미메시스'를 추구했습니다.

3. 기출문제에서 만난 아도르노

1) 현대 문명과 물신 주의 — 2007년 숙명대학교 수시 논술

현대인의 본성이 황폐하게 된 것은 사회의 진보와 불가분의 관계에 있다. 경제적 생산성의 증가는 좀 더 정의로운 세상을 만드는 데 필요한 것들을 제공하여 주었지만 다른 한편으로는 기술 장치와 이를 운용하는 집단에게 그렇지 못한 다수에 대하여 엄청난 우월감을 갖게 해 주었다. 개인은 경제 권력 앞에서 완전히 무기력해지며, 이 권력은 인간 본성에 대한 사회의 폭력을 일찍이 예견하지 못했을 정도까지 밀고 나간다. 개인은 그가 사용하는 기술 장치 앞에서 사라지지만, 그 대가로 이 장치에 의해 과거 어느 때보다도 많은 것을 제공받는다. 정의롭지 못한 상황에서 대중에게 분배되는 재화의 양이 증가할수록 대중은 무기력해지고 조종될 가능성이 커진다. 물질적으로는 괄목할 만하지만 사회적으로는 보잘것없는 대중의 생활수준 향상은 천박한 정신의 확산에서 잘 나타난다. 정신의 진정한 속성은 물신주의에 대한 부정이다. 정신이 문화 상품으로 고정되고 소비를 위한 목적으로 팔아 넘겨질 때 정신은 소멸할 수밖에 없다. 지나치게 상세한 정보와 유치한 오락의 범람은 인간을 계몽하면서 동시에 바보로 만든다.

— 아도르노 《계몽의 변증법》, 〈호르크하이머〉 중에서

2007년 숙명여자대학교 수시 논술에서는 현대사회의 문제점을 진단하고 그 해결 방안을 묻는 논제가 출제되었습니다. 제시문으로는 아도르노와 호르크하이머가 쓴《계몽의 변증법》과 함께 재개발로 인해 대표적인 문화 공간인 인사동이 변해 가는 모습을 담은 글을 주었습니다.

이 글에서 아도르노는 현대인의 본성이 황폐하게 된 것은 사회의 진보 때문이라고 말합니다. 근대로 들어서면서 우리 사회는 경제적으로 풍요로워지고 과학 기술의 발달로 더 편리한 생활이 가능해졌지만, 반대로 개인은 경제체제와 과학기술 앞에 무기력해지고 말았습니다. 물질적으로 더 풍요로워지고 생활이 편리해질수록 오히려 그것을 제공하는 권력에 대해 대중은 무기력해지고 조종될 가능성이 커집니다. 왜냐하면 풍요와 편의 속에서 비판적인 이성 기능이 마비되었기 때문입니다.

이러한 정신적 퇴보는 예술과 문화가 상품화되어 '문화 산업' 이 되면서 더욱 극심해지는데 아도르노는 이러한 상황을 변화시키기 위해 사회 비판적인 진정한 예술이 필요하다고 보았습니다. 또 다른 제시문으로 주어진 '인사동 이야기' 는 물질적 진보가 아니라 정신적 풍요로움이 남아 있던 공간마저 사라져 가고 있음을 역설적으로 보여 줍니다. 이러한 현실을 극복하는 방법에는 여러 가지가 있겠지만, 이성의 기능 중 도구적 이성을 자제하고 비판적 이성을 회복하는 것이 무엇보다 필요합니다. 그리고 예술은 비판적 이성을 회복하는 데 기여할 수 있어야 합니다.

2) 문화 산업 비판 - 연세대학교 2000 정시 논술

만화영화는 합리주의에 대항하는 상상력의 대변자 역할을 한 적이 있었다. 만화영화에서는 기술적으로 동물이나 사물을 변형시키고, 거기에 나름의 가치나 역할을 부여함으로써 제2의 생명을 탄생시키는 것을 당연하게 여겨 왔다. 그러나 오늘날의 만화영화는 다만 '진리에 대한 기술적 이성의 승리'를 확인시켜 주고 있을 따름이다. 몇 년 전까지만 해도 만화영화는 마지막 순간에 가서야 뒤엉킨 줄거리가 풀리게 되는 일관된 플롯을 가지고 있었다. 그런 점에서 옛날의 광대극과 흡사했다. 그러나 이제 시간의 연관 구조는 달라졌다. 첫 장면부터 모티프가 주어지고, 그것은 이야기가 진행되는 동안 내내 파괴적 장면의 근거로 작용한다. 따라서 주인공은 그 이야기를 좇아가는 관객과 함께 무자비한 폭력의 제물이 된다. 즐거움을 위해 폭력 장면을 늘린 결과 작품 전체는 잔혹극으로 전환되는 것이다. 영화 산업이 스스로 선정한 검열관들(이들과 영화 산업은 친근한 관계를 유지하고 있다)은 사냥놀이처럼 장황하고 적나라하게 전개되는 범죄 장면을 지켜보고만 있다. 포옹 장면을 볼 때 느꼈던 즐거움은 단순한 웃음거리로 대체되고, 진정한 만족은 대량학살의 순간까지 연기된다. 만화영화에 우리의 감각을 새로운 템포에 익숙하게 하는 것 이상의 역할이 있다면, 그것은 끊임없는 갈등을 희석시키고 모든 개인적 저항을 좌절시키는 것이 이 사회 삶의 조건이라는 해묵은 교훈을 모든 사람들의 머리에 주입시키는 것이다. 만화영화 속의 도날드덕은 현실 속의 불행한 사람들처럼 채찍질 당하고, 그 결과 관객들은 자신에게 가해지는 처벌을 받아들이는 법을 배우게 된다.

영화 속의 주인공이 겪는 폭력에서 느끼는 재미는 관객에 대한 폭력으로 전환되며, 기분전환은 중노동이 된다. 관객들은 아무리 눈이 피로해도 전문가가 자극제로 고안해낸 것을 하나라도 놓쳐서는 안 되며, 교묘한 속임수 장치들 앞에서 한 순간도 멍청한 모습을 보여서는 안 된다. 관객들은 장면들을 하나하나 따라가면서 영화가 보여 주고 권장하는 그럴 듯한 반응들을 재빨리 연출하기까지 해야 한다. 이런 점이 문화 산업 스스로가 그토록 떠들며 자랑하는 긴장 이완의 기능을 제대로 수행하고 있는지 의문을 제기하게 한다. 라디오 방송국이나 영화관이 대부분 문을 닫는다고 하더라도 아마 소비자들은 별로 아쉬워하지 않을 것이다. 거리에서 영화관으로 걸어 들어가는 것은 더 이상 꿈의 세계로 들어가는 것을 의미하지 않는다. 단순히 이러한 제도가 있다는 사실 자체가 그것의 이용을 의무화하지 않는 한, 그것을 굳이 이용해야 할 이유는 없다. 이렇게 문을 닫는 것이 반동적인 기계파괴운동은 아닐 것이다. 그렇게 되면, 실망하는 사람들은 열광자들보다는 모든 것으로부터 고통을 받기 마련인 우둔한 사람들일 것이다. 영화는 관객이 몰입하기를 바라지만, 관객인 가정주부는, 조용한 저녁 시간에 휴식을 취하며 창밖을 내다보듯이, 몇 시간 동안이나마 아무에게도 방해받지 않는 도피처로 극장

> 을 이용한다. 대도시의 실업자는 온도조절이 된 이 공간에서 여름에는 시원함, 겨울에는 따뜻함을 즐길 수 있다. 이런 기능을 제외한다면 잔뜩 비대해진 이 쾌락 기구는 인간이 인간답게 사는 데 별로 보탬이 안 된다. 심미적 대량 소비를 위해 이용 가능한 기술적 자원과 장치들을 '최대한 활용해야' 한다는 생각은 경제체제의 일부에 속한다. 그런데 그 경제체제는 기아 추방을 위해 자원을 활용하려고 하지는 않는다.
>
> — 아도르노 · 호르크하이머, 《계몽의 변증법》 중에서

연세대학교 2001 정시 논술에서는 아도르노 · 호르크하이머의 《계몽의 변증법》과 조지 리처의 《맥도날드 그리고 맥도날드화》 그리고 에리히 프롬의 《자유에서의 도피》를 제시문으로 주고서 현대 문명이 빚어내는 부정적 현상이 발생하는 원인을 분석하고 그에 대한 해결 방안을 논술하라고 하였습니다.

주어진 제시문들은 현대 문명이 빚어내는 부정적 현상들을 설명하고 있습니다. 특히 호르크하이머와 아도르노가 함께 쓴 위 글은 현대의 영화 산업이 인간의 비판적 사고 능력과 사유 능력을 마비시키고 오로지 연출자가 의도한 대로 기계적 반응을 하게 만들어 상상력을 발휘할 기회를 빼앗고 있다는 내용입니다.

우리는 영화를 보면서 멍청하게 쳐다보고 있을 뿐, 주체적으로 생각할 여유를 갖지 못합니다. 본래 예술은 긴장된 장면에서 몰입과 흥미를 느끼고, 이완된 장면에서는 한 발 물러나 객관적 거리를 유지하며 비판적 태도로 극을 바라볼 수 있습니다. 그러나 현대 영화 산업의 폭력성과 선정성은 끊임없이 관객을 긴장시키고 잠시도 생각할 겨를이 없이 극에 몰입하게 만들어 소비자의 상상력과 비판 의식을 마비시킵니다. 현대 문명은 문화 산업을 통해서 인간의 이성을 마비시키고 상상력과 비판적 사고 능력을 통제함으로써 수동적인 소비자로서 만들고 있음을 비판적으로 보여 줍니다.

최소의 비용으로 최대의 이익을 추구하는 자본주의사회는 비용 절감과 최대 이윤을 위해 대량생산 대량 소비 체제를 갖추고 있습니다. 그러나 그러한 대량생산 대량 소비는 규격화되고 획일화된 대중문화를 확산시켜 결국 소비자는 그 거대한 체제 속의 일부가 되어 체제의 부속처럼 소모가 되고 마는 것입니다.

그렇다면 이러한 문제점을 해결하기 위한 방안에는 어떤 것이 있을지 알아볼까요?

예를 들어, 출판이나 영상 예술 등의 분야에서도 요즘은 예술성보다는 상업성이 있는, 다시 말해 잘 팔리는 상품을 만드는 데 그 목적을 두는 경우가 많습니다. 정부는 대중문화에 있어서 상품 가치는 떨어지더라도 예술적 가치를 평가하여 충분한 지원을 할 필요가 있습니다. 그러면 사람들은 비판적 문제의식을 키워 주는 예술성 있는 작품을 접할 기회가 늘어날 것입니다. 이와 함께 개인은 소극적인 태도를 벗어나 문화 산업에 길들여지기를 거부하고 스스로 비판적인 안목을 가지고 대중문화를 바라보아야 할 것입니다.

3) 문화 산업의 본질 - 2005 성균관대 정시 논술

호르크하이머와 아도르노가 강조했듯이, 문화 산업의 본질적 특성은 반복(재연)이다. 아도르노는 '대중적' 음악과 '순수한' 음악을 대비시켜 이것을 설명한다. 그의 이른 시기에 해당하는 1936년도 논문 '재즈에 대하여' 에서 아도르노는 대중음악의 본질적 특성은 그것의 표준화라고 주장했다. 1941년 씌어진 '대중음악에 대하여' 에서 이 점을 반복해서 말하고 있다. "대중음악의 전체 구조는 표준화를 회피하려는 시도가 이루어지는 곳에서조차 표준화되어 있다. 표준화는 가장 일반적인 작품에서부터 가장 독특한 작품에까지 확장되어 있다." 표준화는 부분적인 것들의 교환가능성, 즉 대체 가능성을 의미한다.

대조적으로 아도르노에게 있어 '순수음악(고전음악)' 은 '구체적 전체성' 이다. 그것에 따라 "모든 세부적인 것이 곡의 구체적인 전체성으로부터 음악적 감각을 이끌어낸다." 이것은 변증법적 관계로, 그에 따라 전체성은 특수한 것들의 유기적 상관관계로 구성된다. 순수음악의 경우 교환가능성은 가능하지 않다. 하나의 세부사항이 빠져도 "모든 것을 잃는다."

대체 가능한 에피소드를 가진 연속극, 정형화된 틀을 가진 공포영화 등과 같은 다른 사례들을 들 수 있을 것이다. 이러한 반복은 독점자본주의 산업의 표준화되고 반복된 과정들이 문화적 생산의 영역에서 반영되기 때문이다. 후기 자본주의 하에서는 여가 시간에 그러한 반복에 접근함으로써 공장이나 사무실에서 근무 중에 일어나는 일을 벗어날 수 있을 뿐이다. 이것이 문화적 생산품들을 위한 조건을 확정한다. "청중에게 어떠한 독립된 사고를 기대하지 않아야 하고" 그 대신에 "제품은 모든 반응을 규정한다" 문화 상품의 표준화는 청중의 표준화를 낳는다. "문화 산업에 의한 종으로서의 인간이 사실로 되었다. 이제 어떤 사람도 다른 어떤 사람과 대체될 수 있는 그러한 부속물일 뿐임을 의미한다." 아도르노가 말하길, "표준화는 청취자에게 자발성을 박탈하고 조건반사를 촉진한다." 이러한 점에서 그 주장은 '대중문화와 그 청중이 모두 후기 자본주의 하에서는 급격한 의미의 상실을 겪는다' 라는 것을 말하고 있다.

위 글은 웰티(G. Welty)의 〈테오도르 아노르노와 문화 연구〉를 번역한 것입니다.

대중음악은 오늘날 언제 어디서나 접하는 생활의 일부가 되었습니다. 이러한 대중음악은 산업과 문화의 측면에서 지대한 영향력을 행사하고 있습니다. 특히 우리나라 중 · 고등학교 학생들은 대중음악에 가장 많이 노출되어 있으며 대중음악 시장의 가장 중요한 소비자 역할을 하고 있습니다. 그러나 대중음악이 갖는 사회 · 문화적 영향에 대해서는 상반되는 입장이 존재하고 있습니다. 프랑크푸르트 학파에 속하는 학자들, 아도르노 등은 대중음악을 비롯하여 문화 산업 전반에 대해 매우 비판적인 태도를 취하고 있는데 비해, 최근 들어 부각되는 일단의 문화학자들은 대중문화에 대해서 긍정적 시선을 갖고 있기도 합니다.

위 글에서 아도르노는 문화 산업이 표준화되어 있으며 이는 언제든 대체 가능한 방식으로 문화예술을 상품화하기 위한 것이라고 분석합니다. 문제는 그러한 대중문화의 표준화가 문화를 수용하고 소비하는 사람들을 표준화한다는 것입니다. 그에 따라 사람들 개개인은 각자 개성을 가진 존재가 되지 못하고, 거대한 사회 체제의 부속처럼 대체가능한 상품으로 전락하고 맙니다. 아도르노의 문화 산업 비판은 바로 여기에 핵심이 있습니다.

표준화

표준화란, 대량생산이나 대량 구매를 가능하게 하고 과학적 관리를 가능하게 하며 또는 소비자에 대한 품질보증을 목적으로 하는 것으로서, 제품 · 부품 · 품질 · 작업방법 · 공구 · 설비에서 경영의 방침 · 방법 · 절차에 이르기까지 최선의 기준이나 규격을 발견하고 통일화하는 것을 의미한다.

표준화란 테일러가 시간동작연구를 통하여 가장 능률적인 작업방법을 발견하여 각 작업자에게 표준화하기 위한 작업지도표를 작성함과 아울러, 표준 시간을 설정하여 작업관리의 기초로 삼은 것을 말한다. 테일러는 각 작업자가 표준 시간을 공평하게 달성할 수 있게 하기 위하여 공구(工具)나 시설에 관한 최선의 방안을 연구하여 표준화하였다. 표준화의 실시로 표준에서 일탈된 것에서만 관리의 초점을 맞출 수가 있게 되었다.
포드 자동차 공장의 포드시스템(Ford system)하에서의 표준화는 대량생산을 가능하게 하기 위한 제품이나 부품의 규격 통일을 뜻한다. 포드는 제품을 단일 품종에 표준화함과 함께 부품의 규격 통일에 의해 부품의 호환성(互換性)을 확보함으로써 양산 시스템을 확립, 부품의 집중적 대량생산을 가능하게 하였다. 제품 · 부품의 표준화는 양산 시스템의 불가결한 기초를 이룩하고 있다.
최근에는 체인 스토어, 슈퍼 체인이나 외식산업 체인의 경우, 상품의 표준화, 점포설계의 표준화를 비롯하여 판매 방법에서 경영 방침에 이르기까지 과학적 조사에 근거한 표준화가 이루어지고 있다.

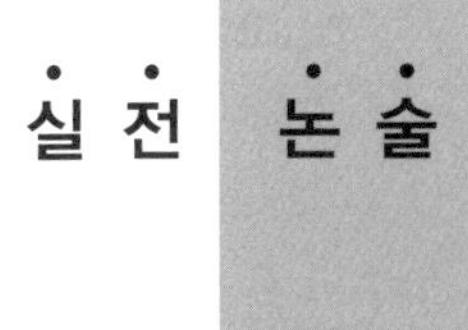

실전 논술

논술 문제

case 1 제시문 (가)를 참고하여, 제시문 (나)에서 '가수가 되려는 지수의 꿈'에 대한 자신의 견해를 논술하시오. (600~800자)

가 어른들은 숫자를 좋아한다. 어른들에게 새 친구에 관해 얘기하면 그들은 중요한 것은 묻지 않는다. '친구의 목소리가 어떻니? 어떤 놀이를 좋아하니? 나비를 수집하니?' 하는 말은 절대로 묻지 않는다. 그들은 '나이가 몇이니? 형제가 몇이니? 몸무게가 얼마나 되니? 그 애 아버지는 얼마나 버니?' 하고 묻는다. 그래야만 어른들은 그 친구를 알게 된다고 믿는 것이다. 만약 어른들에게 '창가에는 제라늄이 있고 지붕 위에는 비둘기가 나는 아름다운 붉은 벽돌집을 보았다' 고 말한다면 어른들은 이 집이 어떻게 생겼는지 상상하지 못한다. '십만 프랑짜리 집을 보았다' 고 말해야 한다. 그러면 어른들은 '야아, 참 훌륭하구나!' 하고 외치는 것이다.

—《어린 왕자》 중에서

나 요즈음 어린이들의 장래 희망 중에는 가수나 개그맨 등이 많다고 합니다. 아마도 겉으로 드러나는 화려한 모습과, 방송을 타고 유명해지면 돈을 많이 벌 수 있을 거란 생각 때문이겠죠.

예솔이의 친구 지수도 가수가 되려는 꿈을 가지고 있습니다. 지수의 가슴속에도 예쁜 얼굴과 날씬한 몸매로 사람들의 시선을 사로잡는 가수의 모습이 자리 잡고 있는 모양입니다. 국악인이 되겠다는 예솔이 역시 지수의 생각 때문에 갈등하고 있군요.

아도르노는 가수가 되겠다는 지수의 꿈에 대해 어떻게 생각할까요? 우선 가수에 대해 비판 의식을 가지고 생각해 봐야 합니다. 가수가 되기 위해선 능력도 필요하지만, 음반도 내고 방송에도 출현하기 위해서는 적지 않은 돈이 필요합니다. 음반 제작사들은 히트를 해서 돈을 벌 수 있는 가수를 선호하고 방송사들도 대중의 인기를 끌 수 있는 가수를 원합니다. 시청률을 높이기 위해서죠. 결국 가수가 되기 위해서는 노래 실력도 중요하지만 자본이 중요함을 알 수 있습니다.

—《아도르노가 들려주는 예술 이야기》 중에서

생각 쓰기

생각 쓰기

생각 쓰기

case 2 (가)를 참조하여 제시문 (나)에 대한 자신의 의견을 논술하시오. (300자 내외)

가 "미메시스란 모방이라는 뜻으로 예술이 현실을 모방한다는 것이지. 미메시스에는 두 가지가 있는데, 하나는 잘못된 미메시스, 또 하나는 반성적 미메시스란다."

"잘못된 미메시스는 즐거움만 찾으려고 하는 현실을 모방하는 것이고, 반성적 미메시스는 힘들고 고통스러운 현실까지 모방하는 것이죠?"

"와! 하나를 가르쳐 주면 열을 알겠는데. 아도르노는 예술이 반성적 미메시스를 버리고 잘못된 미메시스의 방향으로 가는 것을 비판했어. 예술이 반성적 미메시스를 추구할 때 우리는 자유로운 영혼을 얻을 수 있게 되는 거야."

—《아도르노가 들려주는 예술 이야기》 중에서

나 둥당기타령

저기 가는 저 생애는 남생앤가 여생앤가

저승길에 가거들랑 우리 어매 만나거든

어린 동생 보챈다고 백수병에다 젖을 짜서

한숨으로 마개 들어 무지개로 끈을 달아

보내라소 보내라소 안개 손으로 보내라소

둥당에다 둥당에다 당기 둥당에 둥당에다

앞산 밭에 고추심어 뒷산 밭에 마늘심어
고추마을 맵단불로 씨누야 같이 매울소냐
둥당에다 둥당에다 당기 둥당에 둥당에다

미역 따고 전복 따서 우리 부친 봉양하고
해삼 따고 소라 따서 우리 낭군 섬겨 보세
둥당에다 둥당에다 당기 둥당에 둥당에다

바닷물이 원수 되면 물으란 고기도 아니 물고
요 내 청춘 늙어지면 오던 친구도 아니 온다
둥당에다 둥당에다 당기 둥당에 둥당에다

— 《아도르노가 들려주는 예술 이야기》 중에서

생각 쓰기

생각 쓰기

case 3 제시문 (가)를 참고하여 제시문 (나)와 (다)에 나타난 예술의 비판적 기능을 설명하고 그에 대한 자신의 견해를 논술하시오. (1000자 이내)

가 사람들은 관리된 사회 현실 속에 살아가고 있기 때문에, 자신의 모습을 볼 수가 없습니다. 이런 현실에서 예술은 거울과 같은 역할을 합니다. 예술은 현실의 모습을 모방합니다. 그리고 모방된 현실을 그대로 사람들에게 보여줌으로써 현실의 고통을 깨닫게 하는 역할을 합니다. 반성적 미메시스는 영혼을 잃은 사람들에게 자신이 영혼을 잃었다는 것을 깨닫게 해 줍니다. 따라서 반성적 미메시스는 잃어버린 자신의 영혼을 구제하는 계기가 됩니다. 이것이 예술의 진정한 역할이자 기능이라 할 수 있습니다.

―《아도르노가 들려주는 예술 이야기》 중에서

나 에스파냐의 마드리드에 있는 소피아왕비 미술센터에 소장되어 있는 〈게르니카〉라는 피카소 그림에는 비극성과 상징성에 찬 복잡한 구성 가운데 전쟁의 무서움, 민중의 분노와 슬픔을 격정적으로 표현한 작품으로 피카소 특유의 표현주의로 불리는 괴기한 표현법이 나타났다. 게르니카는 에스파냐 바스크지방의 작은 도시로, 1937년 에스파냐 내란 중 프랑코를 지원하는 독일의 무차별 폭격에 의하여 폐허가 되었다.

포호에 견디는 얼굴 추위에 견디는 얼굴

거부에 밤에 부정(不正)에 타격에 견디는 얼굴

뒤집혀진 죽은 심장

여인들 아이들은 같은 붉은 장미들을

눈 속에 지녀

저마다 자신의 피를 보여 준다.

— 엘뤼아르, 〈게르니카의 승리〉 중에서

다 게르니카

작가 피카소

종류 벽화

크기 349×775cm

제작연도 1937년

소장 에스파냐의 소피아왕비 미술센터

이 작품은 파리만국박람회를 비롯하여 구미 여러 나라에서 순회전을 가졌습니다. 그러나 에스파냐가 프랑코 체제가 되자, 공화파 지지자였던 피카소는 그림 반입을 거부하고, 1939년 에스파냐의 민주주의와 자유의 회복 후 반드시 프라도에 전시할 것 등의 조건으로 이 작품을 뉴욕 근대미술관에 무기한 대여형식으로 빌려 주었습니다. 프랑코의 독재가 계속되는 한 조국과 화해할 수 없다고 한 피카소의 신념으로 인해 1981년에야 에스파냐에 반환되어 마드리드의 프라도미술관에 소장되었다가, 일부 정치인과 예술가들의 강력한 반발에도 불구하고 보관상의 문제로 1992년 소피아왕비 미술 센터로 옮겼습니다.

비극성과 상징성에 찬 복잡한 구성 가운데 전쟁의 무서움, 민중의 분노와 슬픔을 격정적으로 표현한 작품으로 상처 입은 말, 버티고 선 소는 피카소가 즐겨 다루는 투우의 테마를 연상케 하며, 흰색 · 검정색 · 황토색으로 압축한 단색화에 가까운 배색이 처절한 비극성을 높이고 있습니다. 극적인 구도와 흑백의 교묘하고 치밀한 대비효과에 의해 죽음의 테마를 응결시켜 20세기의 기념비적 회화로 평가됩니다.

— 엘뤼아르, 〈게르니카의 승리〉 중에서

생각 쓰기

예시 답안

case 1

제시문 (가)에는 모든 것을 숫자와 돈으로만 환산해서 계산하는 어른들의 모습을 볼 수가 있다. 어른들은 사람이나 사물의 진정한 모습을 보려 하기보다는 겉으로 드러나는 모습만을 보려 한다. 그래서 나의 친구를 대할 때도 그 친구가 공부를 잘 하는 친구인지를 궁금해 할 뿐이다. 결혼 상대자를 선택할 때도 일단 돈이 많은 지부터 생각한다. 그러나 겉으로 보이는 모습이 아니라 그 이면의 진실을 볼 수 있어야 한다.

제시문 (나)에는 가수가 되려는 지수와 국악인이 되려는 예솔이의 모습을 볼 수 있다. 아마도 대부분의 사람들은 국악인이 되려는 예솔이를 조금 특이한 아이로 생각하고, 예쁜 얼굴과 날씬한 몸매로 사람들의 시선을 사로잡는 가수를 꿈꾸는 지수를 응원할 것이다. 그러나 겉으로 보이는 모습만이 전부는 아니다. 유명 가수들의 화려한 모습 뒤에 무엇이 있는지 비판적으로 바라볼 수 있어야 한다.

가수가 되겠다는 지수의 꿈은 (가)에 나오는 어른들처럼 돈을 목적하는 것이 아니라면, 우선 가수에 대해 비판 의식을 가지고 생각해 봐야 한다. 가수가 되기 위해선 능력도 필요하지만, 음반도 내고 방송에도 출현하기 위해서는 적지 않은 돈이 필요하다. 음반 제작사들은 히트를 해서 돈을 벌 수 있는 가수를 선호하고 방송사들도 대중의 인기를 끌 수 있는 가수를 원한다. 시청률을 높이기 위해서다. 물론 예술가들도 돈을 벌어야 살 수 있다. 그러나 예술이 돈 벌기 위한 목적을 위한 것이 된다면 문화 산업에 갇혀서 순수한 예술 정신은 사라지고 말 것이다.

case 2

제시문 (나)의 〈둥당기타령〉은 원래 아주머니들이 장독에 물을 담아 바가지를 엎어놓고 숟가락으로 두드리면서 부르는 노래이다. 물론 〈둥당기타령〉의 내용이 신나거나 친근하지는 않다. 그러나 〈둥당기타령〉은 고통스러운 우리네 삶을 보여주면서 삶의 진실을 담고 있다. 그 노랫말에는 우리네 어머니의 삶이 고스란히 담겨 있기 때문이다. 그 속에서 우리는 어머니의 삶을 생각해보고 반성할 수 있는 계기를 마련할 수 있다. 따라서 〈둥당기타령〉은 고통을 예술적으로 모방함으로써 비판과 반성을 일깨우는 반성적 미메시스 즉 진정한 예술이라고 할 수 있다.

case 3

(나)의 피카소의 '게르니카' 란 작품에는 소, 말, 작은 새, 죽은 아이, 울부짖는 여인 등 여러 동물과 인간의 모습이 등장한다. 특히 우리의 눈길을 끄는 것은 무시무시한 광포성을 드러내고 있는 수소와 창에 찔린 말이다. 이 수소와 말은 검은 호흡을 거칠게 내쉬고 있는 듯하다. 이 그림은 언뜻 보아서는 그 의미를 잘 알 수가 없다. 직접적으로 우리에게 어떤 말을 하는 게 아니라 간접적으로 무언가를 형상화하고 있는 듯하다.

(다)의 엘뤼아르의 시 '게르니카의 승리' 를 보면 "포화에 견디는 얼굴", "뒤집혀진 죽은 심장", "저마다 피를 보여주는" 여인들과 아이들이 묘사되어 있다 이것들은 참혹하게 일그러진 인간의 모습이다. 이는 피카소가 '게르니카' 라는 그림에

서 보여 주는 바와 통하는 바가 있다. 두 작품은 개인적인 원한과 증오를 표현하고 있는 것 같기도 하다. 그러나 (가)의 관점에서 보자면, 두 작품은 그러한 차원을 넘어서서, 스페인 내란과 프랑코의 폭력과의 투쟁을 출발점으로 하지만 보다 더 넓은 차원의 전 인류적 시야로 독자를 이끌고 있다. 폭력과 전쟁과 암흑에 대항하여, 평화와 행복한 여인과 아이들을 수호할 것을 인류에게 호소하고 있는 것이다.

괴기한 모습을 묘사한 피카소의 작품은 일단 눈살을 찌푸리게 한다. 엘뤼아르의 시 역시, 아름다운 시가 전혀 아니다. 그러나 두 작품은 진정한 예술이 무엇인지 보여준다. 예술은 사회의 현실을 보여주고 묘사함으로써 사회에 대하여 고민하고 비판적으로 생각해 볼 수 있는 기회를 주는 기능을 해야 한다. 그렇지 않고 독자들이나 감상자들이 보기에 좋은 것, 듣기에 좋은 것만 추구한다면, 당장은 많은 돈을 벌 수 있을지 모르겠지만, 예술 본연의 사회비판적 기능과 역할을 저버리게 된다. 아도르노가 말했듯이, 예술은 자율적이어야 하며 자율성을 상실한 사람들을 일깨우는 비판적 기능을 다 해야 할 것이다.

논술 답안 쓰기

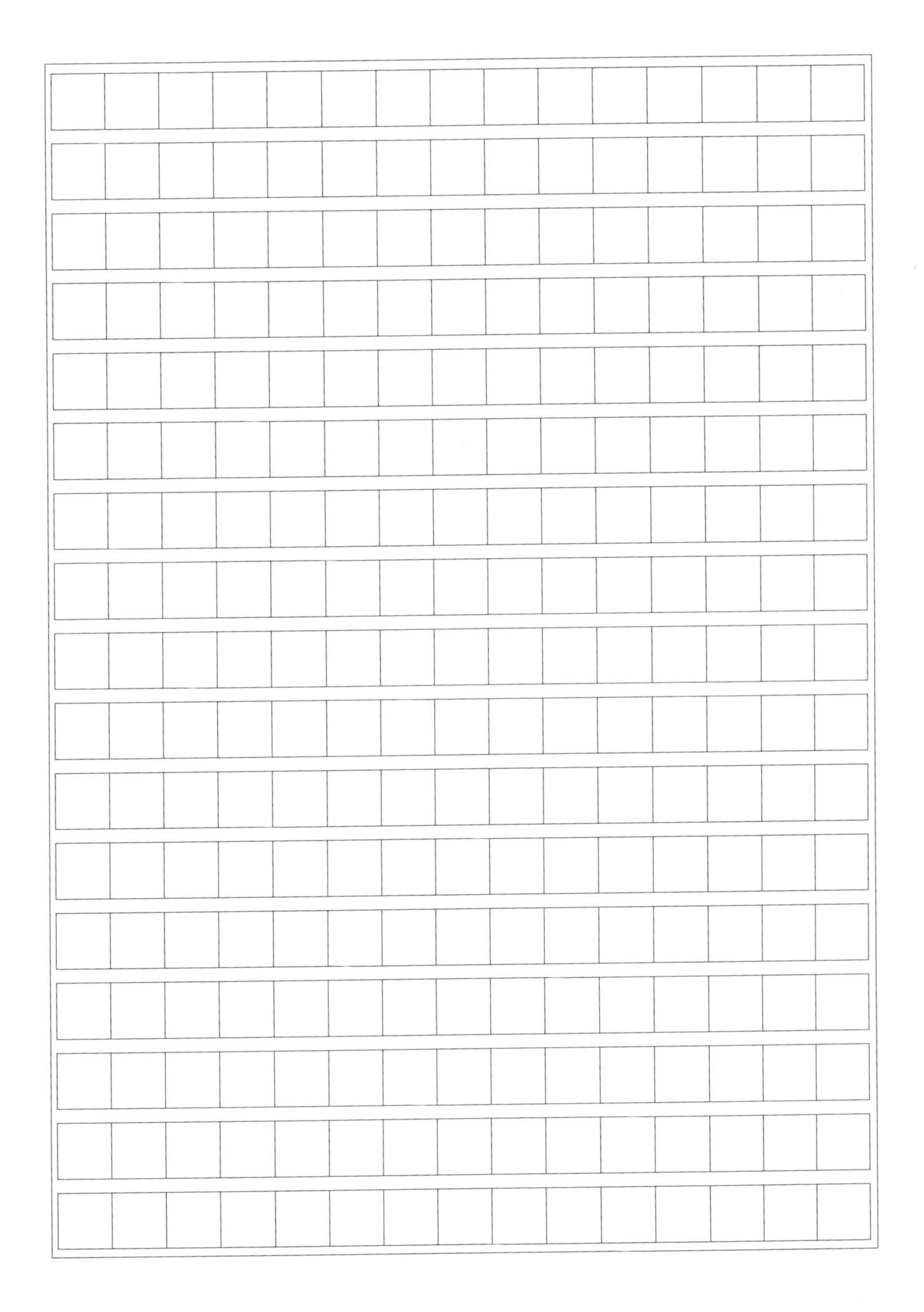